# Golpe de Estado

Palmério Dória
Mylton Severiano

# Golpe de Estado

O espírito e a herança de 1964
ainda ameaçam o Brasil

PREFÁCIO DE
Fernando Morais

GERAÇÃO

Copyright © 2015 by Palmério Dória de Vasconcelos
Copyright desta edição © 2015, Geração Editorial Ltda.

1ª edição — Junho de 2015

Grafia atualizada segundo o Acordo Ortográfico da Língua Portuguesa de 1990, que entrou em vigor no Brasil em 2009.

Editor e Publisher
**Luiz Fernando Emediato**

Diretora Editorial
**Fernanda Emediato**

Produtora Editorial e Gráfica
**Priscila Hernandez**

Assistente Editorial
**Adriana Carvalho**

Assistente de Arte
**Nathalia Pinheiro**

Capa
**Raul Fernandes**
**Wesley Passos**
**Willian Novaes**

Projeto Gráfico e Diagramação
**Alan Maia**

Preparação de Texto
**Nanete Neves**

Revisão
**Josias A. de Andrade**

---

**DADOS INTERNACIONAIS DE CATALOGAÇÃO NA PUBLICAÇÃO (CIP)**
(Câmara Brasileira do Livro, SP, Brasil)

Dória, Palmério
Golpe de Estado : O espírito e a herança de 1964 ainda ameaçam o Brasil / Palmério Dória. -- São Paulo : Geração Editorial, 2015.

Bibliografia.
ISBN 978-85-8130-270-6

1. Brasil - História – Revolução de 1964
2. Brasil – Política e governo – 1964 3. Golpes de Estado - Brasil
4. Jornalismo 5. Militarismo – Brasil I. Título.

14-09593             CDD: 070.449

Índices para catálogo sistemático

1. Golpe militar de 1964 : Brasil : História política : Jornalismo    070.449

---

**GERAÇÃO EDITORIAL**

Rua Gomes Freire, 225 – Lapa
CEP: 05075-010 – São Paulo – SP
Telefax.: +55 11 3256-4444
*E-mail:* geracaoeditorial@geracaoeditorial.com.br
www.geracaoeditorial.com.br

Impresso no Brasil
*Printed in Brazil*

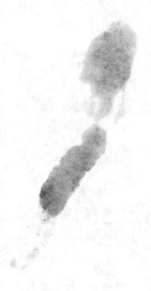

A tradição dos oprimidos nos ensina
que o estado de exceção em que
vivemos é, na verdade, a regra geral.

WALTER BENJAMIN, *refletindo sobre História*

Povo de merda, que não sabe votar.

GENERAL FIGUEIREDO, *em 1974, sobre a derrota da
Arena, partido de sustentação da ditadura*

Obter, para si ou para outrem, vantagem ilícita, em prejuízo alheio, induzindo ou mantendo alguém em erro, mediante artifício, ardil, ou qualquer outro meio fraudulento:

Pena – reclusão, de 1 (um) a 5 (cinco) anos, e multa.

Código Penal, Capítulo VI, Do Estelionato e Outras Fraudes, Artigo 171 – Estelionato

Entre outras coisas, os autores mostram, sem grandes dificuldades, como o golpe de 1964 configurou um estelionato de proporções continentais, mediante o qual alguns golpistas, sob a alegação fraudulenta de pôr fim à subversão e à corrupção, obtiveram vantagem ilícita para si e para outros em prejuízo de milhões de brasileiros.

# Sumário

Introdução
**15 de março de 2015
Estamos pagando até hoje** 13

Prefácio
**O que o golpe impediu o Brasil de ser** 23

Capítulo 1
***Globo* queria a inteligência no paredão
e sassarica até hoje** 25

Capítulo 2
**Um herói; para os golpistas, reles subversivo
e "traidor de Cristo"** 31

Capítulo 3
**Reformas de base: nunca mais se falou nelas,
elas estão aí, por fazer** 37

Capítulo 4
***Lúmpen* diz: "A maior perda foi a
reforma agrária que não se fez"** 41

Capítulo 5
**Uma crítica ao PC pela esquerda e o
atraso que começou pelo calendário** 45

Capítulo 6
**"Não era contra os comunistas o golpe,
o golpe era contra Brizola"** 49

Capítulo 7
**Com apoio de até 86%, quanto mais popular Jango ficava, mais ele caía 55**

Capítulo 8
**Os arrombadores de portas abertas e a desfaçatez dos "historialistas" 59**

Capítulo 9
**Como o Brasil escapou de virar Brasil do Norte e Brasil do Sul 63**

Capítulo 10
**Humor de torturador: se você ri, apanha; se você não ri, apanha 69**

Capítulo 11
**Os ovos denunciados não eram subversivos, eram inocentes 71**

Capítulo 12
**Igrejas: as cúpulas apoiam o golpe, e nas bases, salve-se quem puder 75**

Capítulo 13
**Ideologia do antitudo e da paulada é adaptada: o fascismo à brasileira 81**

Capítulo 14
**A seleção de 1982 jogou futebol-arte na ditadura, mas já era outro Brasil 87**

Capítulo 15
**O "alinhamento automático" e o preparo do impossível: luta armada 93**

Capítulo 16
O golpe de 1964 seria em 1954, com o possível assassinato de Getúlio 101

Capítulo 17
Peréio conta como impediram o bombardeio do Palácio Piratini 107

Capítulo 18
Uma proposta que tão cedo não sairá do papel: extinguir a PM 111

Capítulo 19
Os macacos subversivos e a breve história do assassinato de um jornal 117

Capítulo 20
A turma se divertia dando, volta e meia, o drible da vaca na censura 121

Capítulo 21
Há dois tipos de censura hoje numa redação: a da gaveta e a do orçamento 131

Capítulo 22
Um monólogo de Zé Celso quarenta anos após as prisões por posse de droga 137

Capítulo 23
Se Getúlio não se matasse, não haveria bossa-nova, cinema novo... 141

Capítulo 24
Índio branco considera gravíssima a situação herdada e "aperfeiçoada" 149

Capítulo 25
"Sabe o que mais me preocupa? Aquilo que não é publicado" 159

Capítulo 26
ETs de verde-oliva abduzem um Vandré e devolvem um Pedrosa 169

Capítulo 27
A miséria reina na Universidade: publicam-se teses para jogar fora 173

Capítulo 28
Livros e educadores perseguidos: golpistas têm ódio à inteligência 177

Capítulo 29
Assim vamos, do conservadorismo ao agringalhamento da educação 179

Capítulo 30
Por que os golpistas não admitem que deram um golpe? 185

Capítulo 31
Sereno, o prefeito que expulsou Lincoln Gordon de seu gabinete 187

Capítulo 32
Dona Lurdinha, secretária da Casa Civil: prova de que nada ia mudar 193

Linha do tempo 195

# 15 de março de 2015.
# Estamos pagando até hoje.

O prédio do Museu de Arte de São Paulo demorou doze anos para ser concluído, de 1956 a 1968. Foi inaugurado no dia 7 de novembro, antevéspera do maldito AI-5. Quem cortou a fita inaugural foi a Rainha Elizabeth, da Inglaterra. O idealizador da majestosa obra não estava presente. Pouco antes, depois de uma vida feérica e longa enfermidade, Assis Chateaubriand havia morrido.

O vão livre do MASP, o maior da América Latina, epicentro das manifestações que ocorrem na Avenida Paulista, é que nem papel: aceita tudo. Atos democráticos ou antidemocráticos. Aos domingos, uma sofisticada feira de antiguidades, com desfile de madames e colecionadores. Nos dias de semana, hippies tardios fumam maconha, jovens musculosos jogam capoeira, casais de namorados trocam carícias. Poucos locais são tão democráticos quanto o museu de Chatô.

Chateaubriand, o magnata das comunicações, dono dos *Diários Associados*, levantou mundos e fundos, tosquiou os ricos, viabilizou a obra, comprou, tomou ou extorquiu o seu acervo deslumbrante e contratou o galerista italiano Pietro Maria Bardi para dirigir o novo cartão postal da cidade.

Quem concebeu esse monumento às artes foi a mulher de Pietro, Lina Bo Bardi, arquiteta modernista italiana. Para manter a vista da Paulista, no alto de uma colina, imaginou um vão livre de 70 metros, mantendo essa estrutura pousada em quatro pilares laterais. Um milagre!

Quem tocou essa bela loucura foi o engenheiro José Carlos Figueiredo Ferraz, que depois se tornou prefeito de São Paulo, indicado por Garrastazu Médici, o mais sanguinolento dos ditadores.

Quinze de março de 2015. Em sua juventude, na Itália, Pietro Maria Bardi era devoto do ditador fascista Benito Mussolini, que se sentiria muito à vontade no vão do MASP neste domingo nublado e de chuva fina.

A multidão que passa barulhenta e circula por aqui está atrás de um Duce de ocasião, um líder que se apresente "acima dos partidos" e cultive incontido ódio por todos os tons de vermelho, como o próprio Mussolini. O humorista Gregório Duvivier, do grupo Porta dos Fundos, foi preciso no diagnóstico: "Histeria coletiva".

No canteiro central da mais importante avenida do hemisfério sul, os relógios digitais marcam três da tarde. Um formigueiro verde e amarelo zanza de ponta a ponta nos seus 2.600 metros de extensão. A avenida ferve. Dos buracos do metrô pipocam inúmeras famílias. No meio de uma delas, uma garotinha com não mais de cinco anos, de bandeirinha nacional na mão, repete com alegria palavras das quais nem sonha o significado:

— Fora Dilma! Fora PT!

Dá para imaginar o papo dessa linda criatura com seus pais daqui a uns quinze anos, ao se flagrar em meio a tristes figuras em *selfies* para a posteridade, quando terá uma perfeita noção das circunstâncias deste dia 15.

— Então vocês me fizeram pagar esse mico, hein?

Vamos circular.

Um sujeito corpulento e careca, com rasgos de exibicionismo evidente, cercado de moças em trajes mínimos, desce de seu Jaguar e, com um megafone, urra, repetitivo: "Fora Dilma!". Oscar Maroni, figurinha carimbada de programas B da televisão e empresário da noite, é o dono da sauna relax Bahamas, onde batalhões de garotas de programa atendem senhores endinheirados. Maroni, sem saber, dá o tom da festa: "Isso está uma zona! E de putaria eu entendo!".

Cercado da mulher e familiares, o senador goiano Ronaldo Caiado, líder o DEM, vestindo uma camiseta onde se estampa a mão de Lula sem o dedo mindinho, perdido num acidente no torno, empresta ares agrários ao *happening*. Depois se soube que as tais camisetas eram vendidas a R$ 150,00.

Caiado, de porte físico invejável, médico ortopedista formado pela Universidade Federal do Rio de Janeiro com especialização em cirurgia da coluna pelo Serviço de Cirurgia Ortopédica e Traumatológica do professor Roy-Camille, em Paris, e com ideário político pré-queda da Bastilha, faz um tremendo *su*, como diria o colunista analfabeto Ibrahim Sued. Damas do *society* e damas do Bahamas de Maroni disputam *selfies* com o vistoso galã rural. Ele também posa com o roqueiro Lobão, da vanguarda intelectual do movimento, uma das sumidades formadas pelo filósofo Olavo de Carvalho. A soma delas de todas elas daria um Alexandre Frota.

Dias depois, o paladino da Paulista, pretenso candidato das massas conservadoras ao Palácio do Planalto, seria abatido por um artigo furibundo e irresponsível de outra reserva moral de Goiás: o ex-senador e seu íntimo (ex) amigo Demóstenes Torres. Uma traulitada. Do financiamento de Caiado pelo bicheiro Carlinhos Cachoeira a férias pagas pela empreiteira OAS num resort baiano, Demóstenes o demoliu. Caiado respondeu com adjetivos terríveis.

Um rapaz miúdo, de dezenove anos, moreno, traços orientais, agita a massa. É Kim Kataguiri, de um certo Movimento Brasil Livre, definido pelo jornalista Paulo Nogueira como "analfabeto político mirim", liderança saída da internet e adubada pela mídia. Uma senhora bem-vestida, com colar de pérolas de três voltas, chi-qué-si-ma, comenta com sua empregada doméstica (juntas, talvez no único momento de igualdade entre ambas), cheia de admiração.

Duas outras lideranças do ato dividem as atenções com Kim. Cada qual em seus potentes caminhões de som, Marcelo Reis — do Revoltados Online — e Rogério Chequer, chamado de "Chequer sem fundos" pelo próprio Olavo de Carvalho — do Vem Pra Rua — apresentam-se como apartidários e independentes. O Vem Pra Rua, o mais atuante, é apartidário e apolítico da cota do PSDB.

Existe algo em comum entre eles. São as novas faces da velha direita. Ninguém sabe de onde vem a dinheirama para invejável estrutura de trabalho que financia a estrutura de trabalho deles.

Chequer mitou. Foi ao *Roda Viva*, na TV Cultura, onde a maioria dos entrevistadores levantou bola para ele. Fernando Henrique Cardoso, em seus oitenta e três anos, deixou-se fotografar sentado em mesa de reunião com o promissor líder saído sabe-se lá de onde.

A festa durou pouco: semanas depois apareceram algumas informações sobre o tempo que o jovem pupilo deixou nos Estados Unidos, onde viveu por vinte anos. Chequer, vaidoso e bem-articulado, não é do tipo que se possa comprar um carro usado.

Marcello Reis é truculento e fanfarrão, desses que atraem atenções e olhares curiosos em botecos de esquina. Sua afetação e primarismo ideológico o fazem perpetrar barbaridades contínuas, que vão da postagem (por ele mesmo!) de um vídeo onde o síndico de seu edifício residencial o espinafra e o desmoraliza, ou embolsar dinheiro de pretensos clientes em sua pequena empresa de informática e não entregar o serviço contratado, gerando reclamações e escândalos na porta da espelunca.

Duas outras figuras chamam a atenção entre as folclóricas figuras do evento. Nicodemus, ex-motorista de Carlos Marighella, com o olhar esgazeado, uma máscara de ódio afivelada na cara, é cumprimentado com efusão. Hoje, vive em Higienópolis e faz política em São Paulo usando o verdadeiro nome.

No início dos anos 1970, Nicodemus saiu clandestino do Brasil por obra de uma vaquinha feita por amigos. E foi morar na periferia de Paris, dando duro para sobreviver. Havia acabado de participar de mais uma expropriação revolucionária, assaltando os malotes de dinheiro de um trem-pagador nas cercanias de Jundiaí. Era como um Ronald Biggs ideológico.

Neste 15 de março, eleito senador por São Paulo, Aloysio Nunes Ferreira prega o *impeachment* da presidente recém-eleita. Não se conforma com a derrota sofrida como vice-presidente da República na chapa de Aécio Neves, que disse que ia ao ato, mas por incrível que pareça, não foi. Deveria estar tomando seus vinhos nos salões do Palácio do Jaburu, mas está — sentindo-se injustiçado — em plena Paulista, cercado pelo populacho cheiroso, de direita, seguindo as palavras de ordem gritadas pelo jovem Kim. *C'est la vie*, Nicodemus Nunes Ferreira.

O capitão e deputado carioca Jair Bolsonaro chega acompanhado do filho, eleito deputado federal por São Paulo. Um rapagão boa-pinta, que em outro ato da mesma estirpe carregava uma pistola Glock na cintura.

As velhas e os integralistas remanescentes vão ao êxtase. Capacetes de voluntários de 1932 e bandeiras com o sigma de Plínio Salgado são agitados ao vento com a chegada de mais uma liderança daquela gente branca, diferenciada e esnobe. São raros os negros e pobres, mas a elite paulistana se dobra diante do capitão radical dos subúrbios cariocas.

Bolsonaro tem expressão desafiadora, sobe num dos caminhões de som e é ovacionado pela patuleia. Mas não falou. Alguns líderes acharam prudente evitar o seu discurso homofóbico, racista, ressentido, raivoso. Quando integrava um grupo de jovens oficiais do Exército, durante campanha por aumento de vencimentos, Bolsonaro sofreu uma Síndrome de Burnier: queria explodir o sistema de abastecimento do Rio de Janeiro.

Um ancião chamado com carinho pelos presentes de "Vovô Metralha", com capacete militar e gravata borboleta, faz *selfies* com jovenzinhas e empunha um cartaz provocador com uma petição: "Quero ser ouvido pela Omissão da Verdade!".

Trata-se do agente Carlos Alberto Augusto, do Departamento de Ordem Política e Social (Dops). Visivelmente perturbado, mas ainda com o mesmo espírito dos tempos em que era o braço-direito do terrível delegado Sérgio Paranhos Fleury, o mais notório assassino e torturador das masmorras da ditadura.

Frio, Vovô Metralha participou de detenções ilegais, torturas e execuções. Entre suas vítimas estão o guerrilheiro Carlos Marighella e Pauline Reichstul, irmã de Philippe Reichstul, presidente da Petrobras no governo de Fernando Henrique Cardoso. Ele aproveita o evento convocado à exaustão pela mídia para relembrar seus "feitos". Em entrevistas, se vangloria: faria tudo outra vez.

Na *Folha de S. Paulo*, o jornalista Clóvis Rossi saiu em defesa da classe média aqui representada. Disse que ela sempre foi a base dos movimentos democráticos. Mas ninguém viu uma figura tão nefasta ser tratada como herói em nenhuma dessas ocasiões cívicas.

Vovô Metralha é a mais perfeita tradução do evento, no qual se pode ver jovens fazendo a saudação nazista e todos acham normal, assim como posar ao lado da tropa de choque da Polícia Militar, aquela que baixa o porrete na juventude aqui mesmo na Paulista.

Uma loira de farmácia, com corpo razoavelmente voluptuoso, despe-se pregando o *impeachment*. É aplaudida. Um jovem negro, pobre, histérico e ameaçador, grita incessantemente, pulando no palco, "Golpe! Golpe!

Golpe!". Madames aplaudem Fernando Holliday, a quem jamais convidariam para suas mansões e apartamentos de cobertura.

O prédio do extinto Banco Mercantil de São Paulo, ao lado do MASP, reflete a personalidade do fundador, o banqueiro Gastão Eduardo de Bueno Vidigal. Doutor Gastãozinho, um conservador que dividia com Jânio Quadros paixão declarada por Londres, plantou aqui um edifício que poderia estar muito bem na velha Albion: cinzento, solene, triste.

Ele bem que poderia ser o patrono dos grupos que convocaram os atos que ocorrem na Paulista desde novembro de 2014, após a reeleição de Dilma Rousseff, em segundo turno, no dia 26 de outubro de 2014.

Inconformados com o resultado apertado — Dilma teve 51,64% dos votos, e Aécio Neves, 48,36% —, e no embalo da Operação Lava Jato a oposição passou a contestá-lo. Acabou caindo numa galhofa que já entrou para o folclore político como "terceiro turno", digna de figurar no Febeapá — Festival de Besteira que Assola o País — do cada vez mais saudoso Stanislaw Ponte Preta.

Na frente do MASP, o Parque Trianon, um mini Central Park. Alguns Integrantes do grupo do S.O.S Forças Armadas aqui entrincheirados entram em êxtase quando a PM superfatura cinco vezes a multidão e chuta 1 milhão de pessoas na Paulista. Sobem o tom da arenga pela volta dos militares ao poder — a Globo News, que cobria o evento desde cedo, exaltava seu caráter pacífico; mas, se um desavisado desse o azar de atravessar a Paulista de camisa vermelha naquele momento, seria trucidado por eles.

Os facinorosos do S.O.S. Forças Armadas não devem ter a menor ideia que o nome oficial do Parque Trianon, um belo resto de Mata Atlântica, é Parque Tenente Siqueira Campos, um dos principais personagens do movimento tenentista e da Revolta dos 18 do Forte de Copacabana, em julho de 1922.

Rumo à Consolação, entre a multidão, chega-se uma quadra adiante ao Conjunto Nacional, com sua megalivraria Cultura, dois cinemas, um teatro, exposições permanentes, lojas e escritórios. Foi construído por José Tjurs, com dinheiro do Banco do Brasil no governo do amigo JK.

Em sua torre de apartamentos morou Yolanda Penteado, ícone da elegância e da classe dos quatrocentões. Imagine o choque que ela tomaria ao topar na Paulista a socialite Ana Eliza Setúbal, mulher de Paulo Setúbal, da família que controla o Itaú, com aquela camiseta dos quatro dedos.

Ana Eliza brada contra a corrupção. O Itaú, todos sabem, deve quase R$ 19 bilhões ao Leão.

Rosângela Lyra, sogra do craque Kaká, também desfila com o mesmo modelito. Ela tem pretensões eleitorais. Fez campanha para Aécio em 2014 e pretende ser candidata tucana a deputada estadual em São Paulo. Líder das senhoras dos Jardins, a base de Operações dela é a ONG Amor Horizontal, destinada a "combater o mal" e cuidar de crianças carentes, associada a outras 20 ONGs. Dizem que, para ela, quanto Dior — a marca francesa que representou no Brasil durante muitos anos —, melhor.

O deputado federal Paulinho da Força, do Solidariedade, que levou três carros de som para esquina da Paulista com a Augusta, improvisa uma tenda para colher assinaturas pelo *impeachment* de Dilma. Recebe duas celebridades, o ex-jogador Ronaldo, trajando camiseta criada pelo estilista Sérgio K com a frase: "A culpa não é minha: eu votei no Aécio", e a cantora Wanessa Camargo, a quem coube a tarefa de coroar o evento, estraçalhando — a capela — o Hino Nacional.

Paulinho tinha passado por uma saia justa por volta do meio-dia. A repórter Aline Ribeiro, da revista Época, testemunhou. Um cidadão pediu sua atenção e deu-lhe um conselho:

— Andei pela Paulista inteira e quase não vi pobres nem negros. Vocês precisam chamar os trabalhadores. A pequena burguesia não faz revolução.

Paulinho concordou. Mesmo assim, na euforia que tomou a Paulista após a estimativa furada da PM, decide subir num dos caminhões para fazer um discurso. Mal chega perto do microfone, os manifestantes berram palavrões e o obrigam a deixar a avenida sob escolta de seguranças.

A Marcha do Milhão se desvaneceu em poucas horas. Eram 210 mil manifestantes na Paulista, se tanto, cravou o Datafolha. Os cálculos em outras capitais brasileiras também tinham sido superfaturados pelas PMs.

No protesto seguinte, marcado para dali a quase um mês, 12 de abril, esses números caíram pela metade. No intervalo entre um e outro ato, a Polícia Federal desencadeou a Operação Zelotes, que investiga fraudes cometidas por grandes empresas brasileiras. O tamanho do rombo pode chegar a R$ 19 bilhões; e o SwissLeaks, escândalo de proporções galácticas de lavagem de dinheiro e sonegação no HSBC em Genebra, engrossou. Envolve 8.667 contas de brasileiros. O rombo pode chegar a R$ 15 bilhões. Nenhum deles mereceu um mísero cartaz na Paulista. O do HSBC inclusive, com nomes de poderosos da mídia, "seus probos de arribação", posta no Twitter o jornalista Xico Sá, e pergunta: 'Vocês acham justo? Eu não'".

Não é segredo que os barões da mídia fogem desses escândalos como o diabo da cruz. Assim como do mensalão tucano e do trensalão. Também aliviam a parada para o governo paulista naquilo que a Unesco classifica como tragédia da "crise hídrica". O mesmo acontece com a epidemia de dengue no Estado, que revela um certo fascínio tucano pelo *Aedes aegypti*. Basta lembrar que, em 1999, no governo FHC, o ministro da Saúde José Serra demitiu quase 6 mil agentes de saúde, deixando o Brasil à mercê da dengue. Mas os exércitos dos barões estão por conta do "petrolão".

Pesquisadores da Unifesp — Universidade Federal de São Paulo — e da USP — Universidade de São Paulo — saíram a campo no dia 12. O que pensam, o que sentem, o que imaginam os participantes do ato? A pesquisa, coordenada por Esther Solano, traz revelações espantosas sobre a indigência intelectual e a paranoia deles. Uma delas: o grosso dos manifestantes admira os jornalistas Raquel Sheherazade, do SBT e da Jovem Pan, e Reinaldo Azevedo, da Veja e da Folha. Outra: boa parte acredita que Lulinha, o filho de Lula, é mesmo dono da Friboi. Mais uma: engolem que o PT buscou 50 mil haitianos para ajudar Dilma a vencer a eleição de 2014. Só mais uma: 64% dos entrevistados acreditam que o PT quer implantar o comunismo no país. Ou seja: não é só Elvis Presley — Leonor de Barros, a mulher de Adhemar Rouba Mas Faz de Barros, que comandou em 1964 a Marcha da Família com Deus pela Liberdade, vive.

\* \* \*

O Brasil também vive em estado de golpe permanente, hoje mantido pelos Grandes Irmãos da Mídia, o Judiciário e o Parlamento, em alucinada aprovação de pautas que nos devolvem em passo acelerado ao século XVIII. Como em outros tempos, esses poderes têm usado atos dessa natureza para dar marcha à ré na História.

De longa data os meios monopolistas de comunicação tentam barrar os avanços sociais. Em 1954, diante das medidas nacionalistas e a favor dos desvalidos tomadas por Getúlio – Petrobras e o monopólio estatal do petróleo, que irritaram as petroleiras do hemisfério norte; Volta Redonda, fundadora da nossa indústria de base; salário mínimo dobrado de uma penada etc. Então, as incipientes redes, como os Diários Associados de Assis Chateaubriand, e os principais jornais e rádios (televisão engatinhava) bateram bumbo contra Getúlio. Criaram o mote demolidor: mar de lama, para induzir o povo de que Getúlio estava mergulhado na corrupção — ele, que ao morrer deixou apenas a fazenda herdada dos pais e um apartamento modesto no Rio. O "demolidor de presidentes" Carlos Lacerda falava no rádio e na tevê e escrevia em seu jornal, *Tribuna da Imprensa*. E batem o bumbo do atraso até hoje.

"Estado de golpe permanente" era uma expressão usada por Mylton Severiano, uma das mentes mais brilhantes do jornalismo brasileiro, que nos deixou em maio de 2014, aos setenta e quatro anos. O jornalista comparava a atual situação a um trem-fantasma. Um susto em cada curva. Mas nada abalava sua confiança e bom humor. Myltinho enfrentou situações bem piores. E tirou tudo de letra.

Prefácio
# O que o golpe impediu o Brasil de ser

## Fernando Morais

Os autores nasceram jornalistas. O primeiro, vindo ao mundo em 1940, aos nove anos publica em *Terra Livre*, jornal dirigido a camponeses, relato sobre a família que trabalhava para um latifundiário em Marília e que ia ter, como almoço de domingo, feijão com farinha. O mais novo, nascido em 1949, aos treze anos já buscava notícias para o *Jornal do Dia*, de Belém.

Mylton Severiano e Palmério Dória cedo se interessaram pelas coisas do Brasil, por sua história, sua memória, seu povo. Assim, já estavam de olhos bem abertos quando se deu o golpe de 1964, com consequências para suas vidas até os dias que correm. Protagonistas sem querer: o AI-5 em 1968 fulminou a revista *Realidade*, e lá estava Mylton. Quando não estão "lá", vão atrás de quem estava. Palmério publicou o único livro sobre Alcino João do Nascimento, pistoleiro presente no "atentado da Toneleros", que levaria Vargas ao suicídio; e é de Palmério o primeiro livro sobre a Guerrilha do Araguaia.

Juntos, escreveram *Honoráveis bandidos* e *O príncipe da privataria*, sobre os governos Sarney e FHC. Estavam no *ex-*, único jornal a publicar reportagem completa sobre o assassinato do jornalista Vladimir Herzog

na tortura, em 1975. Estavam na coleção de livros-reportagem *Extra —
Realidade Brasileira*, que estreou em 1977, devassando pela primeira vez
os bastidores da Rede Globo, série fechada pela Polícia Federal após o
quarto número, "Igreja x Estado", com documentos em que bispos católicos apontavam crimes do governo militar contra os direitos humanos.

Estivemos juntos, os três, em várias lides, uma delas no *ex-*, único a
publicar em 1975 trecho inédito de meu primeiro best-seller, *A ilha*, pioneiro trabalho sobre Cuba. No último meio século, os dois colegas não
fizeram senão jornalismo, contando histórias e a história do Brasil. Sem
ter nascido em berços de ouro, sem dinheiro da Fundação Ford. Neste
livro, Mylton e Palmério se baseiam na própria memória, nas publicações
que fizeram, nos livros de colegas e em preciosos depoimentos de protagonistas e testemunhas, que trazem fatos inéditos ou jamais percebidos,
para contar o que foi que os golpistas impediram o Brasil de ser.

ILHABELA, MARÇO DE 2014

Capítulo 1

# *Globo* queria a inteligência no paredão e sassarica até hoje

A Revolução Cubana, cinco anos antes, havia posto no *paredón* assassinos, torturadores e inimigos do povo. Agora, O *Globo* indicava seus candidatos ao paredão: cineastas, escritores, cientistas, músicos, atores — intelectuais.

No dia 7 de abril de 1964, os tanques de guerra já se recolhiam aos quartéis. Uma semana antes, eles estavam nas ruas das grandes cidades a fim de avisar que seria repelida a canhonaços qualquer reação ao golpe militar vitorioso no dia da mentira, 1º de abril.

Por todo o país, milhares de presos — no dia 3 chegariam a 10 mil. Os golpistas precisam improvisar celas em navios, ancorados em rios, ou no litoral, como o Raul Soares, fabricado no início do século XX e, agora, desativado e ancorado na Baía de Guanabara. Seu nome homenageia o político mineiro que comandou o Ministério da Marinha no governo Epitácio Pessoa (1919-1922). Que destino: o Raul Soares havia servido de cadeia após a rebelião comunista de 1935 e após a Revolta dos Sargentos, em 1963. Agora, os militares rebocam o Raul Soares até o estuário do porto paulista de Santos para, de novo, receber presos políticos. Há três calabouços, mantidos infectos e insalubres. Os golpistas querem quebrar a resistência dos presos, abater o moral deles. A maioria dos sindicalistas e políticos da Baixada Santista passou por esses calabouços.

Entre o povo mais esclarecido, diante das notícias, reina inquietação, medo, terror. Há relatos de que muitos presos, apanhados em suas casas a partir da noite de 31 de março e madrugada de 1º de abril, foram levados sob safanões e chutes, por policiais, militares ou civis, e paramilitares; "vamos fuzilar aqui ou levar pro chefe decidir?", ouviram os quatro filhos e a mulher de um vereador preso no interior paulista. Nos dias seguintes, aos que procuram parentes presos, os delegados e outras autoridades policiais dizem que não sabem para onde eles foram levados ou praticam tortura psicológica:

"Seu marido já deve estar com uma pedra amarrada nos pés, no fundo do mar."

Na capital, corria que o governador golpista Adhemar de Barros estava jogando líderes sindicais no mar, ato que nunca foi provado. Sindicatos atuantes foram cercados.

No Nordeste, militares e jagunços caçavam líderes e liderados das Ligas Camponesas. Em Porto Alegre, capital das mais politizadas do país, gaúchos depredaram as Lojas Americanas e a Rádio Farroupilha a favor do golpe. Enquanto isso, uma patrulha do exército tentava arrombar a porta do ex-colega de caserna Pedro Alvarez, capitão nacionalista e legalista, e vizinhos ouviam o capitão Menna Barreto dizer "vamos matar esse cara!"

— Alvarez já havia escapulido.

Nesse clima, em 7 de abril os grandes jornais seguem dando manchetes comemorativas. Já dez dias antes do golpe, a *Folha de S. Paulo* havia saudado a Marcha da Família com Deus pela Liberdade, que serviu como sinal de que era "o povo" que pedia aos militares para derrubar Jango. A *Folha* deu esta manchete: "São Paulo parou ontem para defender o regime". O regime democrático que, ao contrário, seria golpeado.

E no dia 2 de abril a instauração da ditadura militar era recebida assim: "Democratas dominam toda a nação" (*O Estado de S. Paulo*); "Multidões em júbilo na praça da Liberdade" (*O Estado de Minas*); "Lacerda anuncia volta do país à democracia" (*Correio da Manhã*); "Salvos da comunização que celeremente se preparava, os brasileiros devem agradecer aos bravos militares que os protegeram de seus inimigos" (*O Globo*).

Parecia que tinham inventado a máquina de trair palavras. Quem leu *1984*, escrito em 1948 por George Orwell, sentia-se no clima do regime totalitário que o autor inglês imaginou, no qual o Ministério do Amor tortura as pessoas, o Ministério da Paz promove a guerra, escravidão é liberdade, ignorância é força, e, portanto, ao pisotear o regime democrático em que vivíamos e implantar uma ditadura, estávamos na verdade saindo de uma ditadura e entrando, enfim, numa democracia.

No dia 7 de abril, terça-feira, enquanto os grandes jornais, com exceção do *Última Hora*, continuam comemorando a "vitória da democracia", o carioca *O Globo* presta um serviço extra aos militares que derrubaram o presidente João Goulart, que o povo chamava de Jango: um serviço extra de delação, função para a qual o jornalista e humorista Stanislaw Ponte Preta — diante da proliferação de "dedos-duros" em todas as áreas — criou o neologismo "deduragem", do verbo "dedurar". Nessa época, *O Globo* figura na rabeira dos grandes jornais. No Rio, os maiores, além do popular *Última Hora*, eram o *Correio da Manhã* e o *Jornal do Brasil*. Na capital paulista fica a sede do mais importante do país, *O Estado de S. Paulo*, único que se pode considerar como jornal de alcance nacional. Os outros, *Folha de S. Paulo*, *Diário de S. Paulo*, *Correio Paulistano*, figuram em segundo plano. Todos os citados, sempre com a exceção do *Última Hora*, já depredado por asseclas de Carlos Lacerda, haviam participado da campanha de desmoralização do governo Jango e deram apoio à quartelada.

Agora, uma semana depois, *O Globo* ocupa quase uma página inteira para um texto encimado por esta manchete: "Fundação do Comando dos Trabalhadores Intelectuais (CTI)".

Dizem as quatro linhas da abertura:

"Este é o manifesto do chamado Comando dos Trabalhadores Intelectuais, que trabalhou ativamente pela implantação do regime comunista no Brasil. Republicando-o agora, chamamos a atenção do alto-comando Militar para os nomes que o assinaram."

O CTI havia sido fundado no calor da efervescência político-cultural do início da década de 1960. O primeiro parágrafo do manifesto que *O Globo* republica diz:

"Compreendendo a necessidade de maior coordenação entre os vários campos em que se desenvolve a luta pela emancipação cultural do

País — essencialmente ligada às lutas políticas que marcam o processo brasileiro de emancipação econômica —, trabalhadores intelectuais, pertencentes aos vários setores da cultura brasileira, resolveram fundar um movimento denominado Comando dos Trabalhadores Intelectuais."

A finalidade, declara o documento, é congregar intelectuais, apoiar reivindicações de todas as áreas e formar uma frente democrática e nacionalista com outras forças populares "por uma estruturação melhor da sociedade brasileira". Reunidos em assembleia em 3 de março de 1963, os intelectuais delegaram a um grupo de treze colegas a tarefa de, "junto às demais forças populares agrupadas contra as tentativas de golpe da direita e em defesa das liberdades democráticas", criar o CTI, considerando a inexistência de um órgão que se pronunciasse em nome dos intelectuais e a necessidade de "coordenação e unidade entre as várias correntes progressistas" diante dos recentes acontecimentos no país.

Assinavam o manifesto, divulgado em 7 de outubro de 1963, o crítico de cinema Alex Viany; crítico literário Álvaro Lins; jornalista Barbosa Lima Sobrinho; dramaturgo Dias Gomes; escritor Edson Carneiro; editor Ênio Silveira; escritor Jorge Amado; romancista e crítico Cavalcanti Proença; poeta e escritor Moacyr Félix; militar e historiador Nelson Werneck Sodré; arquiteto Oscar Niemeyer; e o juiz, jornalista e escritor Osny Duarte Pereira.

A eles juntavam-se até ali 211 membros fundadores do CTI, totalizando 223 intelectuais que *O Globo* indicava ao alto-comando militar da "revolução" como candidatos ao paredão de fuzilamento. Há nomes que, já conhecidos nacional e internacionalmente, entrariam para a história da política e da cultura do Brasil: jornalista Adalgisa Nery; Astrogildo Pereira, um dos fundadores do Partido Comunista Brasileiro em 1922; escritor Paulo Mendes Campos; Eneida, jornalista, cronista e estudiosa da nossa música popular; cientista José Leite Lopes; os compositores Carlos Lyra e José Luiz Calazans — o Jararaca da dupla Jararaca e Ratinho; os dramaturgos, pai e filho, Oduvaldo Vianna e Vianninha; o ator e dramaturgo Gianfrancesco Guarnieri; atriz Tereza Rachel; ator Joel Barcelos; pintores Di Cavalcanti, Iberê Camargo, Djanira, Carlos Scliar e Lygia Pape; o editor Jorge Zahar; cineastas Joaquim Pedro de Andrade, Paulo Cesar Sarraceni, Nelson Pereira dos Santos, Glauber Rocha, Leon Hirszman, Walter Lima Junior, Paulo Gil Soares, Cacá Diegues, David Neves; humorista Chico

Anysio; dramaturga Janete Clair; cantores Jorge Goulart, Nora Ney e Nara Leão; jornalista Octávio Malta; economistas Paulo Schilling, Cibilis Viana e Wanderley Guilherme dos Santos.

Se dependesse de Roberto Marinho, filho e herdeiro de Irineu Marinho, que fundou *O Globo*, não sobraria sequer um neurônio da inteligência brasileira.

A ditadura retribuiria transformando as Organizações Globo no mais poderoso conglomerado de informações e entretenimento do país.

Na defesa de seu monopólio e de seus negócios paralelos a Globo ignora limites: não hesitou, em 1987, em avacalhar um patrimônio da cultura brasileira, a marchinha de carnaval. Na novela *Sassaricando*, com milionário elenco puxado por Paulo Autran e Irene Ravache, a vinheta musical, cantada por Rita Lee, era a marchinha de mesmo nome, do compositor carioca Luiz Antônio, autor de outras maravilhas, como "Lata d'Água". "Sassaricando" havia sido originalmente gravada pela vedete Virgínia Lane em 1951 e incluída no filme *Tudo Azul*, de Moacyr Fenelon.

Eis os versos da primeira parte:

*Sa-sa-saricando!*
*Todo mundo leva a vida no arame*
*Sa-sa-saricando!*
*O brotinho, a viúva e a madame!*
*O velho, na porta da Colombo,*
*É um assombro!*
*Sassaricando!*

Rita Lee aceitou a inacreditável mudança do quinto verso. Em vez de "O velho, na porta da Colombo", ficou: "Sentaram no ovo do Colombo!". Uma indecência. Desrespeito também para com outro patrimônio nacional, a Confeitaria Colombo, fundada em 1894 e frequentada por Machado de Assis, Olavo Bilac, José do Patrocínio, João do Rio, os presidentes Washington Luís, Epitácio Pessoa e Getúlio Vargas, artistas como a própria Virgínia Lane. A confeitaria é tombada como parte do Patrimônio Histórico e Cultural do Rio de Janeiro e até hoje ponto turístico e cultural. A Rede Globo achincalhou tudo isso mudando o verso de Luiz Antônio numa das mais cantadas músicas do Carnaval brasileiro. E por quê?

Porque Roberto Marinho, cognominado "general civil da revolução", dono também da Geleia de Mocotó Inbasa, não aceitava na "sua" tevê menção alguma à Colombo, tradicional fabricante da Geleia de Mocotó Colombo.

## Capítulo 2

# Um herói; para os golpistas, reles subversivo e "traidor de Cristo"

Lamenta Bertolt Brecht em sua peça *Galileu Galilei*: "Triste do povo que precisa de heróis".

Nós os temos. Um deles usou como arma a palavra para, dialogando, mostrar à sua gente como fazer "a leitura do mundo, que antecede a leitura da palavra".

Nós o visitamos na tarde paulistana de céu azul de 16 de julho de 2013. Em tudo vimos a presença dele. Nos quatro milheiros de livros lidos e anotados com sua caligrafia miúda e nervosa; na alegria das pessoas que nos receberam no número 550 da rua Cerro Corá, na Vila Romana, sede do Instituto Paulo Freire, na Zona Oeste paulistana.

O educador Paulo Freire (1921-1997) era pernambucano do Recife. Filho de um oficial da PM, espírita, e uma dona de casa, católica, pregava que o aluno abrisse caminho, livre de chavões alienantes. Dizia:

"Não basta saber ler que Eva viu a uva, é preciso compreender qual a posição que Eva ocupa no seu contexto social, quem trabalha para produzir a uva e quem lucra com esse trabalho."

Considerava a educação "a alavanca das mudanças sociais", clamava pela criação da escola "que é aventura, que marcha, que não tem medo do risco, por isso que recusa o imobilismo — a escola em que se pensa, em que se cria, em que se fala, em que se adivinha, a escola que apaixonadamente diz sim à vida". Sua pregação libertária iria além:

"A conquista atual, que dispensa o corpo físico do conquistador, se dá pela dominação econômica, pela invasão cultural, pela dominação de classe, por meio de um sem-número de recursos e instrumentos que os poderosos, neoimperialistas, usam."

Considerava-se "um bicho universal", por ser "profundamente recifense, profundamente brasileiro", e nos ensinou a pedagogia da esperança:

"A nossa utopia, a nossa sã insanidade é a criação de um mundo em que o poder se assente de tal maneira na ética que, sem ela, se esfacele e não sobreviva. Ninguém pode afirmar que um mundo assim, feito de utopias, jamais será construído."

Num congresso em 1958, no Rio de Janeiro, disse que se educa "com" e não "para" o analfabeto. E que trabalho lhe deu explicar aos professores presentes que eles muito teriam a aprender com os analfabetos!

Prender, depois banir o educador cujo nome já atravessava fronteiras; que, sem cartilha nem outros aparatos além de um projetor de *slides*, em pouco mais de um mês havia alfabetizado 300 cortadores de cana em Angicos, Rio Grande do Norte; e que se preparava para a gigantesca tarefa de instruir e conscientizar 40% de nossa gente acima de quinze anos, os 16 milhões de brasileiros mergulhados no analfabetismo. Tal ignomínia — prender e banir Paulo Freire — dá ideia do obscurantismo que os golpistas de 1964 vinham promover. Freire foi levado para o quartel da 2ª Companhia de Guardas, comandada pelo coronel Ibiapina, besta-fera, um dos mais cruéis algozes dos primeiros dias daquele período. Deveria responder a um Inquérito Policial Militar (IPM). Relata Freire:

> "Fui considerado um *subversivo internacional*, um *traidor de Cristo e do povo brasileiro*. Nega o senhor — perguntava um dos juízes — que seu método é semelhante ao de Stalin, Hitler, Perón e Mussolini?"

Enquanto o Brasil dos militares o enxota como "subversivo", o mundo o acolhe. Aqui, o PNA — Plano Nacional de Alfabetização —, lançado por Jango no início daquele ano fatídico, foi sumariamente cancelado. E os primeiros 3 mil projetores de *slides* poloneses que Paulo Freire havia importado viraram um perigo para quem os guardava. Ser apanhado com um deles dava cadeia e espancamento na certa, seguidos de complicações piores. Lutgardes, filho de Paulo Freire, contou-nos, quando passamos por um deles exposto numa vitrine, que as pessoas, apavoradas, desfaziam-se dos projetores — aquele foi um tempo em que também livros eram enterrados, escondidos em forros, atirados em latrinas.

Paulo Freire talvez seja o brasileiro mais homenageado mundo afora. Títulos de Doutor *Honoris Causa* são cerca de meia centena, de Cambridge, Harvard, Oxford. E na capital da Suécia, Estocolmo, ele figura numa escultura ao lado do poeta chileno Pablo Neruda, do revolucionário chinês Mao Tsé-Tung, da ativista negra americana Angela Davis e outras figuras de renome universal na luta contra a opressão.

Na sala dos 4 mil livros lidos e anotados pelo pai, Lutgardes Costa Freire conversa com os autores deste livro. Tinha cinco anos quando o pai foi levado pela polícia no Recife, na semana do golpe.

"Se eu vi a cena, devo ter ficado tão chocado que apaguei da memória", disse. "O que me lembro é que tudo quanto é gente do meu lado estava chorando, minha mãe, minhas irmãs."

Outra cena que guarda já se situa em Campos, norte fluminense. Sua tia Estela, irmã do pai, os abrigou. "Minha mãe preferiu não me dizer que ele estava preso. Para uma criança de cinco anos, seria porque o pai era ladrão."

A lembrança seguinte é dele, assustado, dentro de um avião, "aquele barulho medonho, as pessoas dizendo que a gente ia para outro país". Sabe-se que, solto no Recife, Freire havia rumado para o Rio, onde amigos o aconselharam a deixar o país, pois corria risco de morte.

Ao pisar em Santiago no início de 1965, o menino reencontrou o pai, já trabalhando no Indap — Instituto de Desarrollo Agropecuario —, alfabetizando camponeses e operários chilenos segundo seu método. Acostumado ao verão permanente, sempre descalço e sem camisa, o menino conhece "o frio". Mas havia a acolhida dos chilenos: "Eles gostavam da gente, era a época de Pelé, da bossa-nova. Diziam que o nosso jeito de falar 'és caliente'".

Para o garoto há um problema: o Chile é uma democracia cercada de ditaduras e a casa vive cheia de brasileiros e outros exilados, a família não tem vida particular. Mas é lá que Freire escreve *Pedagogia do oprimido*, publicado em inglês nos Estados Unidos, em 1969, em Harvard, onde ele foi convidado a dar aulas. De lá, a família segue, a convite do Conselho Mundial de Igrejas, para Genebra, Suíça, onde o católico Freire vai trabalhar com outro personagem desta história, o metodista Anivaldo Pereira Padilha (ver capítulo Capítulo 12, *Igrejas: as cúpulas apoiam o golpe, e nas bases salve-se quem puder*). *Pedagogia do Oprimido* só seria publicado aqui em 1974, depois de sair até em Israel. Perguntamos:

"Já havia condições de publicar aqui?" "Não. Foi publicado com a cara e a coragem do Fernando Gasparian, dono da editora Paz e Terra. As pessoas liam escondido. Ou com outra capa. Era perigoso."

"Foi em Angicos que meu pai fez a primeira experiência de alfabetização", contou. E foi justamente o primeiro lugar onde, depois do golpe, houve greve: os alfabetizados pararam por aumento de salários. "Ele plantou mesmo a semente", reflete Lutgardes. "É por isso que até hoje meu pai não é bem aceito, porque o método dele implica uma mudança radical da sociedade. Não interessa aos opressores ou a quem detém o poder que esse tipo de pensamento se alastre. Ele é o Patrono da Educação Brasileira, mas o que rege é a educação tradicional. Mesmo com governos populares. Ele é reconhecido lá fora, aqui não."

Nos dez anos passados em Genebra, de 1970 a 1980, Freire trabalhou com religiosos. "Meu pai se aproximou da igreja católica e da protestante procurando uma saída para a América Latina. Leonardo Boff disse que ele foi o Pai da Teologia da Libertação. Quando lhe perguntaram o que achava disso, respondeu: 'Olha, não sei, mas se o Boff disse, então eu sou.'"

Em 1974, com a libertação das colônias portuguesas na África, começaram a trabalhar com as ideias de alfabetização dele.

"O MST, sim, aplica o Paulo Freire em suas escolas. No Brasil, meu pai tem influência nos movimentos sociais, na educação popular, nas ongs. Na municipalidade de São Paulo, todo ano tem um concurso para premiar a melhor escola Paulo Freire. Mas duvido que essas escolas tenham mudado de cara."

Em 1979, a igreja católica fez a ponte para o retorno de Freire ao Brasil. Em 1980, ele voltou com convites das universidades PUC de São Paulo e Unicamp, de Campinas. E começou a "reaprender o Brasil, matar a saudade do feijão, do pé de porco". Ajudou na criação do PT, foi secretário da Educação no governo da prefeita Luiza Erundina. "Ele mudou a cara da escola no município de São Paulo. Foi um período rico para o meu pai, desafiador."

Na segunda-feira, 28 de abril de 1997, Paulo Freire deu aula na PUC. Morreu na sexta-feira, 2 de maio. Lutgardes arremata: "Foi um homem que lutou e trabalhou até o fim". Um herói brasileiro. Um reles "subversivo" para os golpistas de 1964.

Capítulo 3

# Reformas de base: nunca mais se falou nelas, elas estão aí, por fazer

Vamos da potiguar Angicos à gaúcha Santana do Livramento, mais de 4 mil quilômetros ao sul, neste país de dimensões continentais. E viajemos no tempo, para o início de 1964. Ali, na cidade irmã da uruguaia Rivera, separadas as duas apenas por uma avenida, pouco depois do feito de Paulo Freire em Angicos, o futuro jornalista Elmar Bones espera chegar de Brasília uma remessa do Ministério da Educação e Cultura — MEC. Ele e colegas do Colégio Liberato Silveira da Cunha estão inscritos no Plano Nacional de Alfabetização — PNA: "Nosso grupo, uns quatro ou cinco, era muito ligado ao trabalhismo, ao PTB — o Partido Trabalhista Brasileiro —, do Getúlio, do Brizola", contou ele em dezembro de 2013, sentado no sofá da sala 203 da ARI — Associação Riograndense de Imprensa, na principal avenida de Porto Alegre, a Borges de Medeiros, onde foi parar depois de quase ser levado ao colapso financeiro e psíquico, fustigado sem dó pelo poder econômico por conta do JÁ, editado por ele.

Livramento, centro da pecuária, tinha 50 mil habitantes. Os estancieiros dominavam: meia dúzia de famílias, gente conservadora, "como dizia o Mario Quintana, ali quem não era estancieiro era gado". O equivalente ao chiste existente em Pernambuco: ou se é Cavalcanti, ou se é cavalgado. Se nos grandes centros as pessoas bem informadas nem desconfiavam que havia um golpe em marcha, menos ainda na fronteira, apesar de Elmar dispor de duas boas fontes de informação. "Lá havia um núcleo forte do Partido Comunista, nos frigoríficos. Os operários originalmente eram bascos. Levaram para a região a consciência operária. Outra fonte de informação política era em Rivera. Havia os *talleres*, oficinas, ateliês, você fazia curso de pintura, escultura, teatro. O Uruguai era mais avançado que nós. E tinha lá muito organizado o Partido Socialista e o Partido Comunista. A gente acompanhava os acontecimentos, lia os jornais, o *Novos Rumos*, ligado ao Partido Comunista, o *Panfleto*, ligado ao Brizola."

Com os colegas, Elmar ganhou a eleição para o grêmio, e lançaram o jornalzinho *Estudante hoje*, que em três edições antecipou ao futuro jornalista que fazer jornalismo provoca enfrentamentos. Conta ele sobre o primeiro número: "A matéria principal era uma enquete sobre o ensino. Então metia o pau em professores. E nas escolas que tinham ensino religioso. Aí o jornal foi proibido no colégio dos padres, maristas, e no das madres, salesianas. A gente ia para a frente dos colégios distribuir, fazia aquela onda, não? No colégio estadual não foi proibido, mas a diretora nos chamou, houve um mal-estar geral".

O colega de antigos embates relembra a chegada dos tempos de Jango: "A União Gaúcha de Estudantes Secundários — Uges — estava fazendo uns acordos com o MEC para alfabetizar operários nas fábricas e nas vilas. E nós nos capacitamos para isso, alfabetização de adultos — um dos problemas sérios naquela região, índice de analfabetismo altíssimo".

No resto do Brasil, o mesmo quadro: éramos 70 milhões; e os analfabetos, 16 milhões. Índice de país atrasado. O Plano Nacional de Alfabetização tinha começado em janeiro de 1964. "O MEC dava o material didático, as orientações, com base no Paulo Freire, e o equipamento — um projetor de *slides*."

Elmar recorda como a escola pública era boa, "eu e um colega fizemos o vestibular para jornalismo e passamos direto, sem cursinho".

Então confirmamos, eis algo que "eles" vieram estragar: o ensino público. Nosso amigo, chegando aos vinte anos, ia ajudar na alfabetização de adultos em Santana do Livramento. Meio século depois, tem-se a impressão de que o PNA pode ter sido mais uma gota-d'água. "Aquilo era considerado comunização. Primeiro você fazia um levantamento do vocabulário, para alfabetizar as pessoas usando seu próprio universo. Chegamos a fazer a primeira etapa, fomos às vilas pobres: conversar com as pessoas, ver as palavras mais usadas. Já tínhamos projetor designado, estávamos aguardando a chegada. Aí veio o golpe."

Resultado: cinquenta anos depois, aponta a Unesco, o Brasil está entre os dez países com mais adultos analfabetos no mundo. "Nossa luta era pelas reformas de base, que estão de volta aí, reclamadas, não?"

Precisamos reavaliar esse João Goulart, que queria fazer "reformas de base" reclamadas cinquenta anos depois. E a mais necessária naquele momento, para Jango, era a reforma agrária.

Capítulo 4

# *Lúmpen* diz: "A maior perda foi a reforma agrária que não se fez"

"O melhor governo que nós tivemos no Brasil foi o do Jango." A afirmação, categórica, vem de José Luiz del Roio, setentão magro e elétrico, ativo como se tivesse a metade da idade que tem. Ele se dispôs a nos visitar para conceder a entrevista, na tarde fria de 17 de julho de 2013. Sentado no sofá da sala, fumando um cigarrinho atrás do outro, del Roio discorreu sobre os assuntos com a autoridade de quem, com dupla cidadania, brasileira e italiana, já foi até senador na Itália e, pela Itália, foi deputado da União Europeia; e com a autoridade de quem, nas antevésperas do golpe militar, aos vinte anos, como secretário político do Comitê Universitário do Partido Comunista, preferiu ir trabalhar no campo. Por quê?

"Porque, entre as desgraças deste país, os mais desgraçados eram os camponeses. Eles não tinham nada! Nenhum direito a organização. Tinha as Ligas Camponesas. Mas eram ilegais."

A tarefa dos ativistas pré-1964 era promover a sindicalização dos camponeses. Fundar sindicatos, lutar por aumento de salário, direito à saúde, carga horária regulamentada. Del Roio se estabelece no interior de São Paulo.

"O Partido cria em 1963 a Contag — Confederação Nacional dos Trabalhadores na Agricultura —, no auge do governo Jango", relembrou. "Este, não vou dizer que seja o único, mas é um dos fatos que trouxeram o golpe. Ela nasce em Belo Horizonte. Congrega sindicatos rurais. Sindicato rural era 'a peste': a Igreja fazia procissão, exorcismo, era interessante, faziam isso mesmo! 'Não pode, é corrupção da alma pura do camponês!' E os sindicatos nem pediam diretamente reforma agrária, pediam melhores condições de vida: carteira assinada, salário, não ser demitido."

Lembramos a del Roio que o pai de um de nós era vereador em Marília e apresentou projeto para estender o antigo "abono de Natal" a trabalhadores rurais. Contudo, um vereador fazendeiro aparteou: "Isso aí eu fiz no ano passado. Sabe o que um caboclo fez? Comprou uma sanfona!".

Como exemplo da mentalidade atrasada das classes dominantes, del Roio devolve a história de um deputado do partido de Adhemar de Barros, o governador paulista que deu suporte ao golpe. "O parlamentar pôs para fora famílias, na lata do lixo, porque tinham pego uma doença da Idade Média, lepra. Pôs para fora. Na estrada."

A organização do movimento camponês, para del Roio, "era muito grave" aos olhos conservadores. "A campanha nos Estados Unidos, absurda, para fazer o governo norte-americano apoiar o golpe, era que o Brasil poderia preparar 20 ou 30 milhões de camponeses — está no filme *O dia que durou 21 anos*. Então, se Cuba, que era pequenininha, tinha feito a revolução, imagine milhões de camponeses marchando por toda a América. Eles tinham horror da questão da terra ser atacada pelo governo. Depois será atacada pela ditadura: ela faz uma reforma agrária."

Uma reforma agrária cosmética?, perguntamos nós. "Não! Foi profunda", responde ele. "A ditadura faz o Estatuto da Terra, e até o que não está na lei." E explica: "Aquilo que o Lenin chama de 'reforma agrária prussiana'. A reforma agrária na Prússia, o que é? Nosso velho latifúndio, o que é? Ele tem uma estrutura, é dono das almas e dos corpos. O latifundiário é um senhor feudal. Todos se submetem a ele. Mas ele tem deveres: batizar, casar, enterrar. Quando a fome é muito grande, pedem pro coronel. O coronel dá lá uma mandioca. A moça casa, tem um presentinho. O moço ganha dez *merréis*. Se abre a boca o jagunço mata. É esse o jogo. Não pode sair da terra, a não ser quando é posto para fora. Na reforma agrária prussiana o latifúndio é cercado: não dão mais poder político, não dão mais subsídio. E entregam a terra para grandes grupos monopolistas. Brasileiros ou estrangeiros. Entra o capital. O trator. O engenho se moderniza, não precisa mais mão de obra. E a massa é jogada fora. Fora! Fora! Rua! Vai tudo para São Paulo. Ou Fortaleza, Rio de Janeiro."

E dá-se o inchaço das cidades, com a reforma agrária prussiana. A agricultura se moderniza às custas da perda de poder das velhas famílias. "E às custas do sangue", acrescenta del Roio, "de milhões e milhões, porque você cria no Brasil um problema muito grave. A cultura camponesa existe: a Festa do Divino Espírito Santo, o Reisado, com a sanfona — eles sabem tocar sanfona. Rabeca. Sabem como se casa. Têm uma regra de vida."

Eis o trágico. Essa cultura vem para as grandes cidades, expulsa da terra, e não se transforma; o "sistema" não dá aos camponeses a chance de se transformar em cidadãos, seres urbanos. São jogados nas longínquas periferias, sem escola, sem acesso à saúde pública — e sem trabalho. Viram reserva industrial. O que serve para rebaixar os salários: "A reforma agrária prussiana é feita também para isso, abaixar salários", pontua del Roio. E arremata a tragédia explicando: a nova massa deslocada não tem cultura urbana e perde a cultura camponesa. "Transforma-se em lúmpen, violento. É uma coisa monstruosa que a ditadura fez."

Em vez de reforma agrária prussiana, Jango ia fazer a "nossa" reforma agrária, que del Roio descreve: "Era baseada ou em integrar as culturas, ou em cooperativas. Claro, país grande, tem toda uma variedade. Eu proporia agricultura familiar. Que propugna o MST [Movimento dos Trabalhadores Rurais Sem Terra]. Não poderíamos propor a coletivização da terra de 1929 na União Soviética! Agricultura familiar, sim. A cooperativa é mais eficaz. Era para onde Jango marchava. A principal questão, para ele, era a reforma agrária".

Já havia a sugestão de desapropriar terras ao longo de estradas, quinze quilômetros de cada lado, como o presidente anunciou no comício de 13 de março de 1964. Seriam trinta quilômetros de terras, ao longo de estradas, para distribuir e colonizar. Não era pouco.

"Uma reforma agrária inteligente, porque a produção escoa. Não adianta fazer no coração da Amazônia. Sem estrada. E o cara morre de malária." Provavelmente este foi o gatilho para o golpe, no comício da Central, quando Jango assina a lei da desapropriação de terras para a reforma agrária. Del Roio foi ao comício com colegas universitários paulistas e, ao final da fala de Jango, estavam eufóricos. "Nunca tinha visto tanta gente, era uma coisa monstruosa, gente que não acabava mais."

Eles seguiram para o Comitê Central do Partido Comunista Brasileiro — coisas do Brasil: o PCB era ilegal, mas tinha sede nacional. Só encontraram "um mulatão": Carlos Marighella. Que, muito calmamente, disse aos jovens: "Tomem cuidado. Arranjem casas onde não sejam conhecidos. O golpe é praticamente inevitável".

Del Roio ficou chocado, "não era a opinião expressa por Prestes, para quem a situação era muito boa". E o golpe veio mesmo. "Das perdas que causou, esta foi a maior: a reforma agrária que não foi feita. O país não se transformou em autossuficiente em alimentos, seria uma potência alimentar. O povo continuou com fome, subnutrido. E criou-se o inchaço das cidades."

Del Roio se diz um "lúmpen". Lúmpen no sentido de não ter profissão fixa. Ele teve de fugir do país em 1969, após o AI-5. Em 1977, com um amigo, recolheu o que havia no Brasil de imprensa clandestina, imprensa operária, alternativa, pôs num navio e levou para a Itália. O acervo, finda a ditadura, com mais de 2.500 títulos, hoje está à disposição do público no Cedem, na rua Benjamin Constant, 108, na boca da praça da Sé, em São Paulo: "Ali era o escritório do Monteiro Lobato", encerra ele, com o sorriso esperto.

Foi apenas uma das proezas deste "lúmpen internacional", que, no início de 2014, atuava na equipe que preparava o relatório da Comissão da Verdade nacional.

Capítulo 5

# Uma crítica ao PC pela esquerda e o atraso que começou pelo calendário

Outra visão de esquerda crítica ao Partido Comunista vinha dos fundadores da Política Operária — o Polop. Um de seus integrantes foi nosso colega e amigo Renato Ribeiro Pompeu, o Renatão. Ele terá dado a nós, talvez, sua última entrevista, em fins de outubro de 2013 — morreria pouco mais de três meses depois, em 9 de fevereiro de 2014, na manhã de um domingo ensolarado. "Eu já me considerava de esquerda desde os catorze anos", contou, sentado no sofá de sua sala, no bairro paulistano da Aclimação.

Ao entrar na faculdade de sociologia, em 1960, Renatão participava de um grupo de pessoas que julgavam necessário "renovar a esquerda do Brasil", já que achavam a linha do PCB ultrapassada: "O Partido Comunista, maior força da esquerda, seguiu para a linha de defesa dos interesses da burguesia nacional e com isso sacrificava o movimento dos trabalhadores".

Participava das discussões, entre outros, o sociólogo Eder Sader, "hoje nome de praça da Vila Madalena", um dos fundadores da Polop, e mais tarde — após um exílio de quase dez anos — um dos fundadores do Partido dos Trabalhadores. "Chegamos à conclusão contrária do Partido Comunista, que dizia, em linhas gerais, que o país estava caminhando para o progresso, para o nacionalismo, para o desenvolvimentismo, para o nacionalismo democrático, e nós analisávamos que estávamos caminhando para um golpe e que os sinais eram claros."

Renatão havia começado a trabalhar na *Folha de S. Paulo* com o coautor Mylton Severiano e, ao contrário deste, não se surpreendeu com o golpe. Mas os dois viveram "a dicotomia entre como a redação encarava o golpe e como os donos do jornal encaravam". O novo dono, Octávio Frias, herdou a redação montada por José Nabantino Ramos sem fazer grandes alterações. "Nabantino procurava dar tom apartidário à *Folha*, um tom objetivo, isento", recordou Renatão, "diferente dos *Diários*, que seguiam as linhas do PSD [centro-direita]; do *A Hora*, que seguia a linha do janismo; de *O Dia*, que seguia o ademarismo; do *Estadão*, que seguia a linha da UDN [de direita]."

Na *Folha*, de Nabantino Ramos, *não* aconteceria o que aconteceu com o colega Carlos Azevedo no *Estadão*. Durante a preparação para o golpe de 1964, o patronato e a mídia antijanguista incentivavam a divisão dos sindicatos. Criaram o Movimento Sindical Democrático — MSD —, financiado pelo consulado norte-americano, "e tinha repórter cobrindo aquilo", contou-nos Azevedo, que tinha vindo do interior paulista estudar na capital e conseguiu vaga de repórter no *Estadão* em 1960. Certo dia, o setorista de sindicalismo faltou e destacaram Azevedo para cobrir um encontro do MSD em Aparecida, no Vale do Paraíba. "Muita grana, encheram um ônibus, mas tinha só umas 150 pessoas. Narrei que foi um fiasco."

Demissão sumária. Azevedo foi para a *Folha*, onde nos conhecemos em 1963. "Nabantino", seguiu narrando Renato Pompeu, "queria fazer um jornal moderno, aberto". Então, a redação que ele havia montado procurou cobrir o golpe com objetividade, "e nós chamávamos aquilo de *golpe de 1º de abril*, até que veio uma ordem do dono do jornal para chamar de Revolução de 31 de março, mas não foi em 31 de março, foi em 1º de abril". E chefetes mais à direita queriam que fosse revolução democrática — democrática! — de 31 de março.

Com o tempo, jornais e revistas em geral iriam fazer uma "limpeza", iriam expurgar as redações de jornalistas combativos. E fizeram um índex verbal, jamais escrito, para limpar também a linguagem — de termos como "povo" (não podia, devia-se grafar população); "camponês" (também não, lembrava Ligas Camponesas, devia-se usar agricultor, lavrador). Com o acirramento do neoliberalismo, "cidadão" acabou virando "consumidor".

O regime militar começava atrasando primeiro o calendário. Lúcido, o colega Renatão apontou o mais grave atraso que viria: "Se não tivesse havido o golpe, teríamos chegado, muito antes, a um governo do tipo de forças que apoiaram o Lula no início. Teria sido mantida a educação pública de qualidade, porque a educação pública foi destruída pelo regime militar, que não queria que o povo aprendesse. Foi deliberado esse negócio, e se mantém até hoje por deliberação das classes dominantes, porque a educação no Brasil tem solução e o que falta é vontade. O governo tem vontade, mas a sociedade é controlada por gente que não tem vontade, que gostou muito do que o regime militar fez, fica nos seus nichos de excelência no primário, no secundário e no universitário, e o povinho que se dane. Então, teríamos avançado socialmente. O que só começou recentemente teria começado muito antes".

Capítulo 6

# "Não era contra os comunistas o golpe, o golpe era contra Brizola"

---

Carlos Araújo nos recebe ao meio-dia de 10 de dezembro de 2013, na sala de audiências de seu escritório de advocacia. Há nas paredes uma foto dele com sindicalistas em 1963, como advogado de sindicato; duas reproduções de Van Gogh; e um pôster de Dilma com a faixa presidencial — além de fã de seu governo, Araújo é o pai da filha de Dilma, portanto avô do neto de Dilma. Não está bem de saúde, anda curvado, aos setenta e cinco anos. Sua primeira investida se dirige ao novo sindicalismo, "de resultados", que "se acomodou": "Trava no máximo lutas econômicas. Aumento de salário. Às vezes nem isso. Está em conluio com o capital. Acho que o PT tem responsabilidade. Pelos equívocos no início. Ele despolitizou a coisa, não tinha tradição de lutas sociais, de sindicalismo, não tinha história. Achava que ali começava o sindicalismo autêntico no Brasil. Hoje se faz a autocrítica, mas ali houve um prejuízo grande. Negava a história de lutas que houve no Brasil, fantástica, desde o início do capitalismo, as greves".

Araújo cita um congresso do PT, ao qual compareceu representando o PDT, partido fundado por Brizola. "Fomos fazer uma pesquisa lá, o PT sabendo: quem era o maior vulto que eles conheciam, que eles mais gostavam? Deu 68% Getúlio Vargas. Fica na memória, vai passando de pai para filho. Agora, a liderança do Lula hoje é outra coisa."

Citamos a cena que vimos no dia anterior, ao lado do Mercado Municipal de Porto Alegre: um guardador fazia sinais ajudando um cidadão a tirar o carro da vaga, e após trocar umas palavras com ele, virou-se para nós: "O cara mesmo, meu amigo, o cara mesmo foi o Getúlio!".

O assunto parece ser o preferido do ex-membro da organização guerrilheira Vanguarda Armada Revolucionária Palmares, aliada do grupo do capitão Carlos Lamarca, onde ele e Dilma militaram na juventude. "Getúlio é o político brasileiro sobre o qual mais se escreveu, mas não vejo um só livro que seja profundo. Tem uma boa história do Lira Neto, mas todos deixam a desejar. Quem escreveu sobre Getúlio, ou foi de uma intelectualidade de direita, conservadora, tinha ódio dele, ou foi da esquerda preconceituosa."

A base do preconceito, diz Araújo, nasce em 1935, com "aquela coisa ridícula do Partidão", outra coisa "pouco estudada". "O Getúlio, em 1929, ofereceu o comando da revolução ao Prestes! Ele não aceitou, foi para Buenos Aires e resolveu ser comunista. Quando tinha a chance de participar do processo revolucionário. Tem um bilhete do Getúlio pro Oswaldo Aranha em 1934: 'Oswaldo, os comunistas são nossos principais aliados, pena que eles não saibam, porque são muito ignorantes'. Depois a questão da Olga Prestes, mal-analisada. Quando ela é deportada, quem decidiu foi o Supremo Tribunal Federal. Então acho que tem muito preconceito."

O discurso de Getúlio ao tomar o poder à frente da Revolução de 1930 é citado por Araújo como fundamentos de "uma democracia social, uma democracia política e uma democracia econômica", bases do trabalhismo. Getúlio, exemplifica ele, estabeleceu o voto secreto, o voto da mulher, a criação do Tribunal Eleitoral. E a democracia econômica? "Perguntavam 'como vai ser o capitalismo no Brasil?': o estado será o indutor do desenvolvimento, porque as elites não tinham dinheiro para o desenvolvimento capitalista."

Mas o mais importante, ressalta ele, era que as rédeas do processo estariam "nas mãos firmes das forças sociais". "Getúlio queria dizer proletariado, povo. Mas disse forças sociais. Em 1932, os paulistas responderam 'forças sociais coisa nenhuma, as rédeas do capitalismo nacional têm que estar nas mãos do capital internacional'. E a partir daí tentaram derrubar o Getúlio em 1932, 1935, 1937, 1938, derrubaram em 1945, levaram ao suicídio em 1954, continuaram fazendo isso com o Jango. Por causa dessa coisa: as rédeas vão estar nas mãos das forças sociais. Acho que o PT, o Lula, quando esteve no governo amadureceu, percebeu a força do Getúlio. O que é o governo Lula, Dilma, senão a continuidade disso? Desenvolver o capitalismo no Brasil, mantendo as forças sociais com as rédeas do processo."

Cita um escrito de Marx que o ajudou a entender melhor Getúlio, Lula, Dilma. Em 1866, houve a primeira eleição na Inglaterra, sob um capitalismo cruel, até crianças nas fábricas, dezoito horas por dia, sem sábado, domingo, férias. Concorrem um capitalista e um senhor feudal. Perguntam a Marx quem os trabalhadores devem apoiar. Marx escreve um texto: devem apoiar os capitalistas, é o novo, vai fortalecer a classe operária. O bom seria, ele ressalva, se nessa aliança a hegemonia fosse dos trabalhadores, porque saberiam desenvolver o capitalismo com muito mais propriedade que os capitalistas.

"Dá para entender como é que o Getúlio bolou isso aí, sobre as forças sociais. E saiu aqui um trabalho, *A era Vargas*, com pesquisas nas provas do Getúlio na faculdade, ele cita Marx várias vezes na História da Economia Política. Cita Saint-Simon, e outro de esquerda. O Getúlio com vinte anos, dezenove."

Esta é uma novidade, Getúlio mocinho citando pré-socialistas. Certamente aprovava o Marx que dizia que "o homem é o capital mais precioso". Mas principalmente o Saint-Simon que, no início do século XIX, exortava os príncipes a "dedicar suas energias à tarefa de melhorar o mais depressa possível a situação dos miseráveis", preocupado com a necessidade de fazer as "classes prósperas" entender que melhorar as condições de vida dos pobres "implicará também a melhoria das condições de vida delas". O Saint-Simon, enfim, que no leito de morte diz a um discípulo: "Toda a minha vida pode se resumir numa única ideia: garantir a todos os homens o livre desenvolvimento de suas faculdades. (...) O partido dos trabalhadores será organizado: o futuro pertence a nós".

Araújo faz o elogio do estudo de história, "principalmente nossa história". Lembramos a ele que, em 1994, quando Fernando Henrique se candidatou pela primeira vez, uma das consignas dele era que vinha para "enterrar a Era Vargas". Seu comentário: "Em 1964, o negócio dos militares não era contra o Partido Comunista. Era contra o Brizola".

Tem razão: nas manifestações da direita naqueles dias não havia coro contra o chefe comunista Luís Carlos Prestes, era "Um dois três, Brizola no xadrez!". E já corria boca a boca, assustando ainda mais a direita, o mote que tratava de livrá-lo da regra eleitoral que proibia parente de presidente de candidatar-se ao cargo: "Cunhado não é parente, Brizola para presidente". Brizola, outro trabalhista, comentamos. "Exato, tinha a raiz no velho Getúlio. Nunca perdoaram isso. Porque o Getúlio foi se afastando deles, entende? Então o Getúlio para eles era um traidor. Quanto mais ele se fortalecia, mais vinculado estava ao povo. Todos os países tiveram seu Getúlio, de uma forma ou de outra. Porque isso faz parte da história do capitalismo, da formação da nacionalidade, surge alguém querendo conservar as raízes, não entregar tudo para os norte-americanos, ou para os ingleses."

Para Carlos Araújo, governo Lula e governo Dilma constituem uma sucessão de Getúlio e Jango. "E o Lula hoje reconhece, cá para nós. Não explicitou, mas tem falado bem do Getúlio. Ele foi olhar, e tudo que ele tava fazendo, tava tudo lá. Em qualquer coisa, tem o velho Getúlio. Chamou o Portinari, a Djanira, Niemeyer, Lúcio Costa, Carlos Drummond de Andrade, Mário de Andrade, Villa-Lobos! Todos foram para o governo. Tudo em 1937, uma coisa fantástica. Com Arinos de Mello e Franco criou o Iphan — Instituto do Patrimônio Histórico e Artístico Nacional! Não teria Ouro Preto, não teria Mariana. No Rio Grande estamos comemorando agora os trinta anos de São Miguel das Missões com suas ruínas sendo declarado Patrimônio da Humanidade, mas ele trouxe, já em 1937, o Lúcio Costa para São Miguel, ficou um ano, para fazer levantamento e preservar."

Lembramos que a legislação trabalhista é acusada de ser cópia do fascismo. Ele se alça na cadeira: "A *Carta del Lavoro* é posterior ao Getúlio. E muitos caras de esquerda falam isso, repetindo feito papagaio. Não leram, não estudaram. A nossa esquerda, a formação, a mentalidade, tiro por mim: eu até os trinta e cinco anos sabia mais sobre a história da União Soviética do que sobre a história do Brasil!".

Araújo é gaúcho de São Luís de Paula, cidadezinha perto de Porto Alegre, pai comunista, foi para a capital aos catorze anos, entrou para a Juventude Comunista. Trabalhou para sindicatos, para as Ligas Camponesas no Nordeste, "sempre procurando um caminho brasileiro para o socialismo", rumo para o qual, segundo ele, o PT, de certa forma, trilha. "Digo rapidamente a você: sou otimista." Acha que, nos países em desenvolvimento, é preciso desenvolver o capitalismo, construir um sistema social forte, "para ter uma transição significativa para o socialismo".

Lembramos que o teórico italiano Antonio Gramsci substituiu o conceito de "ditadura do proletariado" por "hegemonia do proletariado". Araújo responde com uma lição de Brizola, "sem nunca ter lido Gramsci": "Em 1958, jovem ainda, ele queria ser governador. Disse: 'se formos só nós, trabalhistas, vamos perder por 30 mil votos, temos que pegar alguém deles, porque nós vamos ter as rédeas do processo'. Ele pegou um da extrema-direita, ofereceu a vice-governança do estado. Ganhou a eleição por um bigode. E exerceu o poder maravilhosamente bem. É preciso ter a hegemonia. E essa foi uma lição que o PT aprendeu, com o tempo. Essa questão central, da hegemonia".

Admirador do ex-presidente uruguaio José Mujica — "a Dilma é caso à parte" —, Carlos Araújo o considera inovador, criativo. Recorda que no Uruguai havia uma lei dura contra torturadores, condenaram, prenderam, e veio uma proposta de acabar com a lei, com Mujica a favor, "quem tinha de ser condenado já foi, vamos ficar a vida inteira nesse negócio". E gente boa reagiu. "Mujica deu uma resposta brilhante, 'estive dezesseis anos preso, minha mulher catorze, enfrentamos isso tudo, já faz tempo, condenamos quem tinha de condenar, agora vamos botar uma pedra em cima, tem gente que não foi presa, não sofreu, e são eles que são contra?'. Quer dizer, não é o critério da verdade ter participado ou não, mas penso: essas coisas têm que vir à tona. Mas... não se pode fazer uma religião em cima disso. Os caras que me torturaram me cumprimentam na rua. Um perguntou: 'tens ódio de mim?'. Falei 'não tenho, tenho bronca é do sistema que obriga a ter tortura para um governo poder se conservar, tenho é pena de ti: tu te drogava para me torturar'. A responsabilidade é do sistema que cria essas condições. A ditadura. Ela criou essas condições. Daí, condenar os torturadores, e continua o regime de exceção? E as elites paulistas que frequentavam as salas de tortura? Quantos eu vi lá, empresários, dirigentes da Fiesp. E esse pessoal está aí. Esse negócio da tortura precisa ver até onde vai. Porque quem está mesmo comprometido com isso são as elites."

A favor das comissões da verdade e de que se investigue e se divulgue tudo, Araújo faz a ressalva: "Tem que apurar o passado, porque faz parte da nossa realidade, mas olhando para a frente. Não podemos fazer disso nosso objetivo na vida. Temos de construir uma nova nação".

Quais seriam as tarefas hercúleas, as principais, em caso de novo governo com hegemonia das forças populares? O ex-marido de Dilma receita: "Primeiro a infraestrutura. Têm que funcionar os portos, estradas, vias férreas, aeroportos. Educação. Hoje é grande a quantidade de gente com acesso, tem que melhorar a qualidade. E junto, o desenvolvimento tecnológico. É uma barreira, nos atrasamos. Os militares, um dos piores erros que cometeram: tinha um agronegócio forte, os minérios, sentaram em cima disso. Tinham que partir para a tecnologia. Coreia, China, adiantaram-se, o Brasil ficou atrasado. Esse negócio que a Dilma fez, mandar 100 mil brasileiros para a Europa, os Estados Unidos, é para tentar dar qualidade. Enfrentar os grandes, que estão preparando tudo para nos asfixiar. São tarefas gigantescas. E não esquecer o povo. Cada passo que damos no capitalismo tem que trazer melhorias para o nosso povo".

Para relaxar um pouco, contamos a Araújo que um amigo comum, de Curitiba, diz que Dilma é tão meticulosa que, se servir sopa de letrinhas, ela começa pelo "a" e segue o alfabeto. Dando uma gargalhada, ele diz: "Pior que é verdade!".

Capítulo 7

# Com apoio de até 86%, quanto mais popular Jango ficava, mais ele caía

Por todo o meio século que se seguiu à queda de João Goulart, seus inimigos e aliados deles na mídia se esforçaram para forjar uma imagem depreciativa do presidente deposto: fraco, errático, com gosto mais por pernas de vedetes e por cavalos do que pelas funções públicas, sem apetite para o poder, divorciado da opinião pública, estancieiro que, ao primeiro sinal do golpe, fugiu mais preocupado em salvar seus negócios do que o cargo que ocupava.

E quanto à família Mesquita, do *Estadão*, essa além de ojeriza, senão ódio, por Getúlio e seu afilhado político, fazia tempo que gostava de farda. Júlio de Mesquita Filho, o *Doutor Julinho*, em janeiro de 1962, mais de dois anos antes do golpe, escrevia a um oficial, que ele tratava de "meu ilustre amigo", membro do Estado-Maior Clandestino, discordando da proposta de um golpe militar seguido de "uma ditadura com duração mínima de cinco anos". O dono do *Estadão* achava melhor não fixar a duração por enquanto. Quanto à ditadura, tudo bem. Então, *Doutor Julinho* expôs suas ideias, sob o título de "Roteiro da Revolução", e se deu ao descaramento de nomear o ministério. Um resuminho:

> *O expurgo dos quadros do Judiciário é absolutamente necessário, mas deverá ser feito por etapas, mediante uma ação metódica da Junta Militar.*

*Ficariam suspensas as imunidades parlamentares, e só um pouco mais tarde, quando se tornasse um fato a confiança da opinião pública nos propósitos e nos atos do governo revolucionário, trataria-se da dissolução das Câmaras.*

*Se logo nos primeiros dias da implantação do novo estado de coisas vir a nação, à frente dos novos Ministérios, valores como um Lucas Lopes na Fazenda, um Mem de Sá, um Milton Campos ou um Dario de Almeida Magalhães, entre outros, na Justiça, um Marcondes Ferraz no Ministério das Minas e Energia, um general Macedo Soares na pasta da Aviação, um Roberto Campos ou um Prado Kelly no Itamaraty etc. etc., seria meio caminho andado para que o país se convencesse de que afinal se haviam apagado de nossa História os hiatos abertos na sua evolução pela ditadura do Sr. Getúlio Vargas, e pela ação corruptora de seus discípulos que se sucederam até os nossos dias.*

Certo é que essa mídia assanhada por uma farda, já que não conseguia pôr em Brasília pelo voto alguém de seu agrado, contribuiu também "para difundir essa tese falaciosa de que Jango não tinha apoio popular", diz — na edição 773 de *Carta Capital*, novembro de 2013 — Luiz Antonio Dias, chefe do Departamento de História da Pontifícia Universidade Católica de São Paulo. O historiador, entrevistado por Rodrigo Martins, vinha conduzindo estudo para produzir um capítulo do livro *O jornalismo e o Golpe de 1964: 50 anos depois*, obra por sua vez calcada no acervo que o Ibope doou à Unicamp — Universidade Estadual de Campinas. Pesquisas realizadas pelo Ibope semanas antes do golpe e ignoradas pela mídia da época mostravam que Jango não só gozava de grande popularidade, como tinha enormes chances de se eleger presidente em 1965. O que diziam os números das pesquisas? Alguns dados relevantes:

1. em várias capitais, havia 70%, ou mais, de apoio à reforma agrária;
2. na capital paulista, 72% do povo aprovava o governo Jango;
3. entre os mais pobres, chegava a 86% o apoio a Jango;
4. mais da metade dos paulistanos (55%) achavam de interesse do povo as medidas anunciadas por Jango no comício da Central do Brasil em 13 de março de 1964;

5. em junho de 1963, 66% dos paulistas aprovavam Jango, aprovação superior à do então governador de São Paulo, Adhemar de Barros, (59%) e à do prefeito paulistano, Prestes Maia (38%);
6. pesquisa em março de 1964 em capitais de estados mostrava que, se fosse candidato nas eleições de 1965, Jango teria mais da metade dos votos na maioria delas — o mineiro Juscelino só o venceria em Belo Horizonte, capital de seu estado, e em Fortaleza.

No entanto, fazendo coro com os grandes jornais — exceto o *Última Hora*, sempre é bom lembrar —, *O Estado de S. Paulo*, na véspera do comício de 13 de março de 1964, acusava o "aprofundamento do divórcio entre o governo da República e a opinião pública nacional" e pedia aos militares que, ouvindo a voz do povo, interviessem para afastar a "ameaça comunista". A voz do povo que, diziam as pesquisas, apoiava Jango e sua política. Não tivesse ele recebido, como candidato a vice-presidente em 1960, votação tão espetacular quanto os celebrados 6 milhões de votos do candidato a presidente, Jânio Quadros. Na época se votava para presidente e vice separadamente. Jango era o vice na chapa do general Lott, candidato a presidente; Jânio encabeçava a outra chapa, tendo como vice o mineiro Milton Campos — este, recomendado aos golpistas como ministro da Fazenda pelo dono do *Estadão*, Júlio de Mesquita Filho, chamado pelos bajuladores de *Doutor Julinho*. Ou seja, se a regra eleitoral fosse outra e Milton Campos tivesse sido eleito vice de Jânio automaticamente, os inimigos do povo brasileiro teriam economizado tempo e dinheiro preparando o golpe de 1964: a presidência da República lhes teria caído no colo, de graça.

"É preciso relembrar sempre", nos diz a historiadora Maria Aparecida de Aquino, "costumam dizer 'ah, o Jânio foi quem teve a maior votação até então'. E o pessoal escolheu votar no presidente de uma chapa e no vice de outra. Não há muita diferença entre a votação do Jânio, que é estrondosa, e a votação dele, então ele era um homem que tinha apoio popular, eu não tenho dúvida disso".

Não é exagero dizer, fazendo coro com vários analistas políticos, que outra gota-d'água — para que os Estados Unidos e os militares brasileiros a seu serviço derrubassem Jango — foi a comprovação do Gallup, instituto norte-americano de pesquisas, de que a maioria do povo brasileiro estava com Jango.

Capítulo 8

# Os arrombadores de portas abertas e a desfaçatez dos "historialistas"

Na imprensa, talvez nenhum colunista se tenha esmerado tanto quanto Elio Gaspari no papel de achincalhar Jango, pintando dele o retrato de homem fraco, politicamente apático. Gaspari faz parte da turma que, quando se fala do Kennedy mulherengo, elogia seu irresistível charme. Quando se trata de Jango, dizem que gostava mais de pernas de vedetes do que do poder. A paparicada Jacqueline Kennedy, após a morte de John, virou "sua adorável viúva", menção mesquinhamente sonegada a Maria Thereza Goulart — ela que a revista *Life* certa vez colocou ao lado de Jacqueline Kennedy e perguntou em enquete a seus leitores qual das duas era a primeira-dama mais bonita do mundo.

O ítalo-brasileiro Gaspari, em *A ditadura envergonhada*, "ajuda a consolidar essa imagem", diz o citado historiador Luiz Antonio Dias, que reclama: Gaspari apresenta o presidente como um "pacato vacilante, que beira à covardia". E aponta uma contradição na narrativa de Gaspari, pois, logo adiante, escreve que Goulart se articulava para sair candidato a presidente nas eleições de 1965: "É uma contradição lógica", observa Dias, "não faz sentido imaginar que alguém que não via a hora de o mandato acabar, como diz Gaspari, estivesse engajado no projeto de alterar a Constituição e disputar a reeleição".

A isto se acrescente a lista de homens públicos de que Jango se fez cercar, todos com estatura de estadistas e, no dizer de Darcy Ribeiro, "nenhum negocista", mas "todos descontentes com o Brasil tal qual é" e dispostos a "passar a limpo nossas leis para melhorar as condições de vida do povo". Eis alguns nomes, além do próprio Darcy: Celso Furtado, Hermes Lima, Evandro Lins e Silva, Tancredo Neves, Paulo Freire, Paulo de Tarso, Anísio Teixeira.

Gaspari, em alto cargo na semanal *Veja* na década de 1970, podia ser ouvido por subordinados trocando ideias com "alguém" em Brasília sobre o fechamento de cada número da revista. Nossa fonte ia passando pela sala de Gaspari, certa vez, quando o viu ao telefone, tendo na outra ponta da linha o golpista Golbery do Couto e Silva, a quem dizia: "Mas, general, se eu retirar essa foto, quem é que eu ponho na capa?".

Num país que pode se orgulhar de intelectuais como Nelson Werneck Sodré, Gilberto Freyre, Darcy Ribeiro, é prova da mediocrização a que levou a noite de vinte e um anos ver a última palavra sobre os anos de chumbo ficar a cargo de um Elio Gaspari — "historialista", nem jornalista nem historiador. Seu futuro patrão, Octávio Frias de Oliveira, dono da *Folha de S. Paulo*, também se curvava aos fardados, atendia os manda-chuvas da ditadura ao telefone exclamando: "Meu general, estou aqui de mão na pala, fazendo continência".

O que se vê, lendo um Elio Gaspari, um Marco Antonio Villa, é a soma de esforços de colunistas antijanguistas para desmerecer aquele que, no dizer de Darcy Ribeiro, caiu mais pelas qualidades que pelos defeitos. Num de seus últimos artigos antes da produção deste livro, em 8 de janeiro de 2014, com o título "Kennedy e a deposição de Jango", título talvez propositadamente neutro, Gaspari encadeia uma contradição atrás de outra. Primeiro diz que, seis meses antes do golpe, Kennedy queria saber do embaixador no Brasil, Lincoln Gordon, se achava "aconselhável" uma intervenção militar para depor Jango, ao que Gordon respondia que achava improvável tal cenário, "já discutido". Depois Gaspari diz o que todo brasileiro bem informado está cansado de saber, que Kennedy estava "associado" ao golpe — "descoberta" saudada pela mídia como uma "revelação" (arrombam portas abertas, na metáfora difundida pelo jornalista e blogueiro Paulo Henrique Amorim). E escreve o colunista ítalo-brasileiro este parágrafo:

> "Tudo ficaria mais fácil *[mais fácil para quem?, para os que sabem que os americanos prepararam, financiaram e garantiram o golpe contra Jango?, Elio não diz]* se Jango tivesse sido derrubado pelos americanos, mas ele foi deposto pelos brasileiros, numa sublevação militar estimulada e apoiada por civis. A Casa Branca, contudo, sagrou a insurreição reconhecendo o novo governo enquanto Jango ainda estava no Brasil, cuidando de suas fazendas, a caminho do Uruguai."

Dizer que militares brasileiros depuseram Jango estimulados por civis é reducionismo rasteiro — os próprios arquivos de Washington guardam provas de que foram os norte-americanos que armaram, apoiaram e financiaram o golpe, e o garantiriam com uma intervenção militar caso houvesse reação, pois já punham em ação uma frota rumo ao nosso litoral — a Operação Brother Sam. E com que desplante o colunista solta, como se fosse a mais cristalina verdade, a mentira de que a Casa Branca reconheceu o novo governo quando "Jango ainda estava no Brasil, cuidando de suas fazendas, a caminho do Uruguai". A desfaçatez com que os "historialistas" tratam Jango merece um cotejo com os fatos narrados por quem lida com fatos, não com a versão dos fatos segundo suas conveniências.

O resumo a seguir se faz com base na narrativa de Jorge Ferreira, professor titular de História do Brasil da UFF — Universidade Federal Fluminense, e pesquisador do CNPq — Conselho Nacional de Desenvolvimento Científico e Tecnológico, e da Faperj — Fundação de Amparo à Pesquisa do Estado do Rio de Janeiro. Vamos resumir o capítulo 10 de seu livro *João Goulart — Uma biografia*, capítulo justamente intitulado "Dois dias finais". E você que nos lê conclua se havia alguma possibilidade para Jango ficar "cuidando de suas fazendas" naqueles dois últimos dias que passou no Brasil — para onde só voltaria morto.

Capítulo 9
# Como o Brasil escapou de virar Brasil do Norte e Brasil do Sul

No 31 de março, Jango acordou no Palácio das Laranjeiras, no Rio de Janeiro, cansado. De tudo. A imprensa reacionária vinha massacrando-o, desde que o povo brasileiro, em 6 de janeiro de 1963, votando em plebiscito, devolveu a Jango poderes de presidente, após ser obrigado pelos militares golpistas a engolir o sistema parlamentarista — Jango, dizia-se, era como a rainha da Inglaterra: reinava, mas não governava. A vitória da volta ao presidencialismo havia sido acachapante, quase nove em cada dez brasileiros queria Jango na presidência para cumprir seu plano de reformas de base. A mídia fazia coro com as classes dominantes, não aceitava as reformas. Um dos principais jornais do país, o carioca *Correio da Manhã*, trazia editorial na primeira página sob o título: "BASTA!".

Os jornais de oposição — a maioria — praticamente pediam a deposição de Jango. Na cidade que, até três anos antes havia sido por dois séculos a capital do país, boatos circulavam. Diretores de escolas mandavam as crianças de volta para casa. As pessoas compravam gêneros para estocar. Então uma notícia correu: o general Mourão Filho, comandante da IV Região Militar, marchava com tropas de Juiz de Fora para o Rio, então estado da Guanabara, governado por Carlos Lacerda. Lacerda formava com os governadores Magalhães Pinto, de Minas; Ademar de Barros, de São Paulo; e Ildo Meneghetti, do Rio Grande do Sul, a quadra de ases imbatível com que os golpistas contavam no poder civil.

Num primeiro momento, Jango pensou que poderia acabar com a rebelião em Minas rapidamente — Mourão Filho era apatetado. Um de seus gritos de guerra era "Ninguém levantará a saia da mulher mineira!", tirado do discurso de seu conterrâneo Lourival Pereira da Silva, deputado estadual que repelia o lançamento da minissaia no Rio de Janeiro. Mais tarde Mourão iria se declarar, em matéria de política, "uma vaca fardada".

Mas San Tiago Dantas, ex-chanceler de Jango, homem muito bem informado, alertou que seria impossível Mourão Filho se rebelar sem a concordância do Departamento de Estado norte-americano, que poderia vir "a reconhecer a existência de outro governo no território livre do Brasil", de modo a transformar o país em Brasil do Norte e Brasil do Sul, como a Guerra Fria já havia provocado noutras regiões — Coreia do Norte e do Sul, Vietnã do Norte e do Sul. San Tiago Dantas também comunicou que navios norte-americanos já rumavam para nossa costa. Outros auxiliares, como o general Assis Brasil, chefe da Casa Militar; e Abelardo Jurema, ministro da Justiça, bem como oficiais militares legalistas, diziam que bastava movimentar o I Exército, baseado no Rio, ou bombardear a coluna chefiada por Mourão Filho, e os rebeldes voltariam correndo para o quartel. Mas, segundo Darcy Ribeiro, chefe da Casa Civil, Jango jamais ordenaria abrir fogo contra pessoas, "mesmo que custasse a sua deposição".

Um sugeria prender Lacerda; outro dizia que bastava bombardear o Palácio Guanabara, e o governador Lacerda fugiria; um terceiro, o ministro da Aeronáutica, Anísio Botelho, queria bombardear Mourão Filho e seus homens com napalm, o que horrorizou Jango — "Vai queimar gente? De jeito nenhum!".

Nos Estados Unidos, o presidente Johnson era informado de cada passo pela CIA, pelo embaixador no Brasil, Lincoln Gordon, pelo secretário da Defesa McNamara. Deram ordens de enviar navios-tanque para o litoral brasileiro, pois os "revoltosos" iriam precisar de gasolina para os carros de combate e os aviões. Lincoln Gordon e o adido militar no Brasil, Vernon Walters, conspirando com os generais Castelo Branco e Cordeiro de Farias, prometiam a operação Brother Sam [Irmão Sam], com armas, munição e combustível.

Chegou, convocado por Jango, o general Peri Bevilacqua, chefe do Estado-Maior das Forças Armadas, com documento que, segundo ele diz, expressava o pensamento dele e dos chefes das três armas, seus comandados: a intranquilidade reinava pela ameaça de "uma ditadura comuno-sindical", enquanto o CGT — Comando Geral dos Trabalhadores — ameaçava greve geral no país. Bevilacqua disse a Jango que a confiança entre presidente e forças armadas só se restabeleceria com algumas providências, entre elas "a principal": Jango declarar que se oporia a "greves políticas". Era um ultimato. Aceitar aquilo era aceitar um golpe branco, Jango deveria obediência aos militares, e não o contrário.

Com o ministro da Guerra, Jair Dantas Ribeiro, fora de ação, restabelecendo-se de uma operação da próstata, o transporte público em greve no Rio, a polícia civil do governo Lacerda a prender líderes sindicais desde a véspera, Jango ainda tentou, por telefone, convencer os comandantes dos quatro exércitos a obedecer à Constituição e manterem-se fiéis ao governo. À tarde, o presidente distribuiu à imprensa um comunicado "que serviu muito mais para tranquilizar Goulart do que o país", ao confirmar o "movimento subversivo" e anunciar, "dentro em pouco, o restabelecimento total da ordem". Mas o tempo voava contra o presidente. No Recife, o general Justino, comandante do IV Exército, preparava-se para prender o governador Miguel Arraes e "desencadear a repressão contra os movimentos de esquerda". No Rio Grande do Sul, o general Ladário Telles, enviado por Jango para comandar o III Exército, só controlava Porto Alegre. O governador de Goiás, Mauro Borges, que em 1961 defendeu a posse de Jango após a renúncia de Jânio, agora condenava o presidente "por desprestigiar o ministro da Marinha para agradar os comunistas, além de promover a quebra da disciplina e da hierarquia nas forças armadas".

Em São Paulo, o comandante do II Exército, general Amaury Kruel, hesitou, parecia querer ganhar tempo. Um dos autores deste livro, Mylton Severiano, então subeditor de Política na *Folha de S. Paulo*, na noite de 31 de março, ouviu de colegas de direita bem informados que estava tudo acabado para Jango, pois "a mala com um milhão de dólares para o Amaury Kruel chegou", informação que levaria quase cinquenta anos para confirmar. Em outubro de 2013, aos noventa e quatro anos, o ex-major Erimá

Pinheiro Moreira, anistiado no posto de coronel, gravou depoimento em que conta: era major farmacêutico quando emprestou seu laboratório no centro de São Paulo para o comandante do II Exército receber algumas pessoas em particular. Chegou Kruel, que se instalou numa sala reservada. Chegaram quatro homens, um deles presidente da Federação das Indústrias do Estado de São Paulo — Fiesp. Outros três carregavam, cada um, duas malas. Antes de permitir que eles fossem até Amaury Kruel, como todo militar atilado e zeloso, pediu que abrissem as malas — podiam carregar armas para matar Kruel, justificou o coronel Erimá. Eram notas de dólar "novinhas". Veja o depoimento em:

www.youtube.com/watch?v=gN5_WfWqBts

O golpe militar desfechado para acabar com a corrupção começava com general comprado.

No amanhecer do primeiro de abril, havia a notícia de milhares de esquerdistas presos país afora. Um Jango abatido ligou para a mulher, Maria Thereza, dizendo que alguém entraria em contato com ela, acrescentando: "Ainda não sei bem o que fazer". O *Correio da Manhã* passou do editorial "Basta!" para o editorial "Fora!", tomando toda a primeira página. O texto diz que ele "não pode mais governar o País" e lhe pede: "saia".

Aconselhado por oficiais militares, Jango deixou o Rio e voou para Brasília, onde gravou um manifesto para ser transmitido pela Rádio Nacional. Em tom da Carta Testamento de Vargas, mencionou a Lei de Remessa de Lucros, o início da reforma agrária, o aumento dos salários, entre outras medidas, como razão para "a grita da incompreensão e do egoísmo, do capitalismo intolerante, desumano e anticristão", e para a união de forças políticas e econômicas que tentaram "impedir que ao povo brasileiro fossem assegurados melhores padrões de cultura, de segurança econômica e de bem-estar social". O povo brasileiro jamais tomaria conhecimento da "carta testamento" de Jango.

Ele voou para Porto Alegre nas primeiras horas do dia 2 de abril, enquanto o presidente do Senado, o latifundiário paulista Auro de Moura Andrade, declara vago o cargo de presidente. Uma ilegalidade, pois isto só poderia ocorrer caso Jango tivesse deixado o país — mas quem iria alegar tal ilegalidade diante da truculência amparada em canhões, tanques, apoiados pela potência mais poderosa da história até então?

Naqueles mesmos instantes, o capitão que comandava a segurança na Granja do Torto embarcou Maria Thereza Goulart, suas crianças e a governanta num Avro da FAB rumo a Porto Alegre. Mesma cidade onde desembarcaria Jango, recebido minutos antes das 4 horas pelo general Ladário, Brizola e amigos. O presidente, esgotado, diz que precisa dormir um pouco. Está na casa de Ladário. Até aqui, você que nos lê vislumbrou alguma chance de Jango "cuidar de suas fazendas"?

Às 8 horas, já está ele reunido com Brizola, três ministros que o acompanharam no voo Brasília-Porto Alegre, Ladário e mais quatro generais. Após ouvi-los, Ladário e Brizola — a favor da resistência —, os generais "realistas" falando que "resistir é uma loucura", vendo Ladário isolado e dispondo apenas de um regimento mecanizado com mil homens, contra 50 mil soldados sob comando dos golpistas marchando sobre a capital gaúcha, Jango disse, segundo a versão de Brizola: "A minha permanência no governo terá que ser à custa de derramamento de sangue. E eu não quero que o povo brasileiro pague esse tributo. Então eu me retiro".

Ainda descendo as escadas rumo à rua, ouviu os gritos de Brizola: "Tu nunca mais vais voltar para o Brasil desse jeito!". Jango por certo sabia mais que Brizola sobre o tamanho do cacife que os norte-americanos estavam apostando.

"A Operação Brother Sam foi uma operação cara", nos diz a professora e historiadora paulista Maria Aparecida de Aquino, "o Moniz Bandeira, numa obra conhecida, *1961-1964 — Lutas sociais no Brasil*, apresenta uma lista de pessoas dos Estados Unidos, cerca de 4 mil, que haviam entrado legalmente no Brasil a partir de 1961, 1962, e todas instaladas em setores estratégicos com o objetivo de espionagem. Então não tenho dúvida de que a Operação Brother Sam existiu e que, assim, com o dinheiro que se gastou, se houvesse resistência eles entrariam com tudo. Seria, como o Jango temia, um banho de sangue."

Jango, escreve o historiador e biógrafo Jorge Ferreira, sabia ali "da amplitude do golpe". Sabia que, apesar de ter a imensa maioria do povo a seu lado, os golpistas tinham o apoio dos presidentes do Poder Legislativo e do Poder Judiciário, dos governadores de estados importantes, dos meios de comunicação em peso, e todos de costas quentes com a disposição norte-americana de intervir militarmente.

Maria Thereza se lembraria para sempre da viagem entre Porto Alegre e São Borja como "o pior momento da vida". Metida quase à força num avião com seu casal de filhos, pousou na Fazenda Rancho Grande, da família, ao amanhecer. O piloto entregou-lhe uma mensagem: outro avião viria buscar ela e as crianças. Mas, pelo meio-dia, chegou um jipe do exército com quatro militares que lhe ordenaram para sumir de São Borja até o anoitecer, senão seria presa. Dormiu com o pavor de ser acordada no meio da noite, mas eles não voltaram. Na manhã do dia 3, chegou o avião enviado por Jango, e Maria Thereza com seus dois filhos foram os primeiros exilados brasileiros no Uruguai. Na véspera, Jango tinha ido para São Borja, mas como a Rancho Grande era vizinha de um haras do exército, foi para outra fazenda, "parecia desnorteado". Angustiado, perguntou-se várias vezes "como poderiam prestar-se a isso militares que supunha nacionalistas que querem bem ao país". Estava com o general Assis Brasil, que em dado momento disse seriamente: "O senhor precisa sair daqui, senão vão prendê-lo". Dando-se conta de que corria perigo, Jango foi até uma região afastada de uma de suas fazendas, aonde só se chegava por meio de um barco a motor, mostrando-se "cada vez mais desorientado, não sabendo exatamente que rumo tomar". Com a insistência de Assis Brasil, aceitou, por fim, ir para o Uruguai. Pousou na cidade de Pando às 5 da tarde de 4 de abril, aplaudido por um grupo de uruguaios e recebido por autoridades uruguaias e pelo embaixador brasileiro na Alalc — Associação Latino-Americana de Livre Comércio. Maria Thereza já estava em Montevidéu com as crianças, abrigadas na casa conseguida por um amigo de Jango. A primeira-dama havia chegado com apenas uma saia e duas camisas, mais umas roupas das crianças numa pequena maleta. Nem dinheiro trazia consigo a primeira exilada brasileira.

E então? Nas últimas sessenta horas que passou no Brasil, você viu alguma chance de João Goulart "cuidar de suas fazendas rumo ao Uruguai"? Certos historialistas podem não apreciar a verdade, mas que tenham um mínimo de apreço aos fatos.

Capítulo 10

# Humor de torturador: se você ri, apanha; se você não ri, apanha

Se até as hienas riem, por que não os carrascos? O general linha-dura Fiúza de Castro, ao saber que o nome de cada antro de tortura seria DOI — sigla de Destacamento de Operações de Informações — entendeu o chiste e sorriu: "Ficou uma sigla muito interessante, porque *dói*, não?".

Os torturadores que tomavam conta dos prisioneiros no navio Raul Soares, na Baixada Santista, batizaram as três enxovias com nomes de boates famosas naqueles tempos. Teve sorte quem ficou na *El Moroco*, salão metálico ao lado da caldeira, sem ventilação, onde a temperatura passava dos cinquenta graus. Na *Night and Day*, os presos ficavam com água gelada na altura dos joelhos. Infeliz de quem ficou na *Casablanca*. Nesta eram despejadas as fezes dos ocupantes do navio. Desativado seis meses depois, o Raul Soares seria rebocado de volta ao Rio na manhã de 2 de novembro de 1964. Viraria sucata. Já a operação liderada pelo Brasil para prender, torturar, matar, desaparecer com opositores que se refugiavam noutros países da América do Sul, recebeu o nome de Condor — no Brasil fazendo sugestivo trocadilho: Operação Com Dor. Aqui, os torturadores criaram um sinônimo para "morrer", executado ou na tortura: "entrar para a Vanguarda Popular Celestial", trocadilho com a Vanguarda Popular Revolucionária — a VPR, de Carlos Lamarca.

No Uruguai, a cadeia e grande antro de tortura durante a ditadura militar chamava-se Presídio Liberdade. Aqui, um dos principais cárceres para onde enviavam prisioneiras e prisioneiros, de onde podiam voltar ao Dops e ao DOI-CODI para mais torturas, chamava-se Tiradentes, nome do herói nacional torturado até depois de morto, patrono cívico do Brasil — e quanto humor negro a Polícia Militar tomá-lo como patrono. O DOI paulistano, na rua Tutoia, os torturadores apelidaram de Tutoia Hilton, ou "centro cirúrgico". No Chile de Pinochet, um centro de torturas chamava-se Vila Dignidade; e os homens que percorreram o país de helicóptero executando opositores denominaram a Caravana da Morte de "Caravana do Bom Humor".

Os policiais civis que levaram um dos autores deste livro, Mylton Severiano, ao encontro do pai, que segundo informação de um colega jornalista havia sido recolhido ao Presídio do Hipódromo, resolveram fazer uma brincadeirinha para descontrair o ambiente. Severiano, com uma sacola entre as pernas, cheia de frutas e roupas de inverno, seguia na viatura do Dops paulista no meio dos dois, o motorista loiro e um nissei na janela. O motorista perguntou ao colega: "Você acha que o pai do rapaz aqui ainda está vivo?". O nissei riu e respondeu: "Não sei não, já jogaram um monte de gente no mar lá em Santos...". E riram risos de hienas.

Capítulo 11

# Os ovos denunciados não eram subversivos, eram inocentes

É do nosso amigo e colega de profissão José Trajano o depoimento mais impressionante sobre a ação decisiva das igrejas, muito especialmente a Igreja Católica, para acelerar a queda de João Goulart. Trajano testemunhou, aos dezoito anos, os momentos dramáticos nas ruas do Rio quando ficou claro que os golpistas haviam vencido. "Eu briguei com meu pai, meu pai era lacerdista, fui pro centro de terno. Achei que o terno me protegia, 'vou morar na rua', o prédio comemorando. Fui para a porta da ABI — Associação Brasileira de Imprensa, corre-corre; fui para a Cinelândia, tiroteio; saí correndo, vi um cara com a perna sangrando, baleado."

Cariocas tentaram invadir o Clube Militar e foram recebidos a bala. Trajano pensou: "perdemos", achou melhor voltar para casa, "todo o mundo ouvindo as rádios, discurso do Lacerda, 'a nação está salva', uma zoeira". Viu que os carros iam na contramão, os ocupantes acenando lenços azuis e brancos, tal como os panos que Lacerda havia colocado no Palácio.

"Eles gritavam 'vamos queimar a *Última Hora*', 'a *Última Hora*, vamos quebrar'. E eu e o Paulo Rehder, um repórter, que eu encontrei, fomos andando, a pé, a pé, a pé, eu morava na Tijuca e, quando passou um carro que não tinha bandeira, pedimos carona e entramos. Um cara e uma mulher. Estavam indo quebrar a *Última Hora*, só não estavam fazendo estardalhaço, ficamos quietos no banco de trás. Nos deixaram perto da Tijuca. Foi uma sensação terrível."

Sensação pior Trajano havia passado na véspera. Era 2 de abril de 1964 e, enquanto o presidente ainda discutia em Porto Alegre sobre as possibilidades de resistir ao golpe, Trajano e o colega João Máximo andavam pelas já tumultuadas ruas do Rio, tentando chegar à redação do *Jornal do Brasil*, onde trabalhavam. Trajano conta-nos em 28 de novembro de 2013, emocionado, na sala de seu apartamento na Vila Madalena, Zona Oeste de São Paulo: "Eu tenho uma imagem, a mais cruel da minha vida, mais forte, que me fez chorar, não vou esquecer nunca. Eu morava perto do João Máximo, ele em Vila Isabel, eu, na Tijuca. O *Jornal do Brasil* era na avenida Rio Branco. Nós conseguimos uma condução, paramos em algum lugar, seguimos andando, e pegamos a Rio Branco. Sabe o que vinha em sentido contrário? A Marcha com Deus pela Família. É a maior imagem que eu tenho de entendimento 'contra'. Nunca me senti tão sozinho, com o João Máximo ali, aquela massa de gente vindo em sentido oposto, gritando 'fora Jango!', 'viva 64!', 'um dois três, Brizola no xadrez!'. Éramos nós dois contra aquela multidão, não era pouca gente, não. Um milhão de pessoas. Nós chegamos chorando, os dois, no jornal".

A Marcha da Família com Deus pela Liberdade, inventada por conservadores de São Paulo, estreou na capital paulista no dia 19 de março, já na semana seguinte ao célebre Comício da Central do Brasil, no dia 13, quando Jango anunciou as reformas de base. Houve dezenas delas em várias cidades pequenas e médias do país. A de São Paulo, com meio milhão de pessoas, percorreu o centro até a praça da Sé. Ali, oradores como Plínio Salgado, chefe do integralismo — o fascismo à brasileira —, conclamaram as forças armadas a agir. Plínio perguntou aos "bravos soldados, marinheiros e aviadores" se iriam permitir que o Brasil seguisse "atado aos títeres de Moscou". E o próprio presidente do Senado, Auro de Moura Andrade, que dali a menos de duas semanas iria declarar vago o cargo de presidente quando Goulart ainda se encontrava em solo brasileiro, conclamou o povo a confiar "nas gloriosas forças armadas".

Às 18h30, enquanto católicos entravam na catedral para a missa vespertina, policiais civis prendiam dois jovens. Foram apontados por marchadores como arruaceiros prestes a atirar ovos contra a multidão. Pobres anônimos. Só no Dops, apavorados, conseguiram provar que estavam levando, na carrocinha, ovos encomendados por um supermercado.

Capítulo 12

# Igrejas: as cúpulas apoiam o golpe, e nas bases, salve-se quem puder

Naqueles dias, aos vinte e três anos, Anivaldo Pereira Padilha estava para concluir o curso colegial. A convocação católica não o havia entusiasmado, nem aos companheiros de credo: além de metodista, Anivaldo — ou Padilha, como o chamam — rumava na contracorrente da maioria dos católicos.

O futuro pai de Alexandre Padilha, ministro da Saúde no governo Dilma Rousseff, natural de São Pedro da União, sul de Minas, tinha vindo para São Paulo criança, pouco depois de 1940, ano em que nasceu. De família "bem pobre", o pai pedreiro, e a mãe, operária têxtil, tinham apenas oito meses de escolaridade. Anivaldo iniciou os estudos na Vila Maria, "periferia braba na época". Por falta de dinheiro para a condução, o menino, que concluiu o curso primário com nota quase 100 — e, por isso, com direito de entrar no ginásio automaticamente —, precisou ir trabalhar, ingressando no curso colegial apenas aos dezoito anos.

Agora, aos setenta e três anos, Anivaldo nos honra com sua visita no entardecer chuvoso de 7 de outubro de 2013. Protestante por tradição de família, desde a adolescência ele se juntou a outros metodistas preocupados com "a realidade brasileira", dentro da Confederação Evangélica do Brasil, que realizou três conferências, em 1956, 58 e 62, esta, no Recife. "O tema refletia o período: Cristo e o Processo Revolucionário Brasileiro. Acho que foi a primeira vez que cristãos e outros setores, especialmente marxistas, sentaram para conversar. Estavam lá Paul Singer, Celso Furtado, Josué de Castro, Gilberto Freyre. Essa conferência provocou um salto no processo de conscientização do movimento protestante pelas reformas de base."

Anivaldo, filiado ao Partido Socialista Brasileiro, entrou com colegas protestantes em contato com organizações religiosas de esquerda: Ação Popular, ligada aos católicos; a Juventude Universitária Católica, Juc, e outras entidades sob influência da Teologia da Libertação — na esteira do Concílio Vaticano II, convocado por João XXIII, aquele "abrir de janelas para fazer entrar na Igreja um pouco de ar puro", como o papa disse. Nesse momento em que o catolicismo saía na frente, apontando o rumo do ecumenismo e da ação social, Jango visitou o "papa camponês". Foi com a mulher, Maria Thereza, e os filhos, Denise e João Vicente, e puderam comprovar a propalada simplicidade de João XXIII: quando João Vicente disse que queria fazer xixi, o papa ignorou a etiqueta e foi pessoalmente levar o menino ao banheiro dos homens.

Como um dos líderes do Movimento Ecumênico da Juventude, entre religiosos com quem Anivaldo trabalhou há três desaparecidos políticos: Heleny Guariba, metodista como ele; o pastor presbiteriano catarinense Paulo Wright; e o carioca Ivan Mota Dias, presbiteriano. "Foi uma luta intensa", lembra Anivaldo, pois igrejas e lideranças religiosas apoiaram o golpe. "Uma das coisas que fizemos foi organizar uma rede de solidariedade, para ajudar pessoas perseguidas a fugir. A rede se estendia pelo Uruguai, Argentina, até o Chile."

Em fevereiro de 1970, Anivaldo é preso pela Operação Bandeirantes — Oban —, ensaio para os antros de tortura DOI-CODI. Foram quatro meses de suplícios, entre Oban e Dops, Oban e Dops, mais uma vez Oban, até ser indiciado no processo da AP e a soltura em novembro. Tornou-se um clandestino, mas "o cerco se apertou". Em maio de 1971 ele fugiu para o Chile e, como tinha contatos no Conselho Mundial de Igrejas, foi convidado para um trabalho de conscientização sobre a América Latina nos Estados Unidos, onde viveu episódios de estarrecer. "Eu estava muito abalado, porque... fui... muito torturado. Todas essas torturas que vocês conhecem. Estava pesando cinquenta e dois quilos."

Padilha, com cerca de 1,75m, tem porte para bem mais de setenta quilos. "Acordava gritando, sonhava que estava sendo torturado, com a simulação de execução que eles fizeram muitas vezes." Comentou com o colega metodista que o abrigava e ele conseguiu-lhe um terapeuta. Na primeira sessão, Anivaldo contou o que havia passado. "Ele não fez perguntas, só combinou a segunda sessão. Voltei, ele falou 'bem, em que momento você começou a ter alucinações?' [Rimos os três] Eu falei 'como?', ele falou 'é isso mesmo, porque o Brasil não é um país comunista, e isso só acontece em país comunista.'" Anivaldo disse ao terapeuta que ele não tinha competência para distinguir fantasia de realidade, e se foi.

"Eu conto essa história para mostrar o que é a dominação ideológica. Aquele clima de paranoia anticomunista, da Guerra Fria, que os Estados Unidos conseguiram criar no mundo inteiro." Fazia parte do estelionato de proporções planetárias convencer primeiro seu próprio povo de que havia comunistas até embaixo de nossas camas, prontos para atacar. Para a propaganda maciça, contribuíam filmes de Hollywood, publicações como *Seleções*, rádio, televisão, jornais. O povo norte-americano estava tomado pela síndrome do pânico do anticomunismo.

Para não restar dúvidas, dias depois aconteceu de novo. Dando palestra numa faculdade, Anivaldo acrescentou que seu caso não era isolado, que a tortura era sistemática no Brasil, e a primeira pergunta veio de um rapaz: "Desculpe, devo ter perdido algum detalhe, quando foi que os comunistas tomaram o poder no Brasil?". Padilha então mudou de tática. Primeiro contava um pouco de história do Brasil, explicava o golpe, o contexto — lembrou-se do método de alfabetização de Paulo Freire, com quem conviveu antes de 1964 e no exílio. "Pensei: qual é o traço característico do americano? O individualismo. Parti então da minha experiência pessoal, 'no dia tal, fui preso pelas forças armadas do Brasil', no fim perguntava: por que aconteceu isso comigo? Explicava o golpe e, quando chegava na análise, as pessoas já estavam preparadas para entender. Foi interessante lidar com a ingenuidade política dos americanos."

Com o mesmo didatismo, ele expõe como se desenrolaram as lutas sociais pré-1964 dentro das entidades religiosas: "O movimento ecumênico nasce no seio do protestantismo. A Igreja Católica só aderiu durante o Concílio Vaticano II, com João XXIII. Havia uma efervescência antes, com os dominicanos, frei Josaphá e o jornal *Brasil Urgente*. A luta das igrejas refletia a luta na sociedade. Havia setores em choque. Você tinha do outro lado os tradicionalistas, a TFP — Tradição, Família e Propriedade —, Dom Sigaud, intelectuais como Gustavo Corção, o jornalista Lenildo Tabosa Pessoa: a tropa de choque do reacionarismo católico. No meio protestante também tinha a tropazinha de choque. O reitor do Mackenzie, Guanesi Ribeiro: este se antecipou ao golpe. Começou a repressão interna na igreja presbiteriana em 1962, fechamento de seminários, expulsão de alunos. Na igreja metodista, vanguarda do movimento progressista, os conservadores se aproveitaram do golpe para nos reprimir. Depois do AI-5, em dezembro de 1968, tornou-se quase impossível todo o trabalho nas igrejas. As delações. Eu mesmo fui delatado, por um bispo e um pastor. Esse colaboracionismo ocorreu igualmente na Igreja Católica".

Por envolver número bem maior de fiéis, o catolicismo sofreu mais com as baixas. Pela brutalidade escancarada, um caso chocou especialmente: o do padre Antônio Henrique Pereira Neto, da Pastoral de Olinda e Recife, que desenvolvia atividades junto ao arcebispo Hélder Câmara. O padre Henrique despertou a ira dos militares ao celebrar missa em memória do estudante Edson Luiz de Lima Souto, assassinado no Rio de Janeiro por um militar. Em maio de 1969, encontraram o corpo do religioso num matagal, pendurado pelos pés de um galho de árvore. Havia sinais de queimaduras, cortes profundos pelo corpo, castração, espancamento; duas perfurações de balas indicavam como se deu a execução. Apesar de testemunhos e provas que apontavam a autoria para o delegado Bartolomeu Gibson, o investigador Cícero de Albuquerque e o tenente José Ferreira dos Anjos, ninguém foi condenado. Mas, cedo, as igrejas que apoiaram o golpe perceberiam o caráter autoritário e repressivo do regime, e passariam para a oposição.

O processo de lutas, diz Padilha, "em meados da década de 1970 é retomado, em torno da defesa de direitos humanos". Um exemplo, segundo ele, foi o projeto Brasil Nunca Mais, dirigido pelo pastor presbiteriano Jaime Wright, "sob a proteção de Dom Paulo Evaristo Arns e financiado, clandestinamente, pelo Conselho Mundial de Igrejas": um relatório sobre perseguições, torturas, assassinatos, desaparecimentos, em cima de documentos oficiais que cobrem o período de 1961 a 1979 — ano que coincide com a ida de Anivaldo Padilha para Genebra — onde iria reencontrar-se com Paulo Freire — convidado pelo mesmo Conselho Mundial de Igrejas.

Agora ele iria fazer um trabalho com jovens no mundo todo, centrado nos direitos humanos, com estudos sobre as multinacionais, crise do petróleo, direitos da mulher, diversidade sexual, racismo. Jovens de toda parte iam para os Estados Unidos falar de suas realidades — a ignorância no primeiro mundo "era brutal", sobre o que se passava nas ditaduras cruéis fomentadas pelos Estados Unidos também na Coreia do Sul, Filipinas, Turquia, Indonésia.

Padilha só voltou à terra natal com a anistia, em 1979, quando conheceu o filho Alexandre, o futuro ministro da Saúde, então com oito anos. "Eu estava na clandestinidade, nem pude me despedir da mulher, ela estava grávida."

Anivaldo foi ao cartório, na Penha, registrar o filho, "no exílio foi impossível, você ficava banido", e o funcionário, ao saber por que demorou tantos anos, gritou: "Olha aqui! Um exilado!".

Os trabalhos pararam por mais de meia hora, "veio todo mundo conversar comigo". Ele tinha amigos entre os fundadores do PT e do PSDB, mas ficou "meio solto". Os futuros tucanos diziam que o PT era radical, que o Brasil precisava de um partido social-democrático. "Brinquei com eles, que um partido social-democrático sem base operária não dá. O Franco Montoro falou: 'mas a gente vai ter apoio da mídia'... é o partido da mídia."

Para Anivaldo, a questão da consciência democrática foi a interrupção mais danosa que houve, a mais nefasta: "Vamos pegar o governo Lula. É um governo de coalizão. Não tem outro jeito de governar. O sistema político-eleitoral que temos é um resquício do Pacote de Abril, do Geisel. Ele cria uma situação em que nenhum partido consegue governar sozinho. Você tem que fazer alianças, que negociar no Congresso, e negociar significa isso mesmo, negócio. Você tem que dar carne pros leões todo dia. Senão aquelas feras te devoram. Houve sim a implementação de alguns programas sociais, de transferência de renda, a melhoria do nível de vida de mais de 30, 40 milhões de pessoas. Ampliou a garantia de direitos. E, no entanto, não afetou em nada os privilégios econômicos da elite brasileira. Você lê na *Veja*, *Estadão*, *Globo*, *Folha*, a mídia em geral, o ódio de classes sendo derramado semanalmente, jogado na população. É imperdoável para essa elite o fato de um nordestino, ex-operário, ter tido a petulância de se candidatar à presidência da República, e ganhar, e sair da presidência com mais de 80% de apoio. Quando houve a reeleição do Lula e a eleição da Dilma, o que saiu na internet, de preconceito contra nordestino e contra pobre!

O Bolsa Família não é programa de transferência de renda, é compra de vagabundo, não? E quem é beneficiado é vagabundo, preguiçoso, e isso penetra na cabeça de gente do povo".

Atalhamos para comentar que a ditadura igualmente cortou, e no nascedouro, o movimento ecumênico das igrejas. "Sim", diz ele, "queríamos tornar o Brasil um país mais justo. Isso eu acho importante anotar: o que vejo hoje no campo religioso tem a ver com esse corte". E o que vemos, em contraposição ao entusiasmo com que jovens de várias religiões se dedicavam à política no início da década de 1960, é desanimador.

Capítulo 13

# Ideologia do antitudo e da paulada é adaptada: o fascismo à brasileira

Os golpistas de 1964 implantaram como regime político um "fascismo à brasileira", com variações — uma delas o rodízio de ditadores: em vez do *duce* (o líder, o condutor) ou do clássico ditador de óculos escuros, tanto civil quanto militar, a cada temporada os generais se reuniam para eleger o próximo "general de plantão" — e eles não dispensavam os óculos escuros em público, pois os olhos mostram o que nos vai na alma, e o que havia em suas almas era melhor esconder.

O fascismo, conceitualmente falando, surge na Itália; dura quase o tempo da nossa ditadura militar. Lá, de 1923 a 1943, vinte anos; aqui, de 1964 ao início de 1985, vinte e um anos. Na Alemanha, o nazismo — fascismo alemão — podemos situar entre 1933, quando Hitler é eleito chefe de estado, até 1945, com o fim da 2ª Guerra Mundial. Tal regime totalitário, com suas peculiaridades locais, vigorou em Portugal e Espanha. Os portugueses o suportaram por quarenta e oito anos, de 1926 a 1974, o mais longevo regime de força da Europa no século XX. Na Espanha a ditadura franquista, implantada após sangrenta guerra civil (1936-1939), que deixou 1 milhão de mortos, dura trinta e seis anos, até 1975, quando Francisco Franco morre.

O fascismo, aponta o pensador italiano Norberto Bobbio em *Do fascismo à democracia*, traz "a violência no corpo". Sua ideologia "é" a violência. Benito Mussolini, fundador do fascismo, "a tecla sobre a qual obstinadamente batia", escreve Bobbio, "era a tecla da violência". Nos comícios elogiava "a força física, a força armada". Discursando em Roma, pregou: "Peço-lhes que reflitam sobre o fato de que a revolução é feita a pauladas". O espanhol Franco disse: "Nosso regime apoia-se em baionetas e sangue, não em eleições hipócritas".

A pena de morte para inimigos do regime era o garrote vil: amarrado à cadeira, sentado de costas para um tronco, uma cinta envolve a testa do condenado de modo que a cabeça fique bem fixa. Há um orifício na altura da nuca, helicoidal, onde se insere um grande parafuso que o carrasco aperta devagar, para fazer o condenado sofrer até a morte por asfixia — a coluna é arrebentada aos pouquinhos.

Eis um ponto em comum entre o fascismo original e o fascismo à brasileira — a "cultura" da violência. A tortura como política de estado — a violência provoca medo, terror. É o terror estatal. Outro traço comum é, segundo apreendemos em Bobbio, a fundamental característica de ser "contra" alguma coisa. "Abaixo a inteligência!", bradou um chefe militar fascista espanhol durante a Guerra Civil. Contra o parlamento, antipartido, contra a democracia, antiliberal. E anticomunista.

No Brasil, os admiradores do fascismo criaram, no início dos anos 1930, o movimento integralista, liderado pelo escritor Plínio Salgado. No fim da década, o integralismo — fascismo à brasileira — estava incrustado nas forças armadas do Brasil. Calcula-se que na marinha o fascismo tinha a simpatia de 80% da tropa.

No exército, a versão verde-amarela do fascismo tinha a adesão do futuro general que sublevaria suas tropas em Minas na madrugada de 31 de março de 1964. Mourão Filho era capitão em 1937, ligado ao integralismo. Foi ele quem, naquele ano, bateu à máquina, numa sala do Estado-Maior do Exército, o Plano Cohen, que forjava uma conspiração comunista a fim de dar a Getúlio motivo para o golpe que implantou o Estado Novo. O falso plano era a "prova" de que os comunistas seguiam ativos, mesmo esmagada a Intentona de 1935, quando oficiais ligados ao PC atacaram colegas em quartéis e tentaram um golpe contra GV. O Plano Cohen procurava, enfim, mostrar que o "perigo vermelho" continuava de pé, então era "necessário vencer pela liquidação das últimas e aparentes formas de democracia subsistentes", como expôs Nelson Werneck Sodré em *História militar do Brasil*. Getúlio, então, cerca o Congresso e baixa uma Constituição que lhe dá plenos poderes, dando início à ditadura Vargas propriamente dita.

O já citado capitão Pedro Alvarez nos dá mais pistas concretas. Deixou o opúsculo *Memórias de um militar nacionalista — O Capitão do Povo*, que a gaúcha Editora JÁ publicou em 2012, um ano antes de ele morrer, aos noventa e cinco anos. O gaúcho Alvarez serviu no Rio de Janeiro e no Rio Grande do Sul. Entrou no Colégio Militar de Porto Alegre aos catorze anos e, aos dezoito, em 1936, notou como — depois da "quartelada" comunista de 1935 e somando a isto a ascensão do nazifascismo na Europa — a orientação vinda dos professores sofreu "radical" mudança. "Começou então", escreve Alvarez, "esse anticomunismo que considero doentio."

Um dos professores, tenente Bizarria (que vamos encontrar entre os generais golpistas de 1964), dizia aos alunos que, na Guerra Civil Espanhola, os comunistas, à falta de alimentos, "almoçavam crianças e jantavam freiras". E em 1937, com o golpe do Estado Novo arquitetado por um capitão integralista, narra Alvarez, os jovens oficiais que os alunos mais detestavam estavam praticamente no comando do exército: "Nós sabíamos que eram uns sujeitos pró-nazistas, anticomunistas doentios".

Mais adiante, vindo a Segunda Guerra Mundial, "os militares fascistas brasileiros já davam como certa a vitória da Alemanha", escreve Alvarez. E no golpe militar que destituirá Getúlio em 1945, o agora primeiro--tenente testemunha ainda uma vez que, se havia infiltração nas forças armadas, não era de comunistas. Alvarez servia no Rio de Janeiro, fazendo um curso entre setenta oficiais-alunos, na Escola de Motomecanização, comandada por mais um futuro golpista de 1964: tenente-coronel Costa e Silva. No dia 29 de outubro de 1945, Costa e Silva põe os oficiais-alunos de prontidão, desarmados e trancados numa sala, "qual meninos no colégio". Com permissão para ir ao mictório, Alvarez fica sabendo por um sargento que há um golpe contra Getúlio em marcha e que na escola, tirando os oficiais-alunos, "estão todos armados". O tenente Alvarez convence os colegas de formar uma comissão e ir pedir explicações ao comandante. Escolheram um major, um capitão e o próprio Alvarez, recebidos rispidamente — Costa e Silva inventou a história de que ferroviários iam entrar em greve e matar as famílias dos oficiais. Mas o que mais impressionou o tenente Alvarez foi uma cena eloquente: ao lado de Costa e Silva "estavam três oficiais norte-americanos, cada um com uma metralhadora na mão".

Os eternos golpistas — e este país vive em estado de golpe permanente desde 1945 — tentam fazer do primeiro golpe militar contra Getúlio um ato "do bem", pela redemocratização do país, no clima do pós-guerra que derrotou o nazifascismo. O contexto, porém, era outro por aqui. Com a pressão oposicionista pela redemocratização e a convocação de eleições presidenciais, surge entre março e maio de 1945, primeiro em São Paulo com o nome de Panela Vazia, depois no Rio, batizado de Queremos Getúlio, um movimento pela permanência de Getúlio Vargas no Palácio do Catete, ou, caso haja eleições, que ele seja candidato.

Com apoio do Partido Comunista, reposto na legalidade após uma década proibido, o "queremismo" se torna um movimento de massas, espalhando-se por outros estados. Quando os primeiros pracinhas brasileiros voltam em julho da Itália, vitoriosos, Getúlio desfila com eles pela capital da República em carro aberto e recebe uma consagração popular. Getúlio solta os presos políticos, assina uma anistia total. Decreta a Lei Antitruste e fala em controlar a remessa de lucros das empresas estrangeiras. Começa por aí a derrubada de "Seo Gegê". Valha-nos o *Capitão do Povo*, para quem o golpe de 1945 "foi organizado pelo capital estrangeiro, pelo imperialismo norte-americano".

Não bastasse a presença de oficiais norte-americanos armados de metralhadoras junto a Costa e Silva naquela manhã de 29 de outubro, Alvarez lembra ainda que o embaixador americano Adolf Berle teve "participação ativa". Darcy Ribeiro é quem confirma em *Aos trancos e barrancos — como o Brasil deu no que deu*: "Adolf Berle dá o sinal para a deposição de Getúlio Vargas, num discurso em português macarrônico que pronuncia em Petrópolis. Declara que a democratização com Getúlio é impossível".

Tal como seu discípulo Jango duas décadas mais tarde, Getúlio caía mais pelas qualidades do que pelos defeitos, e igualmente com alta aprovação do povo brasileiro — do que dá mostra o próprio povo cinco anos depois, quando das eleições para a presidência, em que a música de Carnaval mais cantada nas ruas e nos salões do Brasil, de João de Barro e José Maria de Abreu, foi a marchinha Gegê:

*Ai, Gegê!*
*Ai, Gegê!*
*Ai, Gegê!*
*Que saudades que nós temos de você!*

*O feijão subiu de preço*
*O café subiu também*
*Carne seca anda por cima*
*Não se passa pra ninguém*
*Tudo sobe, sobe, sobe*
*Todo dia no cartaz*
*Só o pobre do cruzeiro*
*Todo dia desce mais, mais, mais, mais*

O povo o traria de volta pelo voto, e os mesmos de sempre o golpeariam sem descanso, diariamente, até a morte. A autoimolação de Gegê adiou o golpe por dez anos, e os golpistas nem fariam questão de esconder suas tendências fascistas. O último general ditador, João Figueiredo, chamava o colega Newton Cruz, comandante militar do Planalto, de "o nosso Mussolini". E durante a campanha Diretas Já, em 1984, Newton Cruz, o Nini, a cavalo e de chicotinho na mão reprimiu motoristas que participavam de um buzinaço a favor de eleições para presidente da República. Ao ver a foto de Nini todo garboso sobre o cavalo branco, Figueiredo exclamou: "Não é que parece mesmo o Mussolini!".

Capítulo 14

# A seleção de 1982 jogou futebol-arte na ditadura, mas já era outro Brasil

José Trajano está com sessenta e sete anos ao nos receber em seu apartamento na rua Madalena, Vila Madalena, bairro "cult" de São Paulo. Da varanda da sala avistamos o casario de antigos chacareiros que ainda cerca os espigões cada vez avançando mais. Piscina olímpica no jardim de seu prédio.

O companheiro de velhas lides especializou-se em esportes, por anos comandou o canal ESPN Brasil e agora diminuiu o ritmo de trabalho. Pedimos a ele que reconstitua episódios do nosso futebol durante os anos plúmbeos, partindo da reportagem "Ordinário, chute!" — escrita por ele para a revista *Repórter Três*, em 1978, ano da Copa do Mundo na Argentina. A seleção era comandada por um capitão do exército, Cláudio Coutinho. Como é que o futebol brasileiro chegou àquele estado? — perguntamos. "Tudo chegou, não? Tinha que chegar no futebol", responde Trajano, com sua voz tronitruante e o impressionante bom humor.

Em sua descrição, parece que estamos vendo a imagem, mil vezes repetida em jornais, revistas, na TV: Médici, o general de plantão entre 1969 e 1974, de cigarro aceso entre os dedos e o radinho de pilha colado à orelha. Em 1970, quando o Brasil ganhou o Tri no México, "já tinha muito militar na seleção". O Brasil treinou na escola de educação física do exército, lembra Trajano, sob influência de Cláudio Coutinho.

A seleção de 1970, imbatível, tinha sido montada pelo técnico e jornalista esportivo João Saldanha, que caiu em 1969, dando lugar a Zagalo. Coutinho era ligado a Kenneth Cooper, criador do Teste de Cooper — que na maturidade se penitenciaria por tê-lo difundido indiscriminadamente: pessoas sem condições de correr acabaram morrendo de ataque cardíaco. Coutinho trouxe o método de Cooper para o Brasil, e a Escola do Exército, na Praia Vermelha, Rio de Janeiro, tornou-se centro de excelência para treinamento. "É onde o Brasil vai treinar para 2014, veja como a história dá voltas. Ali tem espaço, é grande, tem a praia."

Coutinho, o cabeça, trabalhava com outros militares, e o Brasil ficou bem preparado em 1970, "aquele preparo de militar". "O único que não era militar no grupo era o Parreira, mas tinha tudo de militar." Estamos falando da seleção de 1978, Copa da Argentina, país mergulhado em ditadura mais feroz ainda — com população quatro vezes menor que a nossa, fez 30 mil mortos e desaparecidos, dez vezes mais que no Brasil. Lá, como aqui, havia militarização no futebol e em outros esportes. Daí o título da reportagem de Trajano — "Ordinário, chute!" — referência à ordem que os soldados recebem do sargento para pôr-se em marcha ordinária: *Ordinário, marche!* "Como estávamos em plena ditadura", lembra Trajano, "além dos militares influenciando na seleção, a segurança foi feita pelo Hélio Vígio, aquele delegado que era do Esquadrão da Morte".

Vígio montou em Teresópolis, onde os jogadores treinavam, uma estrutura com fuzil e metralhadora, na delegacia da cidade. "Então você tinha: segurança feita por um delegado do Esquadrão da Morte e organização feita pelo pessoal do exército."

As iniciais do grupo de extermínio carioca eram E.M., eles diziam que significava Esquadrão Motorizado. Mais uma piadinha infame dos infames. Treinavam futebol na Granja Comari, que então era só um grande gramado. João Saldanha já tinha caído. Trajano concorda só em parte que seja porque o general Médici queria escalar o centroavante Dario, o "Peito de Aço", e Saldanha respondeu pelos jornais que o time era ele, Saldanha, quem escalava, assim como quem escalava o Ministério era ele, Médici.

"Acho que pesou não a frase, mas o fato de ser o Saldanha. Comunista. Criador de caso. E maluco. Maluco no bom sentido, maluco beleza. É até hoje meu ídolo. Todo jornalista de esporte decente tem que ter um pouco de João Saldanha, não? Pela dignidade dele. Mas ele estava numa fase... irrequieto demais. Tinha dado um tiro no goleiro Manga, tinha ido na concentração do Flamengo para dar tiro no técnico Iustrich, quase pegou no porteiro." Também cismou que Pelé estava cego, não estava enxergando bem. Barrou Pelé num jogo. Trajano tem razão: era demais para a ditadura aceitar como técnico da seleção um comunista, com prestígio popular, que falava o que vinha à cabeça. "Era o João Sem Medo! Foi defenestrado."

O órgão máximo do futebol era a CBD — Confederação Brasileira de Desportos. Antônio do Passo era "o homem forte". Consta que convidou o ex-jogador do São Paulo, Dino Sani, que "medrosamente não aceitou". Achou que o Brasil não tinha chances. O Brasil vinha de 1966, um fiasco na Inglaterra: botou um time de velhos e achou que, se eles aguentaram em 1958, iriam aguentar em 1966.

O Brasil venceu em 1958 o "complexo de vira-lata", vem a "redentora", e o que acontece com o futebol brasileiro? Trajano discorre: "Veio aquela coisa: 'onde a Arena vai mal, um time no Nacional'. O Campeonato Nacional passou a ter um número imenso de clubes. Chegou a ter noventa equipes, acho! E começou a construção de estádios, elefantes brancos. Estádios para 50 mil torcedores na cidade com 40 mil habitantes. Com nomes de presidente, de governador fiel à ditadura, Castelão. E o presidente da CBD era um almirante, Heleno Nunes. Irmão do ministro da Guerra (agora seria do exército), que era o Adalberto Nunes. Para onde você olhava, o poder era militar. Tinha o João Havelange, sempre conivente com a ditadura".

E que esquisita ligação de militares não só com esportes, mas também com jogo do bicho! A primeira vez em que enviaram Trajano para cobrir jogo da seleção no exterior foi em 1967. Ele conta: "Eu estava com vinte e um anos. O Brasil ia jogar com o Uruguai. Sabem quem era o chefe da delegação? Não era major, nem coronel, nem general: Castor de Andrade". O famoso bicheiro de Bangu, patrono da Escola de Samba Mocidade Independente de Padre Miguel, chegou a ser preso na Ilha Grande por alguns meses, com regalias que incluíam casa com oito peças e quintal, banho de mar, visitantes que chegavam em lanchas, tal que a imprensa comentou que aquilo não era uma colônia penal, mas colônia de férias.

O poeta gaúcho Joaquim Moncks, que foi oficial da Brigada Militar, confirma esta ligação. Narrou-nos a grande surpresa que teve aos vinte e um anos, em 1967, quando visitou o Rio de Janeiro a serviço, já aspirante a oficial. Foi fazer um curso no 5º Batalhão da PM, na praça Assunção. "Chego lá e dali a pouco vejo um cabo fazendo o jogo do bicho. Eu digo assim para ele, 'cabo!, mas isto aqui vocês fazem?', e o sujeito fez 'schhhh, fica quieto praça véio, o coronel é o banqueiro.'"

Nada a estranhar portanto que na mesmíssima época, 1967, nossa delegação tenha sido chefiada por um dos reis do jogo do bicho. O futebol brasileiro havia ganho duas, 1958, na Suécia; e 1962, no Chile. E depois? "Não dá para casar uma coisa com outra", diz Trajano, "nós estávamos no poder, vamos dizer assim. Teve a conquista, o bicampeonato no Chile em 1962, o Jango era presidente. Em 1958 era o Juscelino. E os militares queriam capitalizar 1970, não? Eles comandavam não só o futebol, como o esporte brasileiro. E quem era chefe da delegação em 1970? Brigadeiro Jerônimo Bastos! É o brigadeiro, o almirante Heleno Nunes, o capitão Coutinho, o major... Era um quartel das três Forças, tinha gente da marinha, da aeronáutica e do exército."

Em 1966 vem o desastre. Tentaram até reviver Vicente Feola, o bonachão vencedor de 1958, que nem foi em 1962 ao Chile. Estava doente. Ele volta em 1966 e comete erro parecido com o de Telê Santana, em 1986. "O Telê fez aquela seleção genial em 1982, perdeu para todo mundo e deixou todo mundo embevecido. Tenta em 1986 pôr o Sócrates de novo, Casagrande, mas aquele pessoal não dava mais no couro. Então em 1966 teve esse mesmo erro. Mas aquele Brasil de 1958 era nosso! Eram anos do Juscelino. E em 1962, nós em plena democracia. Fico até emocionado com esse resgate da memória do Jango. Porque, se teve um presidente execrado, que entrou na história pela porta dos fundos injustamente, foi o Jango. Sempre passavam a imagem de que foi um banana, um merda, e agora a história está mostrando outras facetas, não? Era o Jango em 1962! O João que tinha namorado vedete, Joãozinho Boa-Pinta, o cara que saía de noite. Que queria fazer as reformas de base."

Reformas que esperam há cinquenta anos. "Teve coragem de fazer aquele comício da Central, assinar a reforma agrária no dia 13 de março de 1964." Só agora se divulga que o Ibope dele estava nas alturas. "É! Se ele fosse candidato agora, ganhava da Dilma!"

O futebol brasileiro chega de novo perto do nível do capitão Cláudio Coutinho, de *ordinário, chute!*, não? Trajano relembra que o capitão Coutinho comandou o time de 1978, "também nebuloso", sem grandes ídolos, Pelé, Garrincha, Gerson. Só havia Zico. "Com o Cláudio Coutinho nós deixamos de ser campeões de verdade para ser campeões morais. Mas aí você se defronta com uma copa ganha por uma Argentina em plena ditadura."

O melhor futebol do mundo no país dos campos de concentração, como dissemos na revista *Repórter Três*, na edição que não foi às bancas. José Trajano se lembra de uma série de televisão premiada, da ESPN, de Lúcio de Castro, filho de Marcos de Castro, da nossa geração. Ganhou Prêmio García Márquez: *Futebol nos Anos de Chumbo*. No Uruguai, na Argentina, no Brasil e no Chile. "Conta como essas ditaduras usaram o futebol. Tem o depoimento do Eduardo Galeano no Uruguai, do Cazeb do Chile, que se recusa a cumprimentar o Pinochet, e a mãe dele foi torturada, e ele foi jogar na Itália. Têm presos políticos da Argentina contando como ouviam os jogos na prisão. É sensacional. O ambiente naquela época, nós estávamos fodidos onde a gente jogasse. Uruguai, Argentina, Chile, Brasil. Tudo dominado! Por isso é interessante esse documentário. Não era privilégio brasileiro estar dominado pelos militares, a tortura, aquela coisa horrorosa."

Contudo, certo é que a seleção de Telê Santana, de 1982, apontada por muitos como a última que jogou o futebol-arte brasileiro, formou-se sob a ditadura. Trajano avalia: "Os ventos já sopravam diferente. O time do Telê. Do Sócrates, do Zico. Do Junior, do Cerezo. Dizem que nós tivemos três grandes seleções, não? A de 1958, a de 1970 e a de 1982. Mesmo ainda sob ditadura, o Brasil já era outro em 1982. A anistia tinha sido em 1979, o pessoal já tinha voltado, o Brizola já estava no Brasil. Ia eleger-se governador do Rio de Janeiro, era outro Brasil. Os ventos da democracia trouxeram de volta o futebol-arte".

Capítulo 15

# O "alinhamento automático" e o preparo do impossível: luta armada

Como combater a ditadura que implantou um "fascismo à brasileira"? A análise do "lúmpen" José Luiz del Roio inclui informações jamais postas no papel. Não era, a "nossa" ditadura, mais um golpe das repúblicas bananeiras. "Precisava ter um verniz, um parlamento aberto — fecha quando quer, reabre quando quer, faz eleição mas cria o senador biônico, nomeado pelo ditador, para não perder a maioria no Senado."

E as oposições? Havia a ideia de que era necessário formar uma frente muito ampla, porque os militares iriam endurecer tanto que acabariam excluindo não só a esquerda, mas também a centro-direita, direita, e até setores das forças armadas. "Então a gente tentava uma ideia libertadora nacional." Libertadora nacional? "Sim, porque era claramente um golpe pró-imperialista. Requeria uma ação anti-imperialista."

Lembra Del Roio que, tão logo se instalam no poder, os militares declaram "alinhamento automático" aos Estados Unidos, ou seja, a ridícula situação de um país, o Brasil, não precisar decidir nada. Célebre ficou a frase de Juracy Magalhães, embaixador brasileiro em Washington já no governo Castelo Branco: "O que é bom para os Estados Unidos é bom para o Brasil". Vassalagem total. Nem uma colônia diria isso, lembra del Roio. A Argélia, quando colônia da França, declarou que havia diferenças: "Paris é branca, nós somos pretos, tem de ser um pouco diferente, nós somos árabes".

E Juracy assina com Washington um pacto de submissão colonial, pelo qual o Brasil se compromete formalmente a respeitar "as leis norte-americanas" que garantem seus negócios aqui, até vinte anos depois de qualquer futura lei que os atinja. Seria o caso então, comenta del Roio, de fechar o Itamaraty de uma vez, pois passava a existir apenas para cumprir ordens: "Isso eles provam prendendo, e torturando, e expulsando todo o corpo diplomático chinês. Prendem o corpo diplomático e torturam!".

E haveria ações mais vergonhosas: o Brasil invade a República Dominicana e comete horrores, a mando dos americanos. E um grande acordo, pelo qual Washington recomenda: "Vocês garantem o Salazar". A ditadura salazarista estava em dificuldades, pois, além de mais pobre que o Brasil, vinha enfrentando luta armada nas colônias africanas: Angola, Moçambique e Guiné-Bissau. O regime fascista de Salazar estava cai não cai. O PAIGC — Partido Africano para a Independência da Guiné e Cabo Verde; a Frelimo — Frente de Libertação de Moçambique; e o MPLA — Movimento Popular de Libertação de Angola: eles sabiam que nem precisavam ter vitórias militares. "Bastava sofrer derrotas militares, não muitas, é claro, que Portugal acabaria desmoronando por falta de dinheiro! Era longe, precisava de navio, uniforme, arma, comida."

Ou seja, mesmo impondo aqui e ali algumas derrotas aos guerrilheiros, Portugal não aguentava. A história é pouco conhecida. Esse "acordo" ordenava ao Brasil: primeiro, acalmar o pessoal na América Latina. "Para onde pender o Brasil, penderá a América Latina", disse o presidente Nixon ao general Médici em 1974. E, segundo, dar cobertura logística ao exército português, financiar.

"Tudo isso está nos documentos do Itamaraty. Então você tem essa ligação profunda com o fascismo português. Isso, o que custou? Milhares de mortos, porque a guerra vai se prolongar por dez anos. Bombardeio, fome, uns 200, 300 mil mortos a mais na África."

Isso dura até o governo Geisel. Após a crise do petróleo de 1973, os países árabes apertam o general Geisel: "Se continuar apoiando as guerras coloniais, nós cortamos o petróleo. Ou impomos um preço insuportável".

Não éramos autossuficientes em petróleo, tínhamos de importar. Portugal estava custando caro demais. Salazar havia morrido em 1970. Geisel ainda ampara o regime salazarista sem Salazar, apoiando o general Spíndola como chefe de estado, um conservador. No ano seguinte, ao cabo de um ano de agitação popular, com ocupações, passeatas, confrontos, uma Assembleia Constituinte aprova a Constituição democrática que põe uma pá de cal sobre o regime fascista.

Aqui, ainda suportaríamos outros dez anos com militares no poder em Brasília. O Partido Comunista está a favor da Frente Ampla tentada por Juscelino, Lacerda e Jango. O grupo de resistência ao qual del Roio pertencia era contra, Brizola também. "Nós já tínhamos ganho Rio de Janeiro, Rio Grande do Sul, Minas, São Paulo", recorda, "a gente brincava com o Comitê Central: vocês vão ficar com o Piauí e o Pará".

Os apoiadores da Frente Ampla achavam que, com ela, levariam à queda do governo e um dos três principais líderes sairia candidato num acordo entre si. Mas por que ser contra a Frente Ampla? "O problema não era ser contra porque eles se uniam contra a ditadura, isso era bom", explana o autodenominado Lúmpen, "éramos contra a ilusão de que aquela união derrubava a ditadura. Era tão grande o interesse internacional, financeiro, econômico em torno da ditadura, que eles não iam entregar só porque Juscelino e Lacerda estavam de acordo, e Jango e Juscelino. Pau neles! A gente decide que a primeira coisa é desmascarar a ditadura. A ditadura é um inferno. Nós já estamos com dezenas e dezenas de milhares de pessoas demitidas. E usam a tortura. É uma ditadura infame. Daí nossa decisão de partir para a luta armada. Difícil. Não tínhamos condições objetivas".

O Brizola tenta antes coisas ligadas a sargentos e tenentes — mais importante foi Caparaó, 1967. "Mal organizadas, mas o conceito era o mesmo: desmascarar a ditadura, ir pro pau e dizer para quê ela veio. Claro, era complicado e perigoso."

Principalmente perigoso pois a ditadura responderia com uma escalada de repressão inimaginável. "Mas a gente achava que podia passar a vida inteira naquela marmelada, e os homens apoiando o imperialismo, e o país se desagregando, o pobre mais pobre, a riqueza se concentrando, a educação desaparecendo, a cultura indo aos pedaços — dez mil exilados —, de Glauber Rocha ao Hildebrando, ao Paulo Freire, e Chico, Caetano, Gil, Vandré, as melhores cabeças. O Vietnã dando porrada no império, os Estados Unidos ocupados lá do outro lado do mundo, mas aqui tinha a figura do Che Guevara, a União Soviética sempre dizendo 'calma, não me levem para isso'."

Cuba dava apoio, "antes que nos invadam, façam alguma coisa aí para refrescar nossa vida". E havia, diz del Roio, "simpatias insuspeitas" para a luta armada até de setores da Igreja, o "direito ao tiranicídio", o "direito da resistência ao tirano", e de alguns militares também. Mas faltava organização. O Partido Comunista "se despedaçava" em divergências que afastavam a base fundamental: a classe operária. "Levar operário para a luta armada é complexo. Tem família, uma moral que não permite deixar o trabalho. Por que é que tínhamos de assaltar bancos? Porque precisa comprar armas, sítios, fazendas, montar lugares clandestinos, criar uma infraestrutura num país enorme."

Os golpistas haviam criado um mito: o "ouro de Moscou" financiava. Mito. Os soviéticos queriam distância da luta armada no Brasil, agora preparada pelo chamado Agrupamento Comunista de São Paulo, sob liderança de Carlos Marighella. A primeira operação armada se deu no sul de São Paulo em fins de 1967.

Um dos autores deste livro, Mylton Severiano, por solidariedade aos que efetivamente lutavam contra a ditadura e por amizade a Frei Betto, a pedido deste, chegou a levar um grupo de militantes, que não conhecia, até a região de Registro, sul de São Paulo. Usou a Kombi emprestada do pai, comerciante de tintas. Os militantes, cinco ou seis, pediram que os deixasse numa fazendola. Era possivelmente um lugar de treinamento de guerrilha.

"Começamos os assaltos em fevereiro de 1968", recorda del Roio, "e outras forças entraram dois meses depois, Ação Popular, VPR — Vanguarda Popular Revolucionária, fundada por um grupo de militares; e outras que iam surgindo. A luta armada criava o caos. Os militares não sabiam se aquilo tinha força ou não. E a imprensa, mesmo amarrada, ela gostava."

Claro: vende jornal, revista. A *Veja* põe Marighella na capa, "O inimigo público número 1". E a especulação, "quem são os líderes?". Os militares tinham começado fazendo papel de bonzinhos: "vamos ter eleições", "vai tudo bem", "o país está uma maravilha". Tiveram de mudar, criar os DOI-CODI, reorganizar as forças armadas para a repressão, a tortura. "E se mancharam. Porque as ordens para torturar e matar vinham do ditador, a Comissão da Verdade apurou. Passavam pelos três comandantes."

Nem podia ser diferente: numa Força Armada, se o comandante não sabe o que se passa abaixo dele, perde toda a autoridade. Mas houve uma quebra, lembramos nós: de repente um delegado de polícia, Sérgio Fleury, passa a mandar mais que um coronel, vira a estrela da tortura e da matança. Del Roio explica: "O aparato de repressão, classicamente, disputa muito, isto era típico do fascismo na Itália: grupos de extermínio em guerra. E na Alemanha, o que é um absurdo: um estado absolutamente centralizado, e a mentalidade alemã, a disciplina — até lá existiu! Por quê? Porque torturando se consegue informações".

E conseguir informações era uma forma de subir na vida. "E vocês não podem esquecer: eles eram, sobretudo, ladrões. Quando iam numa casa, roubavam tudo, televisão, toca-discos, tudo. E achacavam os torturados para dar dinheiro, a família dos presos, 'se vocês me derem 10 mil dólares, não torturo sua filha'. O cara, se tivesse, dava 20 mil."

Eis outro dado pouco divulgado. Um grupo como o do delegado Fleury era um grupo de bandidos, ligado ao narcotráfico. "E para consumo deles, cheiravam como loucos. Ladrões, muitos enriqueceram."

Fleury, não esqueçamos, ao morrer em 1º de maio de 1979, estava em seu iate. Mas havia questões humanas curiosas: oficiais que se recusavam a torturar. Quando o brigadeiro Burnier mandou jogar ao mar prisioneiros lançados de helicóptero, um capitão, Sérgio Miranda, retrucou "eu não faço isso". E já haviam expurgado as forças armadas desses subversivos e insubordinados. "Dez por cento das forças armadas foi presa e expulsa. Muitos torturados, alguns mortos. Sete mil presos e despedidos. São os que vão lavar a honra da pátria, não são os golpistas, os torturadores."

Enquanto religiosos de esquerda montavam seus esquemas, como vimos no capítulo "Igrejas: as cúpulas apoiam o golpe, e nas bases salve-se quem puder", comunistas e afins tratavam de montar os seus. O Agrupamento — que se tornaria Ação Libertadora Nacional — tentava uma coordenação continental com a Olas — Organização Latino-Americana de Solidariedade. Era uma tentativa de coordenar as guerrilhas. As outras faziam pressão, "abram uma frente aí, senão o Brasil nos massacra", o que, diz del Roio, deixava-os angustiados.

Mesmo antes de surgir a Operação Condor em 1974, a ditadura brasileira já agia. "Teria chegado um Hércules em Santiago, desceu um pessoal e foi direto ao Estádio Nacional. Eles torturaram lá, mataram." Um dos mortos, amigo do coautor Mylton Severiano, foi um ex-capitão da PM que havia sido redator na *Folha de S. Paulo*: Vânio José de Mattos. Depois de torturado, foi deixado morrer à míngua, sem socorro algum.

A Operação Condor, sim, passou a eliminar opositores graúdos. Jango e Juscelino, o ex-chanceler chileno Orlando Letelier, cujo carro foi pelos ares em Washington, o também chileno Bernardo Leighton, democrata--cristão opositor de Pinochet, metralhado em Roma. A lista é extensa.

Em 1969, antes da morte de Marighella em 4 de novembro, a ideia da ALN era treinar 200 militantes e espalhar pelo país. Fazer não uma guerrilha tipo chinesa, que se revelaria, aliás, ineficaz, aqui. A guerrilha chinesa criou primeiro um exército de 1 milhão de pessoas numa região libertada. Ninguém entrava lá. Eram outras condições — e, observou Paulo Freire, experiência não se transplanta, se realiza. Em 1949, ao vencer o exército regular e tomar o poder, o exército guerrilheiro de Mao tinha "só" 5 milhões de pessoas. A maioria camponeses.

Del Roio atuava no comando estratégico de ações de inteligência internacional, talvez o único que resta vivo nos dias que correm. "Nós sabíamos que não podíamos pensar num exército como o de Mao, marchar do campo para as cidades, isso era muito difícil."

Havia também a Teoria do Foco, criada pelo intelectual francês Régis Debray: cria-se um foco guerrilheiro, que atrai toda a oposição. "Nossa ideia era criar uma série de choques armados, de norte a sul. Por exemplo: ocupar uma cidade. Queimava-se todos os registros de propriedades rurais. Para acabar com a grilagem. Fazia uns discursos. E sumia! Saía correndo, cada um prum lado. Se recompõe lá adiante. Noutro estado, a mil quilômetros. Forma outro grupo. Ataca um quartel. Faz propaganda. E some! Aí você cansa as forças armadas, que não aguentam cobrir todo o território. Com isso também incentiva-se o movimento camponês a se organizar. Luta longa. Ao mesmo tempo, as forças repressivas nas cidades precisam proteger cada banco, cada quartel, cada empresa do imperialismo. Cansa. Enquanto isso fazer uma política de alianças a mais ampla possível. Tentar achar uma saída para o país. Pôr a ditadura em dificuldade no plano internacional, "não venham investir aqui porque seu negócio estoura. Não deu tempo para fazer".

Morto Marighella, desaba tudo. O segundo da ALN, Joaquim Câmara Ferreira, o Toledo, morre em seguida. Del Roio tem de cair fora, entre outras coisas, para recuperar o "como sair do Brasil e entrar em Cuba e sair de Cuba e entrar no Brasil". Criar rotas, senhas e pontos. Praga, Argel, Paris, Roma etc. Ele vai para o Peru, tenta implantar uma pela Amazônia peruana. No exterior, explica ele, há não só exilados, mas também forças de retaguarda, "o exílio serve para te proteger e para a denúncia". A ditadura sofreu com o cerco montado porque começou a torturar até gente na Igreja Católica e na protestante. E havia também a retaguarda aqui, para fazer entrar e sair pessoas das organizações, manter a luta clandestina dentro do Brasil.

"Isso significa documentos, dinheiro, é complicado. Essas pessoas precisam transitar a salvo da ditadura, e a salvo dos Estados Unidos. Eu tinha gente em Carrara! Quem nos protegia eram operários que cortavam mármore de Carrara. Por onde entrar e sair? Podia chegar pela Argentina, Uruguai ou Paraguai através do Chile — mas Paraguai era ditadura do Stroessner, o Chile, terra da maravilha ainda, mas muito vigiado, você tinha de se fingir de turista, homem de negócios, menininha que foi ver Machu-Pichu", conta del Roio.

Uma família que se salvou graças a essas rotas de fuga correu mil perigos e sobreviveu para não só contar tudo, como tornar-se útil a seu país: a família Capiberibe. Preso em Belém em 1970, João Capiberibe adoeceu no Presídio São José e o internaram no Hospital da Aeronáutica, onde servia o médico e futuro político Almir Gabriel. Com ajuda de Almir, João fugiu vestido de médico, juntou-se à mulher, Janete, e à filha Artionka, ainda bebê. Chegaram a Cochabamba, Bolívia, dominada igualmente por ditadura militar. Conseguiram documentos novos alegando que perderam os originais num naufrágio. Atingiram o Chile ainda usufruindo de uma democracia. Agora com mais dois filhos, os gêmeos Camilo e Luciana, escaparam da ditadura de Pinochet correndo o mundo. O casal voltou com a anistia de 1979, fixou-se no Amapá e ambos tornaram-se políticos. No momento em que escrevemos este livro, Camilo Capiberibe, o gêmeo de Luciana, é governador do Amapá; e João Capiberibe — o Capi — acaba de lançar pela editora paulistana Terceiro Nome *Florestas do meu exílio*, contando as peripécias da saga que inclui o suspense de, com agentes da ditadura nos calcanhares, escapar graças a uma das rotas de saída e chegada montadas por del Roio.

Havia para tanto um sistema de financiamento forte na Europa, com ajuda de partidos comunistas, socialistas, grupos de solidariedade, setores das igrejas. "Mas o sujeito vinha com pouco dinheiro, não tinha casa, como fazer? Assalto a banco. Uma loucura. Você usava um quadro altamente especializado, e o cara ia assaltar banco. 'Caí porque assaltei um banco', era isso. Em certo momento assinamos um documento, *Autocrítica necessária*, julho de 1971. O principal nome era Ricardo Zaratini, os outros são Aloysio Nunes Ferreira, eu, Paulo Canales. Nesse documento, pedimos a paralisação imediata da entrada. Para reorganizar. Ficar entrando para assaltar banco não levava a lugar algum."

Cuba já não aguentava ajudar. Tinha um monte de famílias lá, com filhos pequenos, eles alimentavam. E fornecia treinamento militar. Era pesado, Cuba é pobre. "Nós não estávamos muito contentes com o curso militar. Cuba não tem nenhum animal venenoso. Você pergunta 'e daí?', ora, você faz guerrilha no Brasil e tem um monte de bicho venenoso, cobras... Perguntem para quem sobreviveu à Guerrilha do Araguaia. O maior rio de Cuba é um ribeirão! Qualquer rio nosso para eles é um oceano, não?" E condições bem diferentes: a guerra lá durou dois anos e meio. Mas o exército cubano era pequeno.

"Então tentamos a Coreia do Norte. Foi uma experiência feroz de guerrilhas contra os japoneses. Guerrilha contra japonês não é brincadeira. Japonês é coisa séria, gente! Pedimos ajuda e eles se dispuseram a, inclusive, dar dinheiro. Isso filtrou para a Coreia do Sul. E o sul pensou 'se o norte está ajudando, nós vamos ajudar também.'" Do outro lado, claro. "Devem ter vindo equipes de instrutores, de contrainsurgência, essas bobagens, não sei se de tortura. Nunca nenhum livro publicou isso."

Capítulo 16

# O golpe de 1964 seria em 1954, com o possível assassinato de Getúlio

Não se pode contar a história da tortura no Brasil sem mencionar a República do Galeão, instituição fora da lei que acelera a crise de agosto de 1954 e leva Vargas ao suicídio. O presidente havia tomado medidas nacionalistas e a favor dos desvalidos: Petrobras e o monopólio estatal do petróleo (irritando as petroleiras do Hemisfério Norte), e ainda Volta Redonda, fundadora da nossa indústria de base, e ainda aumento de 100% do salário mínimo.

As nascentes redes de comunicações, como os Diários Associados, de Assis Chateaubriand, e os principais jornais e rádios (a televisão engatinhava) bateram o bumbo contra Getúlio. Criaram o demolidor emblema *Mar de Lama* para induzir o povo a crer que Getúlio mergulhava na corrupção — ele que deixou apenas a fazendola herdada dos pais e um apartamento modesto no Rio. O "demolidor de presidentes" Carlos Lacerda falava contra ele no rádio e na tevê, escrevia em seu jornal, *Tribuna da Imprensa*, diariamente.

No meio do século XX, não era difícil derrubar um presidente, despachando no Palácio do Catete, ou descansando na residência oficial, o Palácio Guanabara, com muros tão expugnáveis que, em 1938, no chamado Putsch Integralista, quando o então ditador Vargas percebeu, os fascistas já atacavam a guarda nos jardins — ele e a família pegaram em armas para se defender. Em 1954, o chefe da guarda do Catete, Gregório Fortunato — o Anjo Negro — contribuiu indiretamente para a derrocada, ao ordenar a apaniguados seus que mantivessem o jornalista Lacerda estreitamente vigiado.

O alegado atentado da rua Toneleros, do qual Lacerda saiu com um suposto ferimento no pé, levou à criação de um precursor dos DOI-CODIS da ditadura militar instaurada dez anos depois: a República do Galeão — referência ao bairro do Galeão, na Ilha do Governador, Rio de Janeiro, onde há instalações da aeronáutica. Os suspeitos e implicados, nas mãos dos militares da Base Aérea e de policiais chefiados por Cecil Borer — o delegado Sérgio Fleury da época —, foram torturados à vontade. Não houve brutalidade que esquecessem.

Havia uma ligação direta com a imprensa, por meio do *Diário Carioca*, e tão íntima, que seu editor-chefe, Pompeu de Souza, com livre acesso ao antro, ficou conhecido como "presidente da República do Galeão". A *Tribuna de Imprensa* já era íntima, pela ligação de Lacerda com os militares golpistas. No episódio da rua Toneleros, Lacerda muito possivelmente simulou um tiro no pé para posar de vítima, carregado por soldados, e assim fotografado para publicação na imprensa. No tiroteio se usou arma calibre 45, privativa das forças armadas (justificativa aliás para que a cúpula da aeronáutica instalasse o IPM, Inquérito Policial Militar). Ora, um balaço de 45 destruiria até o pé do Cyborg, o homem biônico da série de televisão. Por isso nunca houve exame de balística no pé de Lacerda. Mas o pistoleiro que matou o guarda-costas de Lacerda, Alcino João do Nascimento, atirou também em Lacerda?

Em meados de 1977, um dos autores deste livro é acionado e esclarece um dos mais controvertidos pontos do episódio que conduz à morte de Vargas. Trabalhávamos, os dois autores, no semanário *Aqui-São Paulo*, de Samuel Wainer, com redação na rua Arthur Azevedo, quase esquina com a Henrique Schaumann, bairro de Pinheiros. Certa manhã, o colega e amigo Hamilton Almeida Filho, o Haf, chefe de reportagem e editor, recorta uma nota de jornal: libertado o pistoleiro Alcino. Indica para o trabalho um de nós, Palmério Dória, e a fotógrafa Elvira Alegre, então casada com Haf.

Palmério, no Rio, primeiro vai ao presídio Lemos de Brito, na rua Frei Caneca, e procura o colega de cadeia de Alcino chamado Abdon, que indica uma direção vaga como possível residência do pistoleiro, num loteamento em Nova Iguaçu, Baixada Fluminense. Um ônibus que parte da Central do Brasil o leva até Cabuçu, e, após uma peregrinação de horas, dá com uma negra bonita, com uma lata-d'água na cabeça. É a segunda mulher de Alcino, Elisa, ex-lutadora de boxe e ex-PM. A primeira mulher, Abigail, lhe deu uma filha que casaria, por capricho do destino, com um major da aeronáutica.

O ex-pistoleiro chegou em casa à noitinha, magro, elegante. Era mestre de obras. Rosto duro, talhado a cinzel, inflexível: só daria entrevista mediante autorização por escrito do juiz, estava na "condicional" após vinte e um anos de cadeia. Antes da autorização, porém, ali no primeiro encontro, ele fez duas revelações-bomba: nunca houve plano de atentado contra Lacerda; ele jamais atirou no pé de Lacerda. Seu depoimento completo, na casinha de meia-água e à luz de lampião, em mais de dez horas de fitas gravadas, viraria o livro *Mataram o presidente — Memórias do pistoleiro que mudou a história do Brasil*, pela editora Alfa Ômega.

Alcino, vivíssimo aos oitenta e sete anos em 2010, não abriu mão de sua versão, em telefonema trocado com Palmério Dória. Atirou, sim, no peito do major Vaz, mas não no pé de Lacerda. Vaz era um dos três oficiais da aeronáutica postos à disposição de Lacerda como guarda-costas, durante sua campanha eleitoral para a Câmara Federal. Alcino havia recebido de Gregório Fortunato, chefe da guarda pessoal de Getúlio, uma incumbência: seguir os passos de Lacerda, anotar onde entrava, com quem, placas de carros — serviço que ele chamava de "sindicância na vida de Lacerda".

Foi assim que, quando o major Vaz deixou Lacerda em casa na madrugada de 5 de agosto de 1954, Alcino, ao atravessar a rua Toneleros para anotar a chapa de seu carro, recebeu dele voz de prisão. Vaz, lutador de jiu-jítsu, tentou dar-lhe uma chave de braço. Alcino puxou a 45 de dentro do jaquetão e deu-lhe dois tiros no peito. Diz que saiu correndo enquanto um vigia na esquina vinha atirando. Lacerda disse que entrou pela garagem e saiu pela porta da frente, também atirando.

Quais razões teria Alcino para mentir? Lacerda, sim. Mentiroso contumaz. Quando pertencia na juventude ao Partido Comunista, fazia lanhos nas costas para mostrar nos comícios o que "a polícia de Vargas" havia feito com ele. Foi Lacerda quem falsificou a Carta Brandi, atribuída ao deputado argentino Antonio Brandi, e a divulgou em seu jornal, *Tribuna da Imprensa*. Segundo a "denúncia", Jango — vice de Juscelino nas eleições presidenciais de 1955 — estava envolvido num contrabando de armas e numa trama com o líder argentino Juan Domingo Perón para instalar no Brasil uma "república sindicalista". E, durante a República do Galeão, imprimiu Lacerda um exemplar falso da *Tribuna da Imprensa*, com uma "entrevista" de Benjamin Vargas, irmão do presidente, acusando o chefe da guarda pessoal de Getúlio, Gregório Fortunato, de ordenar o atentado contra Lacerda — ardil decisivo para quebrar a resistência do Anjo Negro, já combalido pelas torturas. Melhor confiar na palavra de Alcino.

Leonel Brizola, dezessete anos depois da queda de Jango, declarou ao *Coojornal*, de Porto Alegre, em fevereiro de 1981, sobre o "atentado" contra Carlos Lacerda: "Na minha convicção profunda, o atentado foi forjado".

O historiador Joel Rufino dos Santos, ao tomar conhecimento da versão do pistoleiro Alcino, disse que era "a peça que faltava no quebra-cabeça" daqueles dias de agosto de 1954. Não fazia sentido Getúlio, acuado, vigiadíssimo, enfraquecido, cometer o erro de mandar matar o então jornalista Lacerda.

A versão dos que golpearam Getúlio foi forjada nos paus de arara e outros instrumentos de suplício da República do Galeão. O IPM, concluído a toque de caixa pelo coronel-aviador João Adil de Oliveira, acusou Gregório Fortunato como mandante do "atentado" contra Lacerda. Mais tarde, o coronel Falcão, auxiliar do coronel Adil, declararia ao historiador Hélio Silva que houve pressão política para que encontrassem logo "um mandante" e que Gregório "confessou" sob tortura.

Os militares golpistas exigem a renúncia de Getúlio e, na madrugada de 24 de agosto de 1954, exigem que Benjamin Vargas, irmão do presidente, se apresente na República do Galeão para depor no IPM. São 6 horas. Às 6h30, os golpistas "exigem" a renúncia de Getúlio. Ele sabe que os inimigos, sanhudos, não hesitarão em torturar seu irmão e, na sequência, sangrá-lo fisicamente, a ele, o presidente. Recolhe-se ao quarto, dispensa o camareiro, veste o pijama. Às oito e meia, dá o tiro no coração.

O suicídio provoca uma comoção nacional. No Rio de Janeiro, populares atacam jornais antigetulistas, a embaixada dos Estados Unidos, escritórios de empresas americanas. A oposição se desarvora. Lacerda foge para

Cuba — a Cuba do ditador Fulgencio Batista, cuja polícia matava opositor e mandava à mulher pelo correio, em embrulho de presente, os genitais do marido. O Fulgencio que seria posto para correr quatro anos depois.

E no Rio de Janeiro 1 milhão de pessoas acompanham o cortejo com o corpo de Gegê até o aeroporto, de onde rumará para o enterro em São Borja, sua terra natal.

O golpe militar fica adiado por dez anos.

Capítulo 17

# Peréio conta como impediram o bombardeio do Palácio Piratini

Paulo César de Campos Velho poucos conhecem. Muitos conhecem Paulo César Peréio, assim chamado desde a infância, porque, tendo problema de rinite, vivia respirando pela boca e, como tinha o "andar largado", surgiu entre os amigos o brinquedo verbal *Nêgo véio peréio péio*, abreviado para Peréio, que ele adotou ao virar artista de teatro e cinema. "Tinha muito Paulo César quando eu comecei, e Peréio fazia a diferença."

O que pouquíssima gente sabe é que esse gaúcho de Alegrete é um dos dois autores do "Hino da legalidade", que animou a campanha de resistência contra os golpistas de 1961, civis e militares, que queriam impedir a posse de João Goulart — vice do presidente Jânio Quadros, que renunciou em 24 de agosto daquele ano, com apenas sete meses de mandato. "O vice estava *providencialmente* na China", relembra Peréio, "e aquela história de presidente de uma chapa e vice-presidente de outra parece que era para criar confusão mesmo, o presidente com um programa de governo e o vice com outro."

O dono da voz mais inconfundível do meio artístico brasileiro estava com vinte anos naquele agosto de 1961. Ele e colegas, como os também artistas Paulo José, Lara de Lemos e Mário Flores tocavam o Teatro de Equipe em Porto Alegre. "Nós tínhamos muita ligação com o Brizola. Era um governador capaz de falar por um dia inteiro. Tinha uma simpatia envolvente. Até a grã-finagem acabava gostando do Brizola. Ele tinha obsessão por crianças. Qualquer galpão no interior, ele arrumava e virava uma escola. Tratava bem os professores. E nacionalizava tudo: a telefonia, a eletricidade..."

O Teatro de Equipe ficava na tradicional rua da Alegria, no centro da cidade, que algum vereador lambe-botas rebatizou de rua General Vitorino. Era um velho casarão assobradado, que um arquiteto transformou num espaço logo ocupado pela intelectualidade portoalegrense — radialistas, artistas, políticos, professores, escritores. No térreo, Peréio tocava um bar. Naturalmente nasceu um vínculo com o Palácio Piratini, pois Brizola se cercava de assessores que frequentavam o bar do Teatro de Equipe. Assim, quando eclodiu a crise da renúncia de Jânio, o Equipe emergiu como centro do Movimento da Legalidade. Primeiro com rádios gaúchas, a Rede da Legalidade foi logo ampliada com a adesão de emissoras no resto do país.

As "cabeças" se reuniram todas no Palácio Piratini, mantendo um núcleo pensador no Teatro de Equipe. Para maior segurança, já que a qualquer momento a aeronáutica podia bombardear o Piratini, Brizola instalou seu *bunker* no porão do palácio, funcionando vinte e quatro horas por dia. "A cidade parou. A gente pedia comida, gasolina. Todo o mundo que entrou no Palácio Piratini ganhou um Taurus 38, todo o mundo de revólver."

De repente confirmou-se: a aeronáutica recebeu ordem de bombardear o Piratini. Peréio narra: "Pegamos caminhões, carros, fomos aos bairros. Fomos até no restaurante da Universidade Federal, travamos a boia: 'Não sai comida se não for todo o mundo ao Piratini'. Enchemos a praça de gente. Se bombardear, vão matar o povo".

O comandante do III Exército, general Machado Lopes, em telefonema trocado com Brizola, fechou com o movimento de resistência ao golpe. Desobedeceu à ordem superior de prender Brizola, pondo-se a serviço da legalidade. Milhões de brasileiros colavam os ouvidos nos rádios, em suas casas, nos bares, no trabalho. Peréio, na rua da Alegria, recebeu um recado de Brizola por meio do chefe de imprensa do Piratini, Hamilton Chaves: "O Brizola queria um 'Hino da Legalidade'", recorda Peréio. "Tava eu e a Lara de Lemos, que namorava o Mário de Almeida, a gente dormia lá, fazia faixas, cartazes. Eu, guerreiramente, peguei a cantar. A Lara fez uma letra, e eu, pela cadência poética da poetisa, cantei."

*Avante brasileiros, de pé,*
*Unidos pela liberdade,*
*Marchemos todos juntos com a bandeira*
*Que prega a igualdade*
*Protesta contra o tirano*
*Recusa a traição*
*Que um povo só é bem grande*
*Se for livre sua nação.*

Peréio chamou colegas, ensinou o hino, seguiram todos para um estúdio. Gravaram em acetato e, durante toda a vitoriosa campanha radiofônica que impediu o golpe de 1961 contra João Goulart, as transmissões da Rede da Legalidade ganharam mais fervor com o hino dos dois artistas. Peréio "segurou" o Teatro de Equipe, agora com uma boate, por alguns anos. E cansou: "Falei 'vou para São Paulo, o Paulo José tá lá, no Teatro de Arena'".

E Peréio acabou fazendo cinema: Ruy Guerra o pôs no filme *Os fuzis*. E Jorge Bodanzky o incluiu em *Iracema, uma transa amazônica*, dirigido pelo próprio Bodanzky mais Orlando Senna, com produção de Wolf Gauer, uma obra-prima do cinema brasileiro. Produzido em 1974, *Iracema* mistura cenas de ficção e de documentário para mostrar o país que a ditadura escondia, com seu discurso ufanista de um Brasil em pleno "milagre econômico" apregoado pelo governo Médici. Ao contrário do discurso oficial, a rodovia Transamazônica representava não a expansão de um país em crescimento, mas desmatamento, trabalho escravo, prostituição infantojuvenil, fuga para as periferias pobres das grandes cidades.

A história da garota Iracema (Edna de Cássia) e do motorista Tião Brasil Grande (Peréio) ficaria proibida pelo resto do governo Médici, por todo o governo Geisel e mais um ano de Figueiredo. Nesses seis anos censurado, o filme recebeu vários prêmios em festivais internacionais. Liberado em 1980, foi o grande vencedor do Festival de Brasília. E enfim o povo brasileiro pôde ver a verdadeira história do "Brasil Grande", conduzida por nosso amigo Peréio, numa atuação que a crítica Cristina Bruzzo chamou de "vigorosa" — e ela não hesita em afirmar que foi Peréio quem garantiu "a possibilidade de realização do filme".

Capítulo 18

# Uma proposta que tão cedo não sairá do papel: extinguir a PM

A memória dos jornalistas registra. Quando provocada, traz à tona casos sem fim. Doem. Um conto do remoto passado, meados da década de 1970, Zona Leste da capital paulista, noite alta. O menino tem catorze anos e vai para casa. A Rota — Rondas Ostensivas Tobias de Aguiar — procura uns ladrões de automóvel. O menino nada tem a ver com o furto, mas se apavora — é a Rota, "a polícia que mata", como denunciou já na época o repórter Caco Barcellos no livro *Rota 66*. O menino corre, se enfia embaixo de um carro estacionado na rua. Ali é morto a tiros. Pela Rota. Milhares de casos assim país afora, anônimos, não esclarecidos, arquivados, olvidados, apagados, mas não da memória dos jornalistas.

Em Piracicaba, 2008, um rapaz de dezoito anos pilota sua moto pelo bairro onde mora quando dois PMs fazem sinal para parar. Sem a habilitação, já pronta mas retida por causa de uma greve de policiais civis, o garoto fica com medo e segue em frente. Os dois PMs sacam seus revólveres e o matam com três tiros pelas costas. Era filho único.

E os massacres. Corumbiara, Rondônia, 1995. Soldados da PM com os rostos cobertos e jagunços atacam de madrugada camponeses sem-terra que ocupam uma área improdutiva. Entre as vítimas, uma menina de nove anos. Os camponeses falam em mais de cem mortos. Laudos provariam execuções sumárias.

Eldorado dos Carajás, 1996. A PM do Pará ataca 1.500 sem-terras acampados em protesto contra a demora da desapropriação de terras. Justificativa da PM: desobstruir a rodovia que liga o sul a Belém. Matam dezenove (número oficial, contestado pelos sobreviventes). Segundo o legista Nelson Massini, os PMs executaram dez à queima-roupa e sete a golpes de foice e facão.

Massacre do Carandiru, massacre da Castelinho. Massacre da Candelária. Massacre da Favela da Maré, Massacre de Vigário Geral.

Chacinas semanais. Os desaparecidos da democracia. Onde está Amarildo?

Nas manifestações de rua de junho de 2013 que sacudiram as principais cidades do país, não passou despercebido aqui e ali o pedido pelo fim da Polícia Militar. "A PM foi criada para combater o inimigo interno, não para defender o cidadão e proteger a sociedade", diz um de nossos entrevistados, Anivaldo Padilha. "Essa ideologia permanece muito forte dentro da Polícia Militar, e nenhum governo conseguiu ainda mexer nesse vespeiro."

Este é um dos maiores nós a desatar para que tenhamos plena democracia: Polícia Militar, que ainda mantém a ideologia da segurança nacional, do inimigo interno — que em resumo vem a ser o próprio povo. Anivaldo Padilha acrescenta uma complicação a este nó: a PM ainda tem certa subordinação às forças armadas, ao exército: "A P2, serviço de espionagem da PM, está ligada à P2 do exército. O problema é que a ditadura está presente também, no dia a dia, nos corações e mentes de muita gente. Nós não temos uma hegemonia democrática na sociedade. A hegemonia é autoritária. E elitista".

A sugestão de Anivaldo Padilha, "fazer uma emenda constitucional para desmilitarizar" o policiamento ostensivo, está felizmente em outras mentes e corações. Nós enviamos seis perguntas, por *e-mail*, ao antropólogo, escritor e cientista político Luiz Eduardo Soares, um dos maiores especialistas brasileiros em segurança pública — foi secretário nacional desta área no primeiro governo Lula. Ele respondeu às questões e ainda nos enviou um resumo de Proposta de Emenda Constitucional, a PEC-51, para a qual colaborou, propondo a extinção da PM. Eis primeiro suas respostas, uma delas, à última pergunta, perturbadora:

**Polícia Militar com foro da própria corporação para julgar crimes praticados por seus integrantes existe em que países democráticos além do Brasil?**

Não há polícias militares, no sentido em que existe no Brasil, em outros países democráticos.

**Nossa PM não é um dos resquícios da ditadura?**

Na verdade, nossas PMs são uma das expressões e um dos instrumentos de realização do autoritarismo brasileiro, reprodutor de desigualdades e racismo, desde que foram criadas (a primeira, no Rio, há mais de 150 anos). A ditadura abençoou esta herança e a qualificou, para seus propósitos repressivos. A democracia, consagrada pela Constituição cidadã, que faz vinte e cinco anos este mês [outubro de 2013], acolheu este legado e o mantém em pleno funcionamento, como sabemos, contra os interesses da grande maioria da população e da grande maioria dos próprios policiais, que acabam também pagando elevado preço pelas práticas e características organizacionais da instituição.

**Dê-nos uma avaliação da possibilidade de sua extinção.**

Depende da aprovação da PEC-51, que o senador Lindbergh Farias (PT-RJ) acaba de apresentar.

**Acredita que a tortura ainda praticada pela Polícia Civil e mais ainda pela PM se deva à impunidade dos torturadores do regime militar?**

Acredito, firmemente. Mais que isso, estou absolutamente convencido da relação entre varrer o lixo para debaixo do tapete e fingir que nada aconteceu, durante a ditadura, fingir que não houve assassinatos e tortura perpetrados sistematicamente como política de estado, por um lado, e a permanência rotineira da tortura e das execuções extrajudiciais, cometidas não apenas pela PM, também pela Polícia Civil. Mesmo que os torturadores e assassinos da ditadura tivessem sido perdoados e anistiados, teria sido e ainda é imprescindível marcar, simbólica, política, institucional e historicamente, por meio de relatos detalhados, oficialmente reconhecidos, a passagem da barbárie da ditadura para os compromissos do estado de direito democrático com os direitos humanos e os demais direitos, afirmados na Constituição de 1988.

**A queima e desaparecimento de documentos promovidos por departamentos das forças armadas relativos à repressão, à tortura, às mortes, aos desaparecimentos, não indica que o aparelho repressivo ainda não está totalmente desmontado? Foros internacionais, como aquele da OEA, podem contribuir para impedir tais atos?**

O aparelho não foi totalmente desmontado, desafortunadamente. Quanto aos Foros internacionais, sou cético quanto a seu poder, mas creio ser nosso dever mobilizá-los, interpelá-los, recorrer a todos os meios democráticos, nesse sentido indicado pela pergunta.

**Recentemente as Organizações Globo, por meio de um de seus veículos, O Globo, reconheceram que erraram em dar apoio editorial ao golpe e à ditadura. Acredita o senhor que a reconciliação do povo brasileiro com suas forças armadas seria possível se elas, por meio de seus comandantes, em gesto semelhante, reconhecessem também que aquilo foi um erro e pedissem perdão ao povo brasileiro?**

Acredito plenamente. Se as instituições fizessem isso, ganhariam a estima e a confiança da sociedade. Até porque suas atuais lideranças não tinham idade para atuar na ditadura. Eles, pessoalmente, não tiveram envolvimento com a barbárie. A recusa a assumir a verdade revela um corporativismo misturado a compromissos ideológicos que nos deixam ou deveriam nos deixar estarrecidos e temerosos.

Sobre a PEC-51 apresentada pelo senador Lindbergh Farias (PT-RJ), informa o cientista político que as ideias-chave são:

1) Definição de polícia como instituição cuja finalidade é promover a garantia dos direitos dos cidadãos (não a segurança do estado, não fazer a guerra contra os suspeitos da prática de crimes, não criminalizar e reprimir movimentos sociais) com mandato para recorrer ao uso comedido e proporcional da força, e investigar.

2) As PMs deixam de existir como tais, porque perdem o caráter militar, dado pelo vínculo orgânico com o exército (enquanto força reserva) e pelo espelhamento organizacional.

3) Carreira única no interior de cada instituição policial.

4) Toda polícia deve realizar o ciclo completo do trabalho policial (preventivo, ostensivo, investigativo).

5) A decisão sobre o formato das polícias operando nos estados (e nos municípios) caberá aos estados.

6) A escolha está restrita ao repertório estabelecido na Constituição, o qual se define com base em dois critérios e suas combinações: territorial e criminal (isto é, as polícias se organizarão segundo tipos criminais e/ou circunscrições espaciais).

7) A depender das decisões estaduais, os municípios poderão assumir novas e amplas responsabilidades na segurança pública.

8) As responsabilidades da União serão expandidas, em várias áreas, sobretudo na educação, assumindo a atribuição de supervisionar e regulamentar a formação policial, respeitando diferenças institucionais, regionais e de especialidades, mas garantindo uma base comum e afinada com as finalidades afirmadas na Constituição.

9) Há avanços também no controle externo e na participação da sociedade.

10) Os direitos trabalhistas dos profissionais da segurança serão plenamente respeitados, e a intenção é que todos os policiais sejam mais valorizados pelos governos, por suas instituições e pela sociedade.

11) A transição será prudente, metódica, gradual e rigorosamente planejada, assim como transparente, envolvendo a participação da

sociedade. Não preciso dizer que esse projeto é coletivo e cada um de nós deu seu aporte.

Enquanto existir a Polícia Militar vai vigorar a política do "inimigo interno": o povo. Que, dizem pesquisas, teme a PM como aos bandidos. E quem vive com medo, de bandidos de um lado e de PMs do outro, pode dizer que goza de liberdade?

Um fato anedótico passa de geração a geração: quando os positivistas, militares e civis, proclamaram a República, foram criar a nova bandeira. Alguém sugere que ao lema positivista "ordem e progresso" se acrescente algo da Revolução Francesa, ficando assim: *Ordem, progresso e liberdade*. Os militares recusam, "não vamos exagerar, liberdade não". Os golpistas de 1964 atualizaram o lema para *Segurança e Desenvolvimento*, onde "segurança" sabemos muito bem o que significa.

Pelo que conhecemos de nossas instituições, especialmente o Congresso Nacional, a PEC-51, que propõe o fim da PM, vai ficar no papel por muitos e muitos massacres — quem tem uma PM não precisa de uma ditadura.

Capítulo 19
# Os macacos subversivos e a breve história do assassinato de um jornal

O jornalista gaúcho João Aveline entra para o rol de nossos admiráveis colegas em 1988. Aos sessenta e nove anos, membro da alta cúpula do PCB — Partido Comunista Brasileiro —, Aveline é escalado para acompanhar à União Soviética uma equipe de jornalistas, chefiados por Mylton Severiano. Eles vão produzir, por encomenda do PCB, um documentário sobre a *perestroika* — em russo *reconstrução* —, a série de políticas que o chefe de estado Mikhail Gorbachev vinha introduzindo na ex-União das Repúblicas Socialistas Soviéticas, URSS, a fim de reformar o sistema socialista. João Aveline funcionaria como elo entre o PCB e o PCUS — Partido Comunista da União Soviética.

Pouco sabia então o grupo de jornalistas sobre Aveline, morto em 2005, em Porto Alegre, aos oitenta e seis anos, celebrado pelos colegas como "referência ética" e, no dizer do cronista da *Zero Hora* Paulo Sant'Ana, "farol para os jovens e espelho para os maduros". O que não sabíamos era que nosso abre-alas no mundo socialista tinha sido um dos principais responsáveis pela fundação da *Última Hora* gaúcha, história que deixou registrada em livro. Ele publicou, em 1999, a coletânea de textos *Macaco preso para interrogatório — Retrato de uma época*, que começa com a história de dois jovens operários dispostos a denunciar a "revolução" de 1964 como uma mentira: os golpistas propagavam que vieram para salvar a democracia e melhorar a vida do povo, mas era o contrário, e quem reclamasse da carestia estava sujeito à violência policial. Os jovens, de um bairro distante, compraram numa feira dois macacos — "parentes próximos dos gorilas" — e soltaram certa manhã nos pontos de maior aglomeração do centro de Porto Alegre, a praça XV e a praça da Alfândega. Cada um com uma plaqueta amarrada à cintura, onde se lia: *Eu não disse que ia baixar o custo de vida?*

O primeiro macaco, na praça XV, "foi logo em cana, um brigadiano o pegou pelo pescoço, levando-o aos safanões para o camburão". Na Alfândega, o macaco, tão logo saiu da gaiola com a mensagem subversiva, escalou um jacarandá de vinte metros de altura. O macaco pulava pelos galhos, parava e segurava a plaqueta como se a exibisse para a multidão, que se divertia e não parava de crescer, chegando a cerca de 8 mil pessoas. Veio a polícia. Vieram os bombeiros com a escada Magirus e uma mangueira a jorrar jatos de água violentos, e o valente macaco a saltar, agora de árvore em árvore. O chefe da operação policial-militar instalou seu QG no centro da praça. A multidão delirava, torcia pelo bichinho, irritando mais ainda os policiais. No fim da manhã, cansado, o macaco acabou preso e levado ao Dops, onde ficou "incomunicável". A notícia saiu até na primeira página de um jornal em Paris, *L'Humanité*, ligado ao PC francês.

O prefeito de Porto Alegre, Célio Marques, declarou que "aquele macaco não era do município". E os órgãos de segurança baixaram portaria determinando que casas comerciais passassem a exigir carteira de identidade de quem quisesse comprar macacos.

A história da *Última Hora* gaúcha, narra Aveline, começa em 1959.

> Leonel Brizola comanda o governo, "o melhor que o Rio Grande do Sul já teve", eis que encampou e recuperou serviços telefônicos e de energia elétrica, fez uma reforma agrária estadual e, "para arrematar", em 1961 — com a Campanha da Legalidade — garantiu a posse de Jango, vice de Jânio Quadros, que renunciou com apenas sete meses na presidência da República.
> 
> Dois colegas de Aveline — Neu Reinert e Floriano Correa — o convidam para ajudar a enviar boas matérias para a segunda página da

*Última Hora* paulista — da qual Neu era correspondente. O objetivo era convencer o dono, Samuel Wainer, de que Porto Alegre merecia imprimir sua própria *UH*, a *Última Hora* gaúcha.

O feito de Wainer jamais se repetiu. Lançada em 12 de junho de 1951, a *UH* se tornaria praticamente nacional, definida por Wainer como "jornal de oposição à classe dirigente e a favor de um governo" (de Getúlio Vargas, naturalmente). Com sede no Rio, onde rodava a "edição nacional", tinha uma edição rodada em São Paulo, com sucursal em Londrina — Norte do Paraná —, além da edição nacional complementada localmente em Belo Horizonte, Recife, Niterói, Curitiba, Campinas, Santos, Bauru e ABC Paulista — faltava Porto Alegre.

No começo de dezembro de 1959, já sem Getúlio — "suicidado" em 24 de agosto de 1954 — e tendo Juscelino na presidência da República com Jango de vice, Aveline passa pelo prédio dos Correios, lotado. A um conhecido dele que lá trabalha, pergunta: "Esses cartões de fim de ano não atrapalham a correspondência normal?". "Atrapalhariam", responde o sujeito, informando que venderiam tudo como papel velho.

Seria a primeira de várias reportagens de impacto nacional, incluindo uma sobre "gordo contrabando no porto local", que convenceriam Wainer a imprimir a *UH* de Porto Alegre — o primeiro número sai em 15 de fevereiro de 1960.

A *UH* fez bem ao jornalismo gaúcho, "pela ampliação do mercado de trabalho, mas também pelo tipo do novo jornal, uma nova proposta, mais aberta, moderna". Depois de meses de sucesso nas bancas surgem "as primeiras dificuldades", narra Aveline. Os maiores anunciantes — os grandes empresários — "começaram a fazer restrições à linha editorial do jornal".

Estamos então em 1960, e, como vimos, os outros grandes jornais, em peso, embarcavam na campanha antijanguista, na qual estava o grosso do empresariado — a tal "classe dirigente" contra a qual Wainer dizia fazer "oposição". Ainda por cima o UH sustentava uma posição nacionalista, popular — no Rio Grande, para incomodar mais à classe dominante, ostentava o dístico "Um tabloide vibrante, uma arma do povo". Os empresários gaúchos proibiram as agências de publicidade de programar anúncios de seus produtos na *UH*, que entrou em crise: salários atrasavam, credores atacavam por todo lado. Mesmo assim, "se aguentou até que aconteceu o golpe militar", conta Aveline. "Invadida e saqueada", seus principais jornalistas procurados pela polícia, Samuel Wainer asilado na Embaixada Francesa, a *UH* de Porto Alegre morreu; a nacional resistiu um tempo, acabou vendida por Wainer ao Grupo Folhas. De concorrente da *Folha de S. Paulo*, ele se torna funcionário, assinando editorial na página dois sob as iniciais S.W. até 1º de setembro de 1980.

Na madrugada seguinte, o fumante de mais de dois maços por dia, com enfisema pulmonar, sentiu-se sufocando. Morreu na manhã do dia 2, três meses e meio antes de chegar aos setenta anos de vida. Sintomaticamente, nunca mais houve um jornal como o dele, "de oposição à classe dirigente e a favor de um governo", mesmo passados trinta anos do fim oficial da ditadura.

Capítulo 20

# A turma se divertia dando, volta e meia, o drible da vaca na censura

Nosso jornal *ex-*, assim como a *Última Hora*, também foi assassinado logo após a morte do colega Vladimir Herzog, o Vlado, em 25 de outubro de 1975. Dentre nossos feitos, no número treze, no meio daquele ano havíamos publicado entrevista com Fernando Morais e trecho inédito de seu futuro livro *A ilha*, após viagem a Cuba — então visitada apenas clandestinamente.

E em novembro, será o *ex-* o único a publicar a reportagem completa, com onze páginas, sobre o calvário de Vlado no DOI-CODI paulista — texto incluído trinta anos mais tarde no livro *Dez reportagens que abalaram a ditadura* (Record, 2005). Então a ditadura decretou censura prévia para o *ex-* e apreendeu, ainda na Distribuidora Abril, um número especial (*O melhor do ex-*) no qual havíamos investido quase todo o capital de que dispúnhamos.

Tentamos ainda dar o drible da vaca na Polícia Federal, lançando o tabloide *Mais Um*, com logotipo desenhado por Jayme Leão imitando a marca *Coca-Cola*; um selinho bem visível na capa dizia:

**ex-**
**Garantia de qualidade**

Drible da vaca, no futebol, é o nome dado a clássica jogada. O atleta dispara com a bola nos pés e, enfrentado por um adversário, engana-o dando um toque na bola para, suponhamos, o lado esquerdo dele e, no mesmo impulso, ultrapassa-o pela direita, indo alcançar a bola lá na frente, enquanto o adversário se estatela no chão. A Polícia Federal não gostou e convocou os dois principais responsáveis. Devíamos nos apresentar a certo coronel Barreto na sede da rua Xavier de Toledo, centro de São Paulo. O militar brandia o *Mais Um* de sua mesa no alto de um estrado, parecia que queria rasgar o jornal a dentadas. Disse a Hamilton Almeida Filho e Mylton Severiano: "Ou vocês param com isso, ou não respondo mais pela integridade física de vocês".

Ameaça velada. E nossa turma, que jamais se submetia à censura prévia, saiu em busca de novos caminhos. Era um tempo em que nasciam por toda parte, como cogumelos, jornais da chamada imprensa alternativa — que o escritor João Antônio batizaria de imprensa nanica. Calcula-se que nasceu perto de centena e meia deles. Havia jornais feitos por e para mulheres, *Mulherio*, *Brasil Mulher*, *Nós Mulheres*; do mundo *gay*, *Lampião*; de contracultura, *Flor do Mal*. Havia os mais taludos, como *Opinião*, no Rio de Janeiro, bancado pelo editor Fernando Gasparian, da Paz e Terra, e dirigido por Raimundo Pereira — o Raimundo, que, rompendo com Gasparian, lançaria depois, em São Paulo, o *Movimento*, duramente castigado pela censura prévia.

A censura é uma violência sem uso direto de força física. Mas pode até matar. Em 1972, grassa uma epidemia de meningite que nós, jornalistas, não podíamos noticiar — a ditadura não queria empanar o brilho das comemorações do sesquicentenário da Independência, muito menos admitir que o "milagre brasileiro" era uma mentira. Que morressem as crianças — na capital paulista, morria criança todos os dias no auge da epidemia.

Os autores deste livro trabalhavam como redatores e editores no programa *Hora da Notícia*, na TV Cultura de São Paulo. Havia um ramal de telefone exclusivamente para receber os chamados diários da funcionária da Censura: tal fato não pode ser noticiado. As proibições iam sendo escritas em laudas, coladas umas nas outras, formando às vezes uma "tripa" de mais de dois metros, pendurada no quadro de avisos da redação. Os censores eram em geral ressentidos, boçais. Adoniran Barbosa na mesma época resolveu lançar um LP (*Long Play*). com seus maiores sucessos. Queriam que ele corrigisse os "erros": em vez de *Samba do Arnesto*, *Ernesto*; em vez de *nóis num semo tatu, nós não somos tatus*; *Tauba de tiro ao álvaro, não! Tábua de tiro ao alvo*. Adoniran desistiu.

Até 1968 ainda havia sido possível existir uma revista inserida no "sistema", como a mensal *Realidade*, que um de nós, o "maluco" do Paulo Patarra, criou e convenceu a Editora Abril a publicar. O dono, Victor Civita, disse a Paulo: "Revista de reportagem? Nunca ninguém fez isso no mundo!". E Paulo respondeu: "Justamente porque nunca ninguém fez é que vai dar certo!".

Mais de metade da receita se compunha de reportagens. Reportagem incomoda, ainda mais quando feita "para valer", por jornalistas. *Realidade* tocava em assuntos que meio século depois parecerão banais, mas na época eram tabus, "sou padre e quero casar", "sou mãe solteira e me orgulho disso"; uma atriz sueca, Ingrid Thulin, questionava como a mulher podia casar virgem, ir viver com um homem sem saber se ia se dar bem com ele na cama; dois repórteres, um branco e um negro, saíram pelas principais capitais: numa, o negro chega à escola e a diretora diz que não há vaga para seu filho; o branco entra a seguir, e há vagas sobrando; noutra, o branco finge passar mal e logo é acudido, enquanto o negro fica lá horas; numa terceira, quando o branco se passa por namorado de uma negra, nosso fotógrafo flagra olhares de censura; e assim mostramos: "Existe preconceito de cor no Brasil". As tiragens, iniciadas em abril de 1966 com 200 mil exemplares mensais, subiram velozmente, quase batendo nos 600 mil exemplares, e se esgotavam nas bancas.

A ascensão sofreu súbito golpe dois anos e meio depois, em outubro de 1968. Eram vésperas do AI-5. Tornou-se insuportável a pressão, vinda não só dos militares, também da Igreja e de empresários conservadores, sustentáculos da "revolução". Paulo Patarra foi chamado a um jantar — o "jantar de horrores", como ele chamou. No apartamento de Victor Civita, no chique bairro paulistano de Higienópolis, só homens: o dono com seus dois filhos; o diretor editorial Luís Carta; o diretor da Divisão Revistas, Domingo Alzugaray (futuro dono da Editora Três e da semanal *IstoÉ*); eles exigiram de Paulo que "castrasse" a revista. O resultado foi que removeram Paulo da direção da revista, e metade da equipe se demitiu, em outubro de 1968.

Samuel Wainer, mais que depressa, chamou alguns do grupo para o que chamamos de Projeto Apolo-9: Sérgio de Souza, editor; Granville Ponce, repórter e produtor; Eduardo Barreto, chefe de arte; Luiz Fernando

Mercadante, repórter; e Mylton Severiano, editor de texto. Wainer alugou uma suíte do Hotel Apolo-9, na rua dos Timbiras, a cem passos da praça da República, e ali a turma se pôs a criar o semanário *Ideia Nova* — a primeira reportagem, uma bomba, a cargo de Granville, seria um perfil de Carlos Marighella, já então "inimigo número um da ditadura". Não passaram mais que duas ou três semanas, na manhã de 13 de dezembro de 1968 toca o telefone. É Samuel, falando do Rio. Ficou sabendo por um informante de dentro das forças armadas que à noite os militares anunciariam pela televisão, em rede nacional, o Ato Institucional 5, AI-5, que mergulharia o país no verdadeiro negror dos tempos. O ditador podia fechar casas do Legislativo, intervir em estados e municípios, cassar direitos políticos e mandatos eletivos de quem bem entendesse; manifestações populares estavam proibidas; o *habeas corpus*, suspenso; passariam a sofrer censura prévia publicações, peças de teatro e músicas. Samuel recomendou e imediatamente cumprimos: compramos sacos plásticos de sessenta litros, ensacamos tudo e caímos fora.

Sabe-se que o mineiro Pedro Aleixo, vice do general Costa e Silva, questionado por opor-se ao AI-5, respondeu que, com os poderes despóticos dele advindos, temia não o general presidente, mas "o guarda da esquina". Meio século depois, se poderá interpretar "guarda da esquina" como qualquer policial civil ou militar, juiz ou quem quer que disponha de alguma autoridade, de sorte que por vezes se terá a impressão de viver em "estado de golpe permanente".

Em 1969, enquanto o editor Sérgio de Souza, o repórter Narciso Kalili e o chefe de arte Eduardo Barreto fundavam a editora Arte & Comunicação e lançavam outra revista "cult", *O Bondinho*, o coautor deste livro Palmério Dória, aos vinte anos, dava seu primeiro "furo" nacional. Ele descia de helicóptero numa clareira aberta na Floresta Amazônica, junto com sertanistas, o gerente geral da United States Steel no Pará, Arthur Ruff, e suas filhas Andrea e Jacqueline — esta, antropóloga por Harvard. Era o primeiro encontro com os paracanãs, primeira tribo na rota da Transamazônica, rodovia que o governo Médici rasgava na selva, em ritmo de "pra frente Brasil" (ver *O príncipe da privataria*, capítulo 29). O feito gerou reportagens no *Jornal Nacional* da TV Globo, *A Província do Pará*, *Jornal da Tarde* e *O Globo*, além de fotos distribuídas no mundo inteiro pela agência AP — Associated Press. Eram jornalistas buscando caminhos próprios quando as redações das grandes empresas iam se fechando mais e mais à presença de profissionais daquela estirpe. Naturalmente, os caminhos deles acabariam convergindo para algum ponto. Isto vai se dar em 1973 no ex-, que, já vimos, morreu ameaçado de morte.

Mas perder *Realidade* seguia sendo um trauma, que dez anos depois nós achamos que iríamos curar. Paulo Patarra entendeu-se em 1978 com Domingo Alzugaray, já dono da Editora Três, e, para fazer uma "nova *Realidade*", denominada *Repórter Três*, chamou toda a turma e mais os que queriam entrar para a turma, uma seleção brasileira de jornalistas: Paulinho, Haf, Narciso Kalili, Mylton Severiano, Palmério Dória, Vincent Carelli, José Hamilton Ribeiro, Guilherme Cunha Pinto (Jovem Gui), Zuba Coutinho, Caco Barcellos, Inês Godinho, Luiz Carlos Cabral, Fernando Morais, José Trajano, Mônica Teixeira, Joel Rufino dos Santos, Uirapuru Mendes, Jayme Leão, Polé, Jota (cartunista), Sérgio Fujiwara, Elifas Andreato, José Antônio Severo, Carlos Jurandir, Lana Nowikow, Lourenço Diaféria, Elmar Bones; e os fotógrafos Avani Stein, Zeka Araújo, Amâncio Chiodi e Amilton Vieira.

O primeiro, e único, número da *Repórter Três* que a equipe pôs na rua, em maio de 1978, trazia na capa Nego Sete, bandido assassinado pelo Esquadrão da Morte, chefiado pelo delegado Sérgio Fleury, cujo maior feito era ter executado Carlos Marighella. A reportagem, criada por Narciso Kalili, relatava o julgamento de Fleury por um júri de estudantes da Faculdade de Direito do Largo São Francisco, em São Paulo, a primeira a funcionar no Brasil, em 1828. Estudantes também atuaram como advogados de defesa, promotores, juiz. E Fleury foi condenado. Caco Barcellos entrou vestido de peão de obra na usina atômica de Angra, com uma câmera Xereta no bolso da camisa, e mostrava como era vulnerável a obra que envolvia a segurança nacional.

Para não restar dúvida de que a turma estava disposta a fazer jornalismo maiúsculo, Fernando Morais foi à Nicarágua, onde os guerrilheiros da Frente Sandinista de Libertação Nacional estavam prestes a derrotar outro sanguinário ditador, Anastasio Somoza Debayle. Fernando voltou com reportagem que incluía encontro com um chefe sandinista, a cujo esconderijo chegou encapuzado.

As três matérias já bastavam para garantir que cabeças rolariam. E rolaram. Bastou um aceno do general Golbery, eminência parda agora do governo Geisel, e Alzugaray jogou pela janela talvez a mais rica equipe já reunida no país.

O número dois, para junho de 1978 — quando se daria a Copa do Mundo na Argentina —, já pronto e com cadernos e capa rodados na gráfica, jamais sairia. A foto de capa mostrava, atrás de uma cerca de arame farpado, um militar com o capacete estilo nazista, armado de fuzil, de guarda à porta de um galpão. Sinistro. A chamada dizia:

**O melhor futebol do mundo no país dos campos de concentração.**

Alzugaray demitiu a equipe, juntou um grupo às carreiras e lançou um número dois inofensivo. E matou a revista. Para o número três, julho, havíamos programado capa com a Guerrilha do Araguaia. Mais tabu que o terceiro segredo de Nossa Senhora de Fátima. Havia meses que o coautor deste livro Palmério Dória vinha trabalhando com José Genoino, sobrevivente da guerrilha, recentemente solto após cinco anos de cadeia. Genoino até circulava pela redação da *Repórter Três*, na avenida Paulista, de frente para a padre João Manuel. Já havia um monte de fitas gravadas e outro monte de laudas escritas. Também estava programado publicar reportagem sobre os mais de 4 mil cassados pela ditadura, material sobre o qual Elmar Bones havia publicado uma versão no *Coojornal*.

O depoimento do ex-guerrilheiro Genoino se transformaria dois meses depois no livro-reportagem *A guerrilha do Araguaia* (Alfa Ômega). Vendeu 25 mil exemplares, em bancas, em apenas uma semana. Pela primeira vez se lia, em papel imprensa, sobre a guerrilha, tema que até hoje assombra os brasileiros e que as forças armadas fingem que não existiu, recusando-se a dar conta dos quarenta guerrilheiros desaparecidos.

Genoino nos daria, anos mais tarde, uma pista: 70% dos 800 presos em Ibiúna em 1968 foram presos, torturados, exilados ou mortos. Tinham sido todos fichados. O álbum de Ibiúna permitiu aos militares identificar Genoino cinco dias depois de sua prisão no Araguaia. Os golpistas golpearam os pontas de lança, os mais aguerridos, os que assumiriam a vanguarda da luta armada contra a ditadura. Era a geração que tinha posto "a cabeça de fora" na década de 1960, e eles com um bisturi cortaram as cabeças. Gente como um Travassos, um Ribas, um Jorge Medeiros, os que foram para a clandestinidade, como Franklin Martins. Setenta por cento dos guerrilheiros do Araguaia tinham estado em Ibiúna. Houve um corte, daí a mediocridade vigente entre os políticos na faixa dos cinquenta a setenta anos de idade.

Mas o gostinho bom que a turma provou foi dar o maior drible da vaca na censura, graças a uma ideia luminosa do Haf. Deu-se em 1977: a Símbolo, de Moysés Baumstein, pequena editora do Bom Retiro, bairro central de São Paulo, topou levar adiante uma ideia brilhante, embora arriscada, que nasceu na cabeça do nosso amigo. A ditadura havia deixado os livros isentos de censura prévia.

"Vamos então fazer livro: livro-reportagem", Haf nos expôs: "fazemos uma baita reportagem em forma de livro, com lombada quadrada, acabamento de livro."

Saiu o primeiro, *Ópio do povo*, sobre os bastidores da Rede Globo, assunto inédito até ali. Um sucesso, mais de 30 mil exemplares vendidos. Sai o segundo, *Matar ou morrer*, biografia de um menino de rua, internado na antiga Febem por praticar pequenos furtos. Outro sucesso. E mais outro, estrondoso: *Malditos escritores*, contos de autores "malditos" como Tania Faillace, Antônio Torres, Wander Piroli, Aguinaldo Silva, Chico Buarque, Marcos Rey, Marcio Souza e João Antônio, que coordenou. O quarto número, *Igreja x Estado*, decretaria mais uma condenação à morte de publicação tentada por nossa turma. Trazia documentos da CNBB — Conferência Nacional dos Bispos do Brasil, que fazia tempo se havia desencantado da ditadura que ajudou a instaurar-se, e agora os bispos, em homilias e outros pronunciamentos, denunciavam os crimes do regime militar, nas cidades e no campo.

A Polícia Federal, enfim, descobriu os "meliantes". Ao chegar para o trabalho na rua General Flores, subimos a escada para o primeiro andar — no térreo ficava a gráfica. Moysés nos esperava com o fax na mão: estávamos a partir dali sob censura prévia. O quinto número, anunciado na contracapa do quarto, não sairia: *Os cassados*.

Quase dez anos depois, Hélio Fernandes, irmão de Millôr, sucessor de Carlos Lacerda na condução da *Tribuna da Imprensa*, convida o gaúcho Tarso de Castro para montar um time e dar alento ao combalido jornal. Hélio tinha apoiado o movimento militar de 1964 e, três anos depois, já na oposição, seria confinado em Fernando de Noronha — para onde havia sido levado preso logo após o golpe o governador de Pernambuco, Miguel Arraes. Tarso, ex-colunista da *Última Hora*, havia criado o *Pasquim*, lançado logo depois do AI-5. Um desafio e tanto: enquanto a ditadura rasga a fantasia e mostra toda a sua intolerância e sua violência, Tarso doma feras como Millôr Fernandes, Fortuna, Ziraldo, Paulo Francis, Ivan Lessa, Sérgio Cabral (pai), Sérgio Augusto, Fausto Wolff, Luiz Carlos Maciel, e compõe com ajuda do fotógrafo Paulo Garcez uma fórmula de jornalismo carregado de humor e inteligência — uma gargalhada semanal na cara da ditadura.

Agora convidado pelo irmão de Millôr para gerir a *Tribuna da Imprensa*, Tarso chama Palmério Dória, Teixeira Heiser e José Trajano. Estamos em plena "nova República", sob o governo da velha: José Sarney. A *Tribuna* triplica suas vendas publicando as listas de produtos com preços congelados pelo Plano Cruzado e matérias ousadas e divertidas. Certo dia, o ex--guerrilheiro Fernando Gabeira, candidato ao governo fluminense, declara que todo homem deveria poder passar pela transcendental experiência da maternidade. A *Tribuna* sai com a manchete: "Gabeira: quero ser mãe!".

Outra reportagem-diversão provocará a demissão de Tarso. Chega o 22º aniversário do golpe militar de 1964, no ano eleitoral de 1986. Tarso e a turma, aproveitando que o dono do jornal e seu filho, Hélio Fernandes Filho, vão embora todo fim de tarde, lançam uma "edição especial comemorativa". No dia primeiro de abril, as pessoas chegam às bancas e deparam com a manchete na *Tribuna*: "Tropas cercam Brasília!". A foto mostra oficiais e soldados em posição de tiro, com as armas apontadas para a Esplanada dos Ministérios. Os leitores vivem sensações surrealistas até perceber que é uma brincadeira.

Com a demissão de Tarso, toda a equipe se solidariza e vai embora, o que dará origem a um novo jornal alternativo. Tarso procura Brizola, então governador do Rio de Janeiro, que lhe dá o apoio inicial para lançar um semanário, tamanho de jornal grande: *O Nacional*, mesmo título do jornal que o pai dele mantinha na primeira metade do século XX, em Passo Fundo, Rio Grande do Sul. De clara oposição ao governo Sarney, *O Nacional* montou uma equipe de causar inveja nos concorrentes: entre outros, os autores deste livro, mais Eric Nepomuceno, Nelson Merlin, Luiz Carlos Cabral; os cartunistas Fortuna, Jaguar e Paulo Caruso; Rubem Azevedo Lima em Brasília, Alex Solnik em São Paulo; e colaboradores do porte de Cláudio Abramo e Moacyr Werneck de Castro. José Trajano só não estava porque trabalhava com Darcy Ribeiro, o criador dos Cieps — Centros Integrados de Educação Pública, chamados pelo povo de Brizolões e que sucessivos governos foram esvaziando até acabar.

A amizade de Tarso com Brizola vinha desde a Rede da Legalidade em 1961, quando Brizola, governador gaúcho, montou um *bunker* no Palácio Piratini em Porto Alegre, e, falando diariamente numa cadeia de rádio para todo o país, garantiu a posse de Jango após a renúncia do titular, Jânio Quadros. Para se ter ideia do grau da amizade, na anistia de 1979 Tarso foi a Nova Iorque buscar Brizola. As fotos da viagem de volta enviadas ao Brasil e ao mundo foram publicadas com a assinatura da então mulher mais bela do planeta, a atriz americana Candice Bergen — namorada de Tarso. Charme não faltava naquela redação: outro jornalista gaúcho da equipe, Paulo Pila, tinha namorado a atriz Raquel Welch.

Com o sucesso que fazia, *O Nacional* atraiu as atenções do congênere francês *Libération*, que destacou o correspondente no Rio para fazer uma matéria. O repórter vinha com a pauta focada num detalhe: o logotipo do *Nacional* era sobreposto a um losango vermelho, igualzinho ao logotipo do *Libé*. Ao fim da entrevista, o correspondente pergunta a Tarso:

"Por que vocês fizeram um logotipo igual ao do *Libération?*". Tarso abriu uma gaveta, apanhou um exemplar do jornal do pai e mostrou. O logotipo do *Nacional* de Tarso era igualzinho ao logotipo do *Nacional* de seu pai. O surpreso repórter do *Libé* encerrou seu despacho assim: "Uma imagem vale por mil palavras".

*O Nacional* morreu como quase todos os outros que a turma tentou: asfixia econômica. Durou um ano e meio mais esta tentativa de implantar uma publicação com olhar brasileiro, de oposição às classes dominantes e a favor de governos populares.

Capítulo 21

# Há dois tipos de censura hoje numa redação: a da gaveta e a do orçamento

José Maschio nasceu em 1957, sete anos antes da rebordosa. Bernardo Pellegrini, músico e jornalista, nos apresenta em 29 de outubro de 2013, numa chácara que Maschio tem na Grande Londrina, norte do Paraná. Uma placa no muro de esquina anuncia que ali se vende coelho, ovo caipira, galinha. É ali.

Maschio trabalhou na *Folha de S. Paulo* como repórter entre 1987 e 2010, e lá publicou certa vez uma reportagem sobre Golbery do Couto e Silva, figura que considera "pouco estudada". Diz que é preciso ler Golbery para entender como era seu *projeto hegemônico do sul*. "Quando ele projetou a abertura lenta e gradual, planejou essa coisa da hegemonia, só que não planejou o efeito colateral."

Por exemplo, diz Maschio, o acordo com o ditador paraguaio Stroessner: encheram o país vizinho de brasileiros, "para colonizar o oriente do Paraguai". Não eram os chamados brasiguaios ainda, era "um esquema filho da puta, as empresas colonizadoras expulsavam os paraguaios de suas terras, e os brasileiros ficaram ricos, adonaram-se das terras". Numa segunda etapa, vieram "os que se ferraram, os brasiguaios, que estão retornando".

Os que não deram certo, e voltaram, "estão acampados no Mato Grosso do Sul, aqui no Paraná, no Pontal do Paranapanema, em São Paulo". Outro efeito colateral imprevisto, segundo Maschio, deu-se na colonização do Norte. "Era uma gauchada que foi para o Pará, se ferraram e viraram sem-terra. O MST é fruto da ditadura militar. E tem os afastados de suas terras pelas barragens."

Na varanda de Maschio uma gaiola de mais de metro de altura abriga um pássaro canoro vermelho bem bonito. Bernardo havia avisado sobre recente perda de Maschio: um filho morto em acidente de automóvel, recém-começando a Universidade. Maschio acende outro cigarro de muitos. "Sabe as barragens no Rio Grande do Sul? Aqui no Paraná: Itaipu! Essa área riquíssima de terra que temos de Guaíra até Foz. Os caras foram jogados para o centro do Paraná, Telêmaco Borba, Ortigueira, viraram miseráveis, terra ruim. O pessoal cria o Mastro, Movimento dos Sem-Terra do Norte do Paraná."

Maschio entrou na *Folha* em 1987, trabalhou lá por vinte e três anos fazendo "guerra de guerrilha". Acompanhou a deterioração da qualidade da informação na mídia nacional. "Eu fazia MST, questão agrária. Estourou Corumbiara, eu estava lá [ver Capítulo 19, *Uma proposta que tão cedo não sairá do papel: extinguir a PM*]. E o Josias de Souza começou a se incomodar, porque era amigo do ministro da reforma agrária do Fernando Henrique."

Josias de Souza, em "cargo de confiança" na *Folha* fez grave "denúncia" contra o MST: cobrar "pedágio" dos assentados, quando na verdade afiliados seus colaboram com o movimento espontaneamente.

Ocorre o primeiro massacre no campo em Corumbiara, acontece o segundo em Eldorado dos Carajás e, quando vem a crise no Pontal do Paranapanema, Josias alega que Maschio é "muito pró-sem-terra" e o corta da cobertura. "Mas foi bom", diz ele, "porque entrei na cobertura de lavagem de dinheiro, me deu crescimento profissional, de visão de como funcionam as coisas."

A transição da ditadura para a democracia "criou uns monstros", avalia Maschio. Não quer ele dizer que na redemocratização piorou, "antes era pior". Mas depois de 1988, exemplifica ele, no Paraná "aconteceram fatos". E o caso da bomba de Furnas? — pergunta Bernardo. "Sim, na época das privatizações. Tinha uma bomba na estação de Furnas, e noutro lugar, não detonada. Uma detonou, a outra, não. Ligo para a redação, achei estranho: falam 'ah, não tem importância não, o ministro da Justiça (o nosso *amigo* Renan Calheiros) deu uma entrevista exclusiva para Eliane Cantanhêde falando que encontraram mais uma bomba. Pensei: isso não faz meia hora, como é que o ministro está sabendo? Aí digo que vou embora porque, se Brasília está cobrindo, o que é que estou fazendo aqui? O Josias me liga: não, fica aí!"

Maschio vai para o hotel, em Ivaiporã, no centro do Paraná, mas para no caminho: vê policiais federais em ação, rastreando a bomba que não detonou. Um morador descreve o carro que ficou parado ali, um Fiat vermelho. Maschio vai para Manuel Ribas, cidadezinha a 15 quilômetros, por pura intuição. "Sabe aquela cidade que você chega e já vê o hotelzinho? Não tinha computador ainda, era um livrão de registro de hóspedes. O porteiro está dormindo, quatro da tarde! Eu falo 'não tinha um cara hospedado aqui, do Fiat vermelho?', ele diz 'o cara da Polícia Federal?', 'é, preciso lembrar o nome dele, éééé...', 'olha aí', falou o porteiro, abri o livrão, peguei o nome, Fiat vermelho, a placa, levei pros caras da Polícia Federal, falei 'vocês, hein?, plantando bomba!', eles queriam me bater, falei 'olha aqui', mostrei o nome, e eles 'filho da puta', era um agente da Abin!" Abin: Agência Brasileira de Inteligência, que substituiu o SNI, o Serviço Nacional de Informações da ditadura.

Por isso o ministro da Justiça estava sabendo, conclui Maschio. Sai na *Folha* a matéria de Eliane Cantanhêde, e nada da história dele, que só sairia no dia seguinte. Os superiores mandam Maschio cobrir a Operação Portugal, "a *Folha* tinha interesse, os jornais todos tinham, nesses leilões da telefonia, virou um grande negócio", um grupo português até passou a ter participação na *Folha* por um tempo. Maschio comenta com um amigo, Amaury Scudero, que lhe indica "um cara da Abin que pode ajudar". Ele liga, convida o agente para uma cerveja. "Na segunda cerveja ele vira para mim: 'Eu não devia falar porra nenhuma para você, porque você escrachou meu nome na *Folha*!' Era o cara!".

Mas por que a Abin poria bombas em linhas de transmissão de Furnas? Responde o repórter José Maschio: "Para culpar os sindicalistas que eram contra as privatizações! Política tucana".

Lembramos a Maschio a entrevista que fizemos com Fernando Siqueira, dirigente da Aepet — Associação dos Engenheiros da Petrobras. Siqueira contou que, na época em que o governo FHC queria privatizar a Petrobras, começaram a fazer sabotagem. E petroleiros que estavam num piquete durante uma manifestação pararam um carro da Rede Globo que se dirigia para uma refinaria da Petrobras e levava explosivos, possivelmente para um atentado a ser atribuído aos petroleiros (ver *O príncipe da privataria*, capítulo 21, "Não conseguiram rasgar a segunda bandeira brasileira"). "Eu não duvido não", diz Maschio, e acrescenta que, em seus vinte e três anos de *Folha de S. Paulo*, viu muita "estrela que sobe e desce assim, puf!, porque não serve mais aos interesses". Foi o seu próprio caso.

"Começou uma série de desgastes meus. Quando se queria pegar o Lula de qualquer jeito, o Renan Calheiros era presidente do Congresso. Me mandam ficar uma semana em Alagoas, visitando os bois do Renan em Murici. Fiz matéria sobre aquela mistura público-privada, que eles mandam em tudo, são coronéis. Eu falava 'gente, quer mostrar o Renan mesmo?, vamos mostrar a história tucana dele'. Aí dizem 'não!', ora, eu tenho memória. Não queriam saber, 'esse repórter é do PT'. Não dividiram o Brasil em capitanias hereditárias? Até hoje nós temos esses donos! Aqui em 1950 puseram o Moisés Lupion para governar o Paraná, ele pegou os amigos e distribuiu as terras do estado para eles. Sabe quem foi o grande vendedor de terras? David Nasser. Da revista *O Cruzeiro*. Ficou milionário."

Hoje existe só jornalismo "de poder", diz o ex-repórter. A grande imprensa hoje é "o poder". "Só para exemplificar, aquele menino que escreve na imprensa dita de esquerda — falo 'dita' porque até a esquerda no Brasil é de direita — o Fernando Barros e Silva. Foi editor de política da *Folha*. Eu entrava na redação, ele se incomodava. Porque eu gritava: Ô, Brindeiro!" Referência a Geraldo Brindeiro, procurador-geral da República no governo FHC. Foi apelidado de "engavetador geral da República", por engavetar todo processo incômodo para o governo.

"O Fernando Barros e Silva engavetou por três anos uma matéria minha. Sabe aquele dinheiro da Olvepar-Copel? Trinta e nove vírgula seis milhões de reais. Farra de final do governo Jaime Lerner. Ouvi todos os outros lados, imagine ouvir filho da puta de todo lado, levei uma semana para ouvir 'o outro lado'. E ficou três anos engavetado na *Folha*."

Há dois tipos de censura hoje nos jornais, nas tevês, conclui Maschio. "Tem a censura da gaveta e a censura do orçamento. Quando você quer fazer uma matéria que vai incomodar, eles falam que 'não tem orçamento'. É o caso que eu citei, Renan Calheiros ministro da Justiça do governo tucano."

Ao ministro da Justiça presta contas a Abin, cujo agente plantou bombas para incriminar sindicalistas contrários à privatização da nossa energia elétrica. "Pedi pro jornal me deixar mais uma semana atrás do cara da Abin, ele havia de me contar o que fez. Não tinha 'orçamento'."

Capítulo 22

# Um monólogo de Zé Celso quarenta anos após as prisões por posse de droga

O ator, diretor, dramaturgo e encenador José Celso Martinez Corrêa entrou para a vida do *ex-* e nós, do ex-, entramos para a vida dele e de seu Teatro Oficina em 1973. Já o admirávamos por *O rei da vela*, de Oswald de Andrade, que ele encenou em 1967 deflagrando o Movimento Tropicalista, de profundas consequências para a música e as artes brasileiras em geral. Havíamos feito com ele para o ex-, pouco antes, provocante entrevista em que ele chamava os publicitários de "filhos de Goebels". Agora, alguns dos nossos, entre os quais Hamilton Almeida Filho, o Haf, vínhamos nos fins de semana frequentando o Oficina, no mesmo bairro do *ex-*, o Bixiga, para construir um trabalho coletivo e publicar em nosso jornal. E deu-se uma desgraça.

Zé Celso e sua trupe, junto com alguns do *ex-*, tinham viajado pela Europa. Como estávamos todos na pindaíba, alguém teve a ideia de fazer uma vaquinha e, em Lisboa, por um terço do preço no Brasil, comprar 2 mil micropontos de LSD, o ácido lisérgico bastante em voga naquele tempo. Vender aquilo pelo triplo do preço na volta a São Paulo ajudaria bastante na nossa sobrevivência. Dividiram a carga de LSDs em vários lotes, e 800 deles ficaram sob a guarda da turma do *ex-* que morava no Alto da Lapa, num casarão da rua Princesa Leopoldina — a "casa da Lapa", que chegava a abrigar às vezes sete, oito pessoas, além dos cinco moradores fixos: os dois autores deste livro; Hamilton e sua mulher, a fotógrafa Lúcia Correia Lima; e o fotógrafo Ricardo Alves.

Na manhã fria de 20 de abril de 1973, um sábado, tocam a campainha do Teatro Oficina. Lúcia vai atender, olha pela portinhola e vê um rosto familiar, de certo "Rufino", que entra acompanhado de outro jovem, barbudo, em busca de sua "encomenda": ácidos. Ao entregar-lhe o pacote, o recém-chegado grita "está presa!", e rápido põe a algema no pulso de Lúcia, "é polícia!", e já o Haf lhe dá um soco que o derruba, do que Lúcia se aproveita para escapar e saltar o muro do Oficina — um amigo, o artista gráfico Sérgio Fujiwara, que mora perto, acolhe Lúcia e providencia alguém de confiança que a livra da algema.

No Oficina, agora invadido por mais policiais civis, recebidos a cadeiradas, um delegado saca o revólver, atira para o alto a fim de dominar a situação, o projétil ricocheteia, volta e atinge-lhe o próprio braço — pronto, o pessoal do Oficina seria acusado de reagir à bala.

No dia seguinte, enquanto meia dúzia dos nossos amanhecem presos na 4ª Delegacia de Polícia, e doloridos pelo espancamento sofrido, o diário *Notícias Populares* prepara a chamada de primeira página: *Artistas presos no embalo da boleta*. O delegado que deu o tiro, Paulo Fernando Fortunato, posará de braço enfaixado, vítima de si mesmo. E, no Rio, Zé Celso vê na televisão a notícia "apavorante" que induz o telespectador a crer que o Oficina abriga "terroristas", como veremos no capítulo a seguir.

Nessa época, era duro o tratamento "legal" dado a quem fosse apanhado com uma simples "bagana" de maconha. Durante três meses, houve um revezamento para as visitas aos "nossos" presos. Numa delas, Zé Celso foi com Mylton Severiano. Inesquecível cena. Zé se vestiu inteirinho de branco, do chapéu panamá aos calçados Scatamacchia. Terno de linho, camisa de seda. Com seu metro e noventa centímetros, sobranceiro, enquanto todos os visitantes, em fila, passavam pela vexatória revista, Zé Celso seguiu imponente rumo ao pátio das visitas sem que nenhum guarda ousasse interpelá-lo, muito menos tocá-lo. Três meses depois, foram todos absolvidos por "falta de provas". E Zé Celso virou visitante assíduo da "casa da Lapa".

Eis que, passados quarenta anos, em meados de 2013, ao preparar este livro, os autores o procuraram. Conseguimos seu endereço eletrônico e passamos um *e-mail*. A resposta veio dúbia, estava muito ocupado com a montagem de *Cacilda!*. Semanas passam, havíamos desistido de Zé Celso. Então, no início de fevereiro de 2014, ele envia mensagem: "Estou querendo dar a entrevista".

## Capítulo 23

# Se Getúlio não se matasse, não haveria bossa-nova, cinema novo...

---

*Monólogo para ator e coro*
*Autor e ator: Zé Celso*
*Cenário: alto da escadaria nos fundos do Teatro Oficina, fim de tarde*
*Iluminação: natural, sol caindo entre nuvens, rasgando o azul profundo com raios como nunca vimos.*
*Trilha sonora: sons do centro de São Paulo, carros, caminhões e outros veículos zunindo e buzinando na via expressa, sirenes de polícia, helicópteros voando pra lá e pra cá.*

Zé Celso Martinez entra fumando um baseado, "é o que me tem feito bem, única coisa que me alivia as dores", diz, informando que sofre de escoliose. Encosta sua cadeira no parapeito do alto da escada; à frente dele pomos as nossas, e nos transformamos em privilegiada plateia do monólogo, entrecortado por um coro grego.

Coro — Lélia Abramo disse: A ditadura, a primeira coisa que ela cai matando em cima é a cultura, o teatro.

Zé Celso — Sobretudo o AI-5 fala demais em cultura, em lugares onde se pratica a cultura subversiva. Acho que eles se referiam a Roda Viva.

Coro — Texto de Chico Buarque que você montou, Zé. Noite de 18 de julho de 1968. Hecatombe. Cem homens do Comando de Caça aos Comunistas, o CCC, armados de cassetetes, revólveres e metralhadoras, esperam a peça terminar, o público sair. Invadem camarins, espancam atores, insultam atrizes, destroem cenários, tudo. Terror. Você, Zé, declarou: O CCC venceu, uma geração inteira do teatro foi tragada.

Zé Celso — Primeiro foi o Golpe de 1964. Nós estávamos montando *Pena que ela seja uma puta*, de John Ford, uma espécie de *Romeu e Julieta* pornô. Tinha Raul Cortez, Renato Borghi, Miriam Mehler, Claudio Marzo, Eugênio Kuznet, Célia Helena. A gente estava feliz, até que a Lilian Lemmertz abriu a porta: Ó, na rua tá cheio de canhão. A peça antecipava o lado libertário do *Rei da vela*. Fomos embora, voltamos à noite, tentamos apresentar *Pequenos burgueses*, não veio ninguém. Estava todo o mundo morrendo de medo.

Coro — No rádio, na televisão, nas ruas, reina um clima de caça! Golpe de estado. Estão invadindo todos os teatros. Pegando cabeças a três por quatro. Já, já tudo escondido, queimado, enterrado! Estamos sendo caçados! Arapucas! Vamos guardar estas cabeças e perucas!

Zé Celso — Eu sentia que o chão tinha fugido dos meus pés. Fomos para a casa do Geraldo Del Rey e saímos de fininho para uma casa da Célia Helena em Ubatuba. A Ítala Nandi botou uma peça com o Tarcísio Meira, *Toda donzela tem um pai que é uma fera*.

Coro — Do Gláucio Gil.

Zé Celso — Peça comercial, deu dinheiro para muita gente fugir. E aquele momento maravilhoso, que tinha o Brizola, o João Goulart, Darcy Ribeiro, a Lina Bardi, Oscar Niemeyer, toda essa geração, e os jovens do CPC...

Coro — Centro Popular de Cultura, espalhando alegria e formação política. Os jovens vinham aqui ver *Pequenos burgueses*, do Máximo Gorki.

Zé Celso — Os jovens vinham se suicidar como "pequenos burgueses" e ressuscitar como "revolucionários".

Coro — No primeiro ano de ditadura, vinte e oito peças censuradas.

Zé Celso — Até que a Cleyde Yáconis, irmã da Cacilda Becker, foi presa. E outras pessoas estavam presas. A Cacilda teve uma ideia genial. Ela liderava a classe teatral. Era uma Antígona.

Coro — Na tragédia de Sófocles, Antígona é proibida de enterrar o próprio irmão, para que seu corpo seja devorado pelos abutres e pelos cães: ela se rebela contra a autoridade.

Zé Celso — Cacilda combinou com a Maria Della Costa que iriam com o melhor figurino, alugaram dois Rolls-Royces e chamaram a televisão, a mídia toda, e fomos todos nós do Teatro de Arena, do Oficina, num cortejo.

Coro — Cena de Hollywood.
Zé Celso — E aquele Dops sór-di-do!

Coro — Aquela sujeira, aquela merda! Cleyde presa ali.
Zé Celso — Encontrei o Gil no Fiorentino, e ele fala: Estou querendo botar guitarra elétrica. Falei, eu também não estou satisfeito.

Coro — E queimaram o Oficina! Caiu o teto!
Zé Celso — E ameaçaram todos os teatros, porque a gente fazia assembleias. A gente era ameaçado de invasão, incêndio, terrorismo.

Coro — Perseguição aos jornais alternativos. Bombas nas bancas.
Zé Celso — Aí acontece a explosão da revolução que foi *O rei da vela*, ligando Oswald de Andrade à antropofagia, a todos os artistas brasileiros que estavam na "terra em transe". Ligando Oswald a Glauber, Caetano, Gil, Oiticica, Tom Zé, e apareceu a Tropicália, que adotou essa revolução anticolonialista, que Oswald trouxe de volta. No que ele nos remeteu aos antropófagos, entrou cinema, teatro, artes plásticas.

Coro — A cultura indígena, os rituais, candomblé, a Rádio Nacional, a música *pop*.
Zé Celso — Houve uma libertação. E passei a ver, a partir daí, todo o Hemisfério Norte, toda a literatura do teatro, é consequência disso, a antropofagia, o retorno à cultura indígena, e que hoje tá cada vez mais forte nas pessoas que estão rejeitando esse capitalismo podre, nos seus últimos momentos, rodando em falso depois da crise de 2008.

Coro — Ameaçado de outra crise!

Zé Celso — Depois da ditadura militar, a ditadura financeira. Pobre, rico, todo o mundo sente no corpo. Que a vida está caríssima, não dá mais pra viver. Então tem que roubar, tem que matar, tem que fazer comando do crime. Apocalipse! Mas nesse apocalipse tem esse oásis aqui. E no mundo inteiro tem uma tendência de liberar a maconha, combater a homofobia, dar outro tratamento pra terra, não querem mais viver nessa sociedade-espetáculo, cada vez mais caras e bocas.

Coro — Mas é preciso experimentar essa fase do capitalismo, que tem acabado com o corpo das pessoas.

Zé Celso — O agronegócio produzindo alimentos com gosto de inseticida. Só na feira do Ibirapuera é que tem uma feira maravilhosa, com produtos orgânicos. E a nossa luta é esta: a terra nas mãos de quem cultiva.

Coro — *Círculo de giz caucasiano*, de Bertolt Brecht.

Zé Celso — A rainha foge durante uma revolução e deixa o filho com uma aia. Quando ela volta, quer o filho de volta. O juiz faz o círculo no chão, a rainha puxa o filho pelo braço, a outra diz "eu não vou fazer isso, que eu machuco a criança", e o juiz diz a ela "você vai ficar com a criança, porque a terra e as crianças são de quem cuida".

Coro — Que força e que potência tem o teatro!

Zé Celso — Agita as pessoas e toca nos tabus da época de maneira artística. O ritual dos índios. Minha avó era índia, sou cada vez mais índio, para o índio a terra é sagrada, o chão do Oficina é sagrado pra mim. Todos são índios, todos foram índios: japoneses, suecos, russos. Os corpos. Nossa origem é animal. A gente vem da água, da pedra, da selva, do bicho, não tem essas crenças dos monoteísmos que nos colonizaram, nos colonizam com o capitalismo, Max Weber disse que o luteranismo era a religião do capitalismo, agora a evangélica é a religião cafajeste, cafona, brega do capitalismo. Peguei um taxista evangélico hoje, um cara homofóbico; falei em maconha, ele gritou "tem que acabar com isso tudo!".

Coro — A geração que 1968 sufocou trazia no corpo todas as revoluções: ecológica, sexual, alimentar, política. E foi o teatro que puxou a Passeata dos Cem Mil, no Rio, as mulheres, Odete Lara, Norma Bengell, Eva Vilma, Tônia Carrero, Leila Diniz, Eva Todor, Ruth Escobar.

Zé Celso — A gente morava em comunidade porque não dava pra fazer mais nada na rua. A gente se encontrou com *O Bondinho*, com o pessoal do *ex-*, com vocês, estava montando *O rei da vela* no Rio, houve uma invasão aqui, um delegado atirou pro alto e voltou pro braço dele e vimos no jornal "Oficina reage à bala", o Hamiltinho preso no Carandiru vai fazer um jornal, *O Cadeião*. Nós pegamos uma kombi e ficamos fugindo, a notícia na Globo era apavorante, nós tínhamos reagido à bala, tínhamos virado terroristas.

Coro — Zé Celso vai acabar preso e torturado.

Zé Celso (rindo) — O cara que me torturou tinha uma tatuagem no braço: *Amor de mãe*. E me dando porrada, e me dando choque elétrico.

Coro — E assim, debaixo de porradas, entramos na era do desbunde.

Zé Celso — O desbunde foi muito mais importante que a luta armada, porque fez ter uma concepção diferente de mundo. E comecei a fumar maconha, e fumo até hoje, sou a prova de que maconha é bom pra tudo, nem uso mais analgésico. Também experimentamos ácido, os alucinógenos, o *Orange, Sunshine*.

Coro — Era para não enlouquecer que eles ficavam muito loucos.

Zé Celso — Comemoramos os dez anos de ditadura no Cemitério da Consolação, tocando fogo no cenário do *Rei da vela* na frente do túmulo do Mário de Andrade — não achamos o túmulo do Oswald.

Coro — 1974. Já que não podiam enfrentar a repressão armada, os desbundados avacalhavam com tudo. Mercurocromo! Jamais será iodo! Mercurocromo! Jamais será iodo!

Zé Celso — A Dulce Maia fazia a produção de Roda Viva com o mesmo volks com que assaltava banco.

Coro — A luta armada buscava fundos para se manter.

Zé Celso — A gente dava apoio. Escondia gente, escondia fuzil. E veio a nossa percepção da antropofagia, diferente das coisas impostas pelos monoteísmos, pela publicidade, e percebemos que a gente é antropófago. Os monoteístas são racistas, homofóbicos. A antropofagia não: mistura tudo. O Brasil é antropofágico naturalmente — tende à miscigenação.

Coro — O AI-5 passou, 68 passou, passou 85.

Zé Celso — Dominou cada vez mais o espetáculo de mercado, também um grande destruidor do teatro.

Coro — A gente reexistiu porque a gente resistiu.

Zé Celso — Hoje eu busco, busco, busco, é uma coisa que estou trabalhando com os coros, que acho importante, os coros de hoje são mais caretas. Tenho de fazer toda uma iniciação, pra todos terem coragem de ser, trabalhar seu corpo, assumir seu corpo, sua *anima*, seu corpo elétrico, seu corpo quântico. Trabalhar para entrar em contato com o outro, porque a tendência hoje é as pessoas se manter fechadas para o outro. As pessoas não têm percepção de si mesmas.

Coro — A repressão travou os corpos.

Zé Celso — Até hoje os militares estão no poder. Basta ver a PM. A PM é um absurdo, ela já pediu pra ser desmanchada no Brasil. Os movimentos de rua deveriam ser contra a PM. Ninguém pode mais se manifestar, aí vira todo o mundo baderneiro. É óbvio. Você é atingido e reage, né?

Coro — Ou o Brasil acaba com a PM, ou a PM acaba com o Brasil.

Zé Celso — O PSDB é atualmente o grande herdeiro da ditadura militar. Eles não gostam de teatro. Eles querem passar a bola pra frente. Também é o grande refém do capital financeiro. Porque... o que o Alckmin faz aqui em São Paulo! Incentivando a PM, e tratando assim o Teatro Oficina, a Lina Bardi! O Oficina é o último quintal do centro de São Paulo. Deixa o chão respirar, deixa o sol entrar. O Oficina ganhou prêmios internacionais, e o governo não vê. Teve uma audiência pública e veio deputado, a secretária de Cultura, e ficaram de costas, e o tempo inteiro trocando telefonemas. Eles só querem saber de cultura chapa-branca.

Coro — Parece Secretaria de Perseguição à Cultura.

Zé Celso — É tudo *fake* hoje! É a pasta de dente que dura uma semana, o agronegócio produzindo alimento com veneno. É a ditadura da porcaria. E tudo por quê? Porque falta cultura. Porque eles só pensam em dinheiro! A gente não é produto. A cultura é a coisa mais importante da vida, porque é a própria vida.

Coro — Uma ditadura prepara outra.

Zé Celso — Se Getúlio não tivesse se suicidado, eu não existiria. Nem o Teatro Oficina, o Cinema Novo, a Bossa-Nova. Teria sido um horror pra nossa geração. Ele deixou a Carta, dizendo "meu filho, te vira". E a minha geração passou a ser uma geração autonomista, "te vira, teu pai se matou".

Coro — Getúlio, acuado, imolou-se por seu povo.

Zé Celso — Deu-se o contrário do paternalismo: tivemos de nos virar, e fomos nos virando.

Capítulo 24

# Índio branco considera gravíssima a situação herdada e "aperfeiçoada"

Vincent Carelli conhecemos no início da década de 1970, mocinho — nasceu em 1953, na França, pai brasileiro, mãe francesa, Jacqueline, que se tornaria professora de português num colégio francês em São Paulo. Ele tinha cinco anos ao vir para o Brasil, era o filho do meio, com um irmão mais velho e uma irmã caçula. O pai, artista plástico Antônio Carelli, é considerado o renovador da arte do mosaico, aqui e na França. E Vincent viraria um índio branco. "Meu padrinho me deu uma foto de xavante, pelado, no cerrado, com um arco e flecha. Parece que eu já tinha certa atração."

O irmão mais velho, Mário, queria ser padre; e seu guia espiritual, frei Caron, dominicano francês, tinha uma missão entre os xikrins, perto da Serra dos Carajás. "Pedi para ele me levar lá. Isso aos dezesseis anos." Vincent ficou uns dois meses, em 1969, não havia estrada ainda, chegava-se a Marabá de barco pelo rio Tocantins, ou por aviões do Can — Correio Aéreo Nacional. "A gente fretava um aviãozinho que passava em cima da Serra dos Carajás, onde tinha uma base americana. United States Steel: ali era minério a céu aberto."

Depois, todas as férias Vincent passava lá três meses. Em 1971 ficou sozinho no meio dos índios, o missionário tinha ido embora, "estava uma fase meio abandonada", não havia ninguém da Funai — Fundação Nacional do Índio. Houve um acidente grave com machado, Vincent pediu socorro e não atenderam. "Duas semanas depois chegou um avião cheio de americanos com uns presentes fajutos, para fotografar os índios. Expulsei todo mundo. Eu nem era da Funai", conta ele rindo. Eram americanos da United States Steel, engenheiros. Havia uma centena e meia de índios ali, isolados. De Marabá até a aldeia eram dez dias de barco pelo rio Itacaiúnas.

Aos vinte anos, Vincent tem um caso com uma índia. Terminado o colégio, havia entrado na USP — Universidade de São Paulo — para cursar sociologia, inventou uma pesquisa e foi para a aldeia, mas não voltou. "Fiquei morando lá um ano, um ano e meio. Um cara me avisou que havia saído um curso de indigenismo. Fui fazer em Brasília e entrei na Funai."

Era obrigatório indicar onde se queria trabalhar e ele falou Pará, com os xikrins. "Aquela volta toda foi para voltar lá. Cheguei, o coronel Nogueira mandou me chamar, e foi minha primeira decepção do serviço público. Ele disse 'pro xikrim você não vai porque é amigo dos índios'. Aí me mandou pros assurinis, no médio Xingu."

Os assurinis haviam tido contato com branco fazia apenas dois anos e houve um problema, o funcionário que fez o contato saiu da Funai escandalosamente, disse a frase famosa: "Eu não quero ser coveiro de índio". Tinha havido uma epidemia, com muitas mortes, ele pediu socorro e o socorro não chegou. Vincent ficou ali uns seis meses. Os assurinis vivem entre Altamira e São Félix, no Xingu. Foi então que conheceu a índia Baia, "acho que quer dizer cobra em tupi". Estava com seus 40 anos, o dobro da idade de Vincent. "Ela já tinha filho crescido. No terceiro dia, chegou um grupo de índios, que estava caçando, com uma índia perdendo sangue pela vagina. Dei soro, embarquei-a numa canoa para descer para Altamira, morreu duas horas depois. Já começou tragicamente. Não tinha pista de avião na aldeia."

Pouco mais que adolescente, ele estava só, no meio dos índios. Conta: "Eu tive uma entrada rápida no grupo porque havia dois índios intérpretes. Um deles era um tembé. E é um jeito bem tupi de receber e estabelecer aliança. Ele era funcionário da Funai e deram uma mocinha para ele casar. E eu cheguei avançando o sinal. Já trabalhava com os índios, já ia caçar com eles, postura incomum. Os funcionários não ficam pegando o ritmo, vinte e quatro horas junto, trabalhando. Então eu já estava dentro. Aí, no tratamento de saúde ela me convidou, mostrou a rede, e eu fui. Era um negócio meio secreto."

Na maloca dos índios, com uma dezena de moradores, Vincent passou a viver com Baia. "A gente dormia na mesma rede, mas eu lia, saía, fazia visitas. E o cara que fez a denúncia já tinha tido vários casos com índias lá. Então, é um jeito tupi. O Darcy Ribeiro fala, quando conta aquela primeira etapa da conquista do Brasil, com os tupinambás, aqueles tupis do litoral, fala do cunhadismo." Brancos se integraram, viraram líderes. Os índios faziam o branco casar, viravam cunhados, uma relação de aliança. "É uma marca do tupi."

Vincent sofreu um processo, ficou em Belém por meses "na geladeira". Na sindicância, os intérpretes falaram bem dele. A relação do indigenista, até hoje, é "meio de pai". Transar com índio é incesto "entre os indigenistas idealistas", um tabu. "Fiquei abalado. Me retiraram da área. E o caso ficou resolvido. O coronel Joel, chefe do Departamento de Pessoal da Funai, em Brasília, me mandou uma repreensão escrita — para mim uma condecoração: repreensão 'por se identificar em demasiado com os costumes tribais'. Agradeci."

Na época em que conhecemos Vincent, ele se empenhava em pioneiro trabalho: o índio assumir o controle de sua condição. Era uma época de abertura. Pedimos para ele comparar o que havia com o que acontece hoje. "Foi um momento especial. A Funai surge de um grande escândalo em 1968, uma CPI — Comissão Parlamentar de Inquérito. Tinha funcionário vendendo terra, fazendo tráfico de índia. E aquela coisa militar: o chefe, 'pai' dos índios, aquela ideologia de 'ensinar' o índio a trabalhar. E tráfico de mulheres, abuso de índias. Um escândalo. A Funai foi reconstruída, mas os funcionários eram aqueles, quer dizer, muda de instituição, mas repassa os funcionários. E todos os projetos, iniciativas, sempre com a ideologia da integração, do desenvolvimento, fracassaram. Era um desastre a política da Funai."

O general Ismarth assume depois de outros generais (um, Bandeira de Mello, foi uma tragédia) e pega como assessor um antropólogo, que "começa a buzinar, que funcionário da Funai não sabe tocar trabalho com índios", sugere uma série de projetos-piloto, coordenados por antropólogos ligados diretamente à presidência. O assessor diz a Ismarth: "Eles vão estar subordinados diretamente a você, e vão tocar algumas experiências que irão traçar um novo modelo de política da Funai".

Infelizmente havia projetos na fronteira, com antropólogos estrangeiros, americanos alguns, com os ianomâmis, os ticunas. Havia um inglês no rio Negro, uma portuguesa e um americano na região ianomâmi. "Tinha a Iara, com quem casei depois, com os gaviões, em Marabá; e o Gilberto e a Maria Elisa com os kraôs, em Goiás. O negócio com os norte-americanos, evidentemente, os militares não gostaram. Então o projeto ianomâmi fracassou. E a Iara tocou o projeto que era repassar o controle da produção de castanha para os índios e o lucro todo para eles. Os índios vinham sendo pagos só pelo serviço da coleta, e não pelo valor da castanha. Era uma fonte de renda muito grande para a Delegacia de Belém. Claro, virou uma guerra."

Vincent conta de outra "loucura da ditadura", invenção do general Bandeira de Mello: a guarda rural indígena! "Lá no centro da PM em Belo Horizonte se levou índios de várias partes, se deu um treinamento militar e eles seriam a polícia indígena. Eram assalariados pela PM, e isso virou uma tragédia. Formaram uma vila militar indígena que vivia prendendo, batendo. Eles reprimiam seus inimigos, os que bebiam. Mas eles bebiam mais que todo o mundo, claro. Um desastre. Eram trinta e cinco assalariados. Na época havia inflação. E o delegado de Goiânia, então, segurava três a seis meses esse salário, ficava aplicando em investimentos, recolhia o ganho e pagava os atrasados depois de certo tempo. Fui acabar com tudo. Tinha uma fazenda de gado, fechamos, demitimos, distribuímos o gado pelas aldeias, tentamos reconverter os 'policiais' em professores. Fazíamos o cara pagar com regularidade, o que deixou ele puto, porque não podia mais aplicar aquela grana. Em cada lugar se quebrava alguma mamata, portanto, a gente ganhava inimigos ferrenhos."

O mínimo poder que o grupo de Vincent tinha se devia ao fato de poder falar direto com o presidente da Funai. Mudanças acontecem já no primeiro ano, 1973. O antropólogo que assumiu o novo projeto comandava de Brasília, mandava recados pela Rádio Nacional, enviava sementes para plantar, "só que os índios comiam as sementes": "E nós chegamos com aquele espírito, 'não vamos distribuir semente, vamos plantar junto'. Havia muitas aldeias dispersas, fome, na região quase de semiárido, de cerrado, o fundo do Piauí".

A fome provocou a dispersão, índios iam trabalhar "de meia" em roça de mandioca dos fazendeiros. "A gente plantou arroz ligeiro, que dá em três meses, gerando uma fartura que eles não viam fazia uns cinquenta... oitenta anos. E isso causou um *boom* de reagrupamento de índios dispersos, de reorganização de aldeias, em grandes festas."

Uma virada. O antecessor de Vincent tinha sido um coronel, sempre de revólver 38 na cintura, "um ditadorzinho". E chega aquela rapaziada, Vincent, Gilberto, Maria Elisa, pegando em matraca, na roça, plantando: uma revolução.

"Precisava enfrentar o alcoolismo. Falei que 'a repressão não vai resolver, nunca resolveu'. A estratégia era, por meio de discussões, recolocar nas mãos deles o controle. O conselho da aldeia teria de resolver. Nós dizíamos 'se quiser beber, você bebe, é problema seu, não sou seu pai, não sou seu patrão'. E aí, de repente você está lá no posto, entra um índio, bota um litro de cachaça na sua mesa, abre, 'e aí?, quer tomar uma?'"

O coronel de Goiânia usava a tática de ficar denunciando os jovens. A situação "foi fermentando", eles caíram fora "e voltou o espírito Funai". "Os índios falaram 'a gente não pode regredir', trataram de organizar uma comissão. E nessa época eu fui preso." Acontece que o coronel voltou a reter os salários. O grupo conseguiu uma verba com entidades holandesas e Vincent foi para lá, "clandestino, na boca do Araguaia, da guerrilha, para dar o dinheiro para eles poderem ir a Brasília denunciar o coronel". Vincent, fora da área, escrevia bilhetes e mandava portadores para as aldeias, combinando reunir todos na estação rodoviária. "Só que um bilhete chegou, o cacique não sabia ler, foi lá no chefe de posto: 'dá pra ler pra mim?'. O cara falou com o coronel, ele fez uma denúncia de subversão imediatamente."

Vincent virou "terrorista" — o truque mais comum das autoridades na época: todo oposicionista era terrorista. "A Polícia Federal *identificou* que eu teria saído da guerrilha. Fui preso na Transamazônica, no final de 1973, acho. Algemado de Goiás a Goiânia. Pegavam minha Pentax, 'tá vendo?, equipamento importado'. E eu tinha que prestar conta das despesas, 'tá vendo?, ele paga para alguém, quem é teu chefe?'. Fiquei três dias preso debaixo da escada, no lugar que guardam vassouras."

Liberado, enfim, kraôs o procuraram em São Paulo, "vocês não podem largar a gente, têm que voltar lá". Vincent e os seus fundaram o Centro de Trabalho Indigenista — CTI. Por intermédio de uma argentina exilada em São Paulo, chegaram ao reverendo James Wright, bispo protestante parceiro do cardeal Arns na luta de apoio aos presos políticos, para conseguir verba: "Era para fazer o que a gente chamou de indigenismo alternativo, a sociedade se organizando e fazendo o trabalho junto aos índios", explana Vincent, "o dinheiro era para patrocinar festa, porque isso é que recompõe a vida dos índios e as alianças. Tudo quanto é miséria vai gerando disputa por nada. E a festa é o grande instrumento que os índios têm de recompor a harmonia de uma comunidade."

E financiavam roças para combater a fome, trabalhos comunitários. O CTI apoiou outro "movimento revolucionário" no Acre, com os kaxinawás: "O Terri Aquino era um jovem antropólogo, começou a financiar cooperativas para quebrar o *aviamento* do dono do seringal, do barracão". Aviamento: sistema feudal mediante o qual o seringalista endividava os seringueiros, obrigados a comprar no "barracão", para os manter na semiescravidão. E os índios, dentro de seu próprio território, exploravam o seringal para o seringalista. "A grande revolução foi o índio descobrir que tinha direito à terra. Precisava levar essa mensagem: a Constituição brasileira lhes dá direitos."

No início da década de 1970, financiados com dinheiro obtido dos holandeses e dos alemães, os índios tiravam a borracha e não a vendiam para o patrão, "quebraram o patrão", desmontando o esquema de dominação. Foram para Brasília e começaram um processo de regularização fundiária, com ajuda do grupo de Vincent. Os caciques empossados pela Funai tinham a ideologia integracionista, "vamos virar branco, vamos produzir". "E a gente financiava os caciques mais legítimos, que tinham discurso de resistência cultural, 'nós somos índios e queremos permanecer índios'." Os caciques de oposição se confrontavam com os caciques sustentados pela Funai, "era uma guerra", lembra Vincent. "O Gilberto também foi preso, como traficante de cachaça e de mulheres. As acusações eram sempre desse nível."

Pipocaram comissões pró-índio, associações. O Cimi — Conselho Indigenista Missionário, fundado em 1972, passou a promover encontros. O movimento indígena crescia. Despontam os líderes Mário Juruna, Marcos Terena, Aílton Krenak. Surgiu a UNI — União Nacional dos Índios. O movimento passou a se organizar como movimento político.

Outro fenômeno marcante foi o dos "ressurgidos". Os índios nordestinos, principalmente, que teriam desaparecido, ressurgiram reivindicando seus territórios, seus direitos. "Isso é uma paranoia dos militares, porque todo dia ressurge um povo reivindicando uma reserva. Eles em geral se misturaram com quilombos. Então hoje tem reserva indígena com quilombo. Metade quer ser índio, metade, quilombola."

O aumento da população indígena precisa ser entendido junto com outro fenômeno, ressalva Vincent. Quando o IBGE — Instituto Brasileiro de Geografia e Estatística faz o censo, é a própria pessoa quem se autodeclara: sou índio, negro, branco etc. E a população indígena urbana, que antes procurava esconder sua identidade, sentiu "a mudança de ares": tem muito mais índio urbano se declarando índio. "Então passamos, em duas décadas, de 300 mil índios para quase 750 mil no último censo."

Tem suas vantagens, por exemplo usufruir do sistema de saúde. Certos militares chamam isso de oportunismo. Mas é uma estratégia de sobrevivência. Vincent passou a viver em Olinda, no Nordeste, região onde o traço indígena "é profundo". "A civilização da mandioca sobreviveu no Nordeste. A civilização da tapioca. Em muitos lugares você vê a cara dos índios."

Contudo, lamenta ele, lamentamos nós, ciclicamente há um surto de anti-indigenismo, como aconteceu a partir de 2008, quando voltou à baila a demarcação da reserva Raposa Serra do Sol, em Roraima. O general Augusto Heleno, chefe do Comando Militar da Amazônia, se insurgiu. "E a imprensa só dava voz para quem dizia que a política indigenista era o caos", reclama Vincent. "Eles disseram 'vai aí a Raposa, mas também será a última', e 'nenhuma reserva indígena poderá mais ser ampliada', e 'quem vai controlar a questão ambiental das reservas é o Ibama', e 'vamos substituir o conceito de segurança nacional por utilidade nacional'. Se o governo julgar de utilidade nacional passar uma estrada, passa; se for uma hidrelétrica, faz; se for uma mineradora, abre. A utilidade nacional é o novo conceito supremo que permite. Não sei como vai ficar, todas essas ressalvas são anticonstitucionais. E o Gilmar Mendes, com a frase que encerrou a sentença, dizendo 'existe entre uma aldeia e outra não sei quantos quilômetros para gente que só anda a pé'? Agora, o que ninguém falou é que a reserva realmente é grande, mas o Lavrado é uma região que o Brasil não conhece. Um semiárido. Campos de pedra e capim. Não se faz pecuária extensiva. E o único filé é onde estavam os arrozeiros. Tem escassez de água. Então estamos falando de não sei quantos mil hectares como se fosse de floresta amazônica. Em nenhum momento a imprensa esclareceu. Enfim, é uma desinformação."

Nunca vimos o "índio branco" Vincent Carelli ficar exaltado. Calmo, lembra que "agora eles saíram com essa de que índio em zona de fronteira é perigoso", causa assumida pelo então deputado federal Aldo Rebelo, do PCdoB. "Como nacionalista tacanho que ele é, veio com um projeto de que não deveria ser criada mais nenhuma reserva em fronteira, que toda reserva em fronteira tem de ter batalhões do exército. O gozado é que muitos índios lá do rio Negro, fronteira com a Colômbia, são do PCdoB! E a gente fala para eles 'o chefe do partido de vocês tá com uma lei meio estranha'..."

Os índios, na verdade, garantiram nossas fronteiras. Vincent recorda: "Os índios carregaram as mochilas do marechal Rondon, da Comissão de Limites, que demarcou as fronteiras. E os militares — imagino que estudam História do Brasil — hoje chamam os índios de potenciais traidores, porque é disso que se trata: 'os índios em região de fronteira podem estar conspirando com estrangeiros para tomar a Amazônia'. Isso cria paranoia. E chamar os índios de potenciais traidores é uma traição com os índios, que se consideram brasileiros com muito orgulho. É uma punhalada, é de uma ingratidão cruel."

Por incrível que pareça, na ditadura se conseguiu dar um salto com o general Ismarth, "um general esclarecido". Quando veio o fim oficial da ditadura, a democracia demorou a chegar aos índios. E "com a paranoia militar" queriam instaurar o estado policial para os índios: "Qualquer pessoa que entrar em área indígena necessita ter cadastro no Ministério da Justiça! O Lula não assinou o decreto, mas para o Gilmar Mendes 'estado policial para gente não, mas para os índios, tudo bem'".

Como montar organizações? Há 200 povos, muitos com populações pequenas. O que vigora são associações de cada povo. A Constituição de 1988 acabou com o Estatuto do Índio, pelo qual índio era considerado incapaz, "que nem paraplégico, criança, mulher grávida", a Funai "era o pai, o pai patrão". "Isso foi ruim. Ainda hoje a Funai tem essa imagem: 'assunto de índio é com a Funai'."

Os índios, diz Vincent, querem dialogar com todas as instâncias de poder, da burocracia, do Executivo. "Todo o mundo lava a mão: 'isso é com a Funai'." Quando Juruna começou a azucrinar com seu gravadorzinho, gravando deputados e burocratas com suas promessas, houve um superinvestimento para rizicultura mecanizada em reservas. Fracassou, mas isso calou os xavantes que estavam "sujando o nome do Brasil". Agora eles estão no negócio de PCH — Pequenas Centrais Hidrelétricas. Há uma inversão grande de recursos. Mas, fora essas estratégias geopolíticas, a Funai entrou em decadência, não tem mais verba. As organizações indígenas começaram a captar recursos, a ter apoio. Cresceu o movimento. Índios passaram a resolver os próprios problemas. O Ministério da Educação assumiu a questão da educação. O Ministério da Saúde, idem. O da Cultura também.

A Constituição de 1988 foi uma grande virada no sentido de quebrar a história do "pai patrão". O índio não é mais um inválido. É um cidadão brasileiro pleno. Se o pai patrão pertence ao governo, como fica a situação em que os interesses dos índios conflitam com interesses do governo? Então se instituiu que o Ministério Público é o novo árbitro. "Além disso, os índios têm direito a currículo próprio em suas escolas, ensinar sua própria língua. Em vez de História do Brasil, podem ensinar a história de seu povo. A Constituição sacramentou essas coisas todas. Só que o Congresso nunca votou o novo estatuto. Tá lá engavetado há anos."

E os índios ficaram divididos, "será que, se perder meu pai patrão, vou perder meu protetor?", metade foi cooptada pela Funai para lutar contra o novo estatuto. E os índios já organizados querendo mais autonomia, eles estão num limbo jurídico.

Em 1987, Vincent criou o projeto Vídeo nas Aldeias, que forma diretores de cinema indígenas. Em 2009, seu documentário *Corumbiara* venceu o Festival de Cinema de Gramado e, no fim do ano, em cerimônia a que compareceu o presidente Luiz Inácio Lula da Silva, o Vídeo nas Aldeias recebeu a Ordem do Mérito Cultural.

A entrevista com Vincent, feita pelo coautor Palmério Dória em fins de 2009, recebeu o comentário atualizado de nosso amigo em fevereiro de 2014: "Sobretudo a questão do Ministério da Cultura, um desastre no governo Dilma, que desmantelou toda a política revolucionária que o Gilberto Gil tinha implantado, de valorização da diversidade brasileira, e dando voz aos excluídos. Houve uma ofensiva violenta contra os direitos indígenas em 2012 e 2013, e é gravíssima a questão da PEC 215". Esta Proposta de Emenda à Constituição provocou revolta entre índios, quilombolas, ativistas em defesa do meio ambiente e dos direitos humanos. Pretende transferir do Executivo para o Legislativo a aprovação da demarcação de terras indígenas, quilombos e áreas de proteção ambiental, "aperfeiçoando" o cerco aos índios e quilombolas.

A Comissão Especial da PEC 215 foi instalada no fim de 2013, e, por capricho, em 10 de dezembro, Dia Internacional dos Direitos Humanos. Quem a instalou foram deputados ruralistas — sob gritos de "assassinos! assassinos!".

Assassinos: a Comissão Nacional da Verdade nos da conta de que quase 9 mil índios morreram em consequência direta de violências da ditadura.

Capítulo 25

# "Sabe o que mais me preocupa? Aquilo que não é publicado"

Ele nos recebe na tarde calorenta de 5 de novembro de 2013, na sede de sua entidade, no começo da avenida Borges de Medeiros, centro de Porto Alegre. Formado em História pela Universidade Federal do Rio Grande do Sul, Jair Krischke e seu Movimento de Justiça e Direitos Humanos atuou na denúncia de violações aos direitos humanos no Cone Sul durante os anos de chumbo e sangue. Salvou da morte cerca de 2 mil perseguidos dos regimes militares.

Em dezembro de 2011, recebeu a Comenda de Direitos Humanos Dom Hélder Câmara, do Senado Federal, honraria que divide com Tomás Balduíno, bispo de Goiás e fundador da Pastoral da Terra, e Pedro Casaldáliga, bispo de São Félix do Araguaia, entre outras personalidades. Conversando com Mylton Severiano, Krischke se recusa a chamar de "transição" o período em que se instala a "nova República".

**A ditadura acabou mesmo?**

*(Rindo)* Coloco assim: a academia brasileira está em dívida com seu povo. Porque tem cérebros e estrutura para fazer a pesquisa profunda

sobre aquilo que chamam transição, e eu chamo transação, e provo. Quer falar sobre isso?

**Perfeitamente.**
Em 1961, a renúncia de Jânio, Jango vice-presidente deveria assumir, os militares não queriam. Jango veio vindo, parou em Montevidéu, aqui houve uma manifestação fantástica pela legalidade.

**Quantos anos você tinha?**
Tinha vinte e dois. Estava no Palácio Piratini, vai uma comitiva negociar com o Jango, com sucesso. Jango assumiria, mas se mudaria o regime para parlamentarista. Quem seria o primeiro-ministro? Tancredo Neves. Que foi nessa comitiva! Há duas figuras nessa comitiva que não se fala: Tancredo e o coronel Ernesto Geisel.

**Oh!**
Foram negociar. O Jango baixa aqui, vai pro Palácio Piratini, o Brizola uma fera: "Pô! A gente fez um esforço aqui e tu negociou com os caras?". E o povo ali na praça. O Brizola diz: "Agora tu vai lá na sacada e conta pro povo". Ele foi, não falou sobre o assunto. O Jango assumiu, trabalhou, e trabalhou bem, recuperou o presidencialismo. Maravilhoso. Golpe: vinte e um anos de ditadura. Neste país a maior movimentação de massa, nunca mais repetida, chamada Diretas Já. A ditadura resistiu. E impingiu o colégio eleitoral. Que elegeu quem?

**Tancredo Neves!**
Está vendo? É transação! Interminável. Nesse jeitinho brasileiro, das coisas não ditas, das coisas não claras. Houve lá o colégio eleitoral, morre o Tancredo e, se fôssemos observar a Constituição, tinha-se de fazer nova eleição. Porque ele não assumiu!

**Mas um general bateu o pé, de novo: o Pires.**
O Pires. A transação continua. Assume Sarney!

**Filhote da ditadura, como dizia o Brizola.**
Um filho dileto da ditadura. E tem a história nunca esclarecida, o Figueiredo não lhe passou a faixa...

**... saiu pela porta dos fundos.**

Segundo dizem, falou "para esse canalha eu não vou passar a faixa, porque nos traiu, ele era nosso até ontem!". É a história não contada deste país. Bem, aí "agora é democracia". Precedida por uma anistia incrível, não permitiu emenda alguma, num parlamento onde um terço do Senado era *biônico*, que ninguém havia votado neles, mesmo assim a lei é aprovada por seis votos. Apenas seis! E eu seguido vejo na imprensa, e ouço, "a anistia foi um acordo da sociedade brasileira". Acordo por seis votos? Num parlamento castrado? A farsa vai andando. Este caso...

**Pasme: até o Chico Buarque entrou nessa.**

Nós não temos ainda convicções democráticas, sabe? Sempre se diz "não tem mulher mais ou menos grávida, ou está ou não está". Então: ou tem democracia ou não! Não tem "mais ou menos democracia". Olhando uma série de episódios desses, acho que no Brasil ainda carecemos de democracia.

**Não chegou ainda?**

Não chegou, por causa destas ações. E, é interessante, estava em Brasília, na Câmara dos Deputados, numa cerimônia, aniversário da anistia, e ao lado o doutor Cesar Brito, então presidente da OAB — Ordem dos Advogados do Brasil. Que me tomou o braço e confidenciou: "Amanhã estamos ingressando no Supremo com a ação declaratória de constitucionalidade sobre o tema da anistia".

**Ação declaratória de constitucionalidade?**

Poucos países têm. O Supremo se pronuncia sobre a constitucionalidade de uma lei, uma decisão. Eu disse: não faça isso, presidente. Ele arregalou os olhos, "por quê?", "olhando a composição do Supremo, já vou lhe dar o resultado agora, vamos perder, e perdendo, vamos falar com quem?, certamente com o núncio apostólico, porque aí é coisa para o céu, não é mais para os mortais, não?". E não deu outra.

**Eles entraram.**

E perdemos. Não precisa bola de cristal, tu olhas e já sabe o que vai acontecer. E isto segue. A Corte Interamericana de Direitos Humanos condena o Brasil. Pela questão do Araguaia. A lei de anistia brasileira não vale um centavo furado no concerto internacional. A jurisprudência internacional vem desde o Tribunal de Nurenberg, no final da segunda grande guerra. E vem se consolidando. Mas no Brasil não vale.

**O golpe de 1964 veio a quê? Para mim, veio para atrasar a vida do país.**
É a consequência. Agora, tem outra questão. Pouco estudada. Os militares entraram num pensamento militar que tem a ver com o econômico. Pode-se dizer que há um viés ideológico. Mas veja só. O que se fala? No seio dos militares golpistas havia dois grupos. Um hegemônico, o Brasil Potência; e o outro, o Brasil Possível. O grupo que empalmou o poder dizia "temos de fazer do Brasil uma potência!", e começaram a trabalhar, o golpe tem a ver com isso também. Examinando documentos, e contra documento não há argumento, tu percebes que o Brasil desempenhou, na região, o papel de subimpério. E em certos momentos foi o próprio império.

**Mas o secretário de Estado Kissinger disse que os Estados Unidos não tolerariam um novo Japão abaixo do equador, e outro americano disse que "para onde pender o Brasil, penderá a América Latina". O Brasil ficou com as costas quentes aqui.**
E cumpriu o seu papel. Ser potência, e potência econômica também. E essa matriz de pensamento origina o golpe, "nós vamos tirar esses comunistas daí e colocar aqui um pensamento capitalista moderno, e fazer deste país uma potência. Com inserção em toda a região. E isso tu vê perfeitamente. Nas últimas eleições no Uruguai antes do golpe lá, o Brasil influiu. E depois do golpe decisivamente, 1973. No Chile, vergonhosamente, e por quê? A ditadura brasileira não podia admitir ali do lado um espaço socialista. Até não era bom para os negócios. Não é só ideológico. E havia a doutrina da "segurança nacional".

**E do inimigo interno.**
Aí, um detalhe importante. A doutrina da "segurança nacional" tem pai e mãe. É incrível. Os norte-americanos elaboraram este pensamento a partir do final da segunda grande guerra. Porque tem muito componente nazista. Sim! As pessoas se espantam. O nazismo é filho do pangermanismo, e o pangermanismo é filho de quem? Da geopolítica.

Os generais da região sempre tinham a ver com quem? Com os professores de geopolítica.

**O Golbery.**
E o Pinochet? Professor de geopolítica na Escola Militar do Chile. O Videla. E tem a questão do "espaço vital". O Brasil precisava expandir-se economicamente e precisava desses espaços. Chile, Argentina, Uruguai, precisava vender para eles. E ali não pode ter comunista, vai criar problema. Então, fomos o império. Mais que os norte-americanos. Este pensamento militar está embutido no golpe. Que é geopolítico, estratégico, econômico. E ideológico. Mas é muito econômico. E, dentro desta ânsia do Brasil potência, o país endividou-se barbaramente. E produziu desperdícios fantásticos.

**Tipo?**
Transamazônica! E quantas obras jogadas por este Brasil. Até hoje.

**Mas a geopolítica era barrar o avanço do comunismo. Esse era o mote.**
É, mas isto aí é defesa. E o ataque?

**Que ataque?**
Expandir o capitalismo. Não é só segurar a expansão do socialismo. É elevar os nossos negócios.

**Interessante. Mas como alijaram o povo da história? Eles não pensavam em mercado interno?**
Olha, pensavam sim.

**Eles aprofundaram a miséria.**
Eu te digo: mas criaram uma nova classe média. Houve uma classe média que passou a consumir. Eles conseguiram assim: eu faço os pobres mais pobres e melhoro a vida da classe média. Eles criaram isso, não tenha dúvida. Aí o crédito foi facilitado. Grandes empresas de crédito ao consumidor foram criadas.

**Sim, BNH — Banco Nacional de Habitação etc.**
Então tu comprava também televisor, automóvel.

**E a classe média aderiu ao "Brasil, ame-o ou deixe-o".**

Sim. Ela subiu, à custa do empobrecimento dos pobres, pois eles transferiram a renda. Criaram novos empregos, mais bem remunerados. Não foi socializado, foi elitizado. A elite tem gradações. De repente, por exemplo, quem vai à universidade é uma elite. Se expandiu a matrícula nas universidades. Porque precisava de gente qualificada. Eles cuidaram dessas coisas. Mas não cuidaram com critério social, era econômico: precisa ter gente para produzir. E gente para administrar. Vamos formar essa gente. Mais do que isso, não!

**E um exército de mão de obra desqualificada e baratinha.**

Que sempre foi uma coisa terrível. Porque estavam na periferia. Subjugados. E que eram usados e descartados.

**Claro.**

Na medida dos interesses do dia, não? Hoje precisa de mão de obra, venham. Amanhã não precisa mais? Manda embora. Este foi um quadro terrível.

**E o que nos resta? Essas desgraças?**

É difícil mudar hábitos e costumes. Às vezes leva uma geração. Nós víamos que, na tal democracia do Sarney — democracia com aspas, e bem graúdas, não? —, ele manteve o mesmo esquema. Só com o apelido de democracia. "Olha, isso aqui é democracia, gurizada!" As coisas andaram mal, tão mal que possibilitaram um grave engano: o Collor foi eleito, nunca vou descartar isso. O Collor não foi um ditador: ele foi eleito pelo voto. Porque as coisas estavam mal. Se a democracia não acenava com nada concreto, então Collor vai ser a solução. Porque ia "moralizar", "caçar os marajás"...

**Capa da *Veja*: "O Caçador de Marajás". Ele foi meio fabricado, não?**

Mas a publicidade não serve só para vender creme dental, não? Vende presidente, vende o que tu quiseres.

**Como dizia meu pai, com propaganda se vende até Coca-Cola.**

E é verdade. E este país vem aos solavancos e, se tu olhares bem, não conseguimos superar coisas fundamentais para democracia. Pergunto: como é que nós vamos informar este povo? Isso é uma obrigação do país democrático. Quando falo que precisa uma geração para mudar... por exemplo: a Rede Globo impingiu ao povo a cultura do visual. Pouco se lê. Impingiu-se isso, e vamos mudar como? E outra: esses conglomerados de imprensa.

**A midiazona: herança de fato maldita.**

Maldita, sim. Porque se criou em função da ditadura, "ah, mas antes não tinha", tinha sim: Chateaubriand e sua *tchurma*. Era execrável, mas isso prosperou. Com a ditadura prospera. Nós copiamos tanta coisa dos norte-americanos. Veja a legislação norte-americana sobre meios.

**Lá não pode uma empresa ter televisão, jornal e rádio ao mesmo tempo, e isso no país inteiro.**

E aqui não se fala nisso! Uma bela sugestão: quem sabe olhar para a lei norte-americana, e até aprimoramos, que tudo se pode aprimorar. Porque é fundamental para democracia isto: espaço para gente discutir. Nós não estamos conversando aqui? Eu e tu? Quem sabe 50 mil, 100 mil pessoas vão escutar.

**Para desinformar, manter a massa ignara.**

Aqui o que é que temos? (Pega o *Zero Hora* de sobre a mesa) Isso não é um jornal, é entretenimento. E de má qualidade. É muito grave. Claro, é importante haver eleições, de tempos em tempos eleger representantes, e tal, mas para votar eu preciso ter informação. Pergunto: o eleitor brasileiro tem informação suficiente para votar? Não tem! E é um parlamento que a cada legislatura consegue piorar! Isto é infernal! E a câmara de vereadores? Qualquer cidade brasileira é assim. Cada legislatura consegue este milagre de piorar o impiorável!

**É miraculoso mesmo.**

Tudo são questões que têm a ver com a democracia. Chegamos a este ponto: tu não podes discutir a lei de anistia porque os militares ficam muito bravos.

**Nem mudar as regras da imprensa, os empresários e seus porta-vozes dizem que estão querendo calar a "imprensa livre".**

Mas a discussão é outra: que realmente a imprensa sirva para informar. Estavam aqui estudantes de jornalismo, disse a eles "sabe o que mais me preocupa?, é o que não é publicado". O Brasil precisa sair desse impasse, para uma plenitude democrática. Vamos acertar, e vamos errar, mas em plenitude democrática. Não com um Congresso desse, eu não vejo nem um estadista.

**Mas a falta de quadros também é herança, não? Numa entrevista, o José Genoino nos diz para procurar entre as centenas de presos em Ibiúna num Congresso da UNE, e ver quantos eles eliminaram, desapareceram, ou deram tamanho susto que os jovens desistiram de fazer política. Aí não estará uma das razões para o baixo nível dos nossos políticos?**

Muito interessante essa dica. Mas foi mais amplo. Uma das mazelas que a ditadura deixou é essa, e foi no Paraguai, no Uruguai, na Argentina, no Chile: matou uma ou mesmo duas gerações.

**Ou neutralizou, assustou, deixou doido — o Geraldo Vandré enlouqueceu. Não temos quadros.**

Isso é uma tragédia.

**E na oposição?**

A mesma coisa! Uma vergonha. Trouxeram para um patamar tão baixo que até para discutir é difícil. Isso é produto da ditadura. Com todo carinho e respeito à Marina, mas tu já pensaste se ela porventura ganhasse a eleição?

**Você está falando o que o Zé Simão, da *Folha*, falou: "O problema da candidatura da Marina é: e se ela ganhar?". E as manifestações de rua?**

Foram desvirtuadas, lamentavelmente. Mas a mim assombrou quando começaram com aquele negócio de que não pode ter partido político. Quem não gosta de partido político é ditadura, não? A solução? É melhorar os partidos! Tem que haver uma preparação, uma depuração.

De quadros. Mas não me venham com esse papo de passeata: política sem partidos políticos, parem com isso! Acabou esvaziando essa coisa bonita que conseguiu colocar na mesa discussões importantes. Vem agora esse *black-bloc*, é a antipolítica.

**Claro, a pedra e pau.**

Uma loucura, ocupou espaços. E para fazer o quê? Ou está a serviço da direita, ou é uma loucura insanável. Nem o doutor Freud resolve essa. É um cenário complicado. A transação não termina nunca.

Capítulo 26

# ETs de verde-oliva abduzem um Vandré e devolvem um Pedrosa

Em meados de 1975, o pessoal do *ex-*, tabloide paulistano *devezemquandário* com sede no Bixiga, na rua Santo Antônio, 1043, acostumou-se a chegar ao trabalho de manhã e encontrar um circunspecto cidadão batendo algo à máquina. O homem, quarentão de olhar penetrante, tinha se instalado no segundo dos três ambientes — no primeiro, ficava o Armindo Machado, administrador, um português "galego" de olhos azuis, que não deixava faltar fichas para os orelhões, pois a redação não tinha telefone, e namorava a atriz Vanja Orico, bela aos quarenta e quatro anos, famosa pela atuação em *O cangaceiro*, de Lima Barreto, Palma de Ouro em Cannes em 1953 como Melhor Filme de Aventura; no segundo ambiente, o escolhido pelo cidadão circunspecto, trabalhavam os repórteres; e na sala dos fundos, os editores. O cidadão nunca nos mostrou o que escrevia. Dizia-nos: "Eu ocupei a redação".

O cidadão que "ocupou" o *ex-* se chamava Geraldo Pedrosa, mas o Brasil inteiro o conhecia como Geraldo Vandré. Nós, os autores deste livro, trabalhávamos naquela redação e "descobrimos" Vandré ao visitar uma amiga que o havia namorado antes de ele escapar para o exílio, a jornalista Ana Maria Cavalcanti. Combinamos que o *ex-* faria uma reportagem, a cargo de Mylton Severiano e do fotógrafo Domingos Cop Junior. Então nosso personagem passou a frequentar a redação, sob o pretexto inicial de nos ajudar na distribuição do jornal.

A reportagem, publicada no número doze no meio de 1975, mostrava o que depois se saberia: não havia mais o cantor e compositor Geraldo Vandré, ele voltava a ser o advogado Geraldo Pedrosa (o nome artístico havia sido escolhido em homenagem ao pai, José Vandregísilo de Araújo Dias). Na nossa reportagem, o momento mais triste se deu quando ele, como que pedindo desculpas por ter sido agressivo em certo momento, saiu da redação, voltou com alguns mantimentos, os pôs sobre a mesa e saiu acenando a cada um de nós, deixando sob o pacote uma folha com duas figuras humanas que havia desenhado. Uma figura de adulto trazia em lugar da cabeça um bloco em forma de trapézio; a outra figura, um boneco de traços infantis, dizia: *Não se preocupem, são apenas cinco quilos de ferro no lugar do pensamento.*

"Dá dó", comentou Vanira, uma paranaense que trabalhava na arte, "não podemos fazer reportagem com um cara nessas condições."

Três décadas depois, a primeira mulher dele, Nilce Tranjan, dando-nos entrevista para o livro *A ditadura militar no Brasil*, da Caros Amigos Editora, sentenciaria: "A ditadura matou Geraldo Vandré".

Mas por quê? Os militares jamais perdoaram "Para não dizer que não falei de flores", também conhecida como "Caminhando", hino da mocidade brasileira nos anos que se seguiram ao maio de 1968, das revoltas estudantis que sacudiram o mundo. Principalmente estes versos:

*Vem, vamos embora, que esperar não é saber*
*Quem sabe faz a hora, não espera acontecer*

*Há soldados armados, amados ou não*
*Quase todos perdidos de armas na mão*
*Nos quartéis lhes ensinam antiga lição*
*De morrer pela Pátria e viver sem razão*

A música tornou-se finalista do III FIC — Festival Internacional da Canção — no dia 28 de setembro de 1968, transmitido ao vivo pela TV Globo. Agentes do serviço secreto pressionaram os organizadores: "'Caminhando' não pode levar o primeiro prêmio". O "hino" composto por Vandré marcava o fim de uma época — dois meses depois, o Ato Institucional número 5, AI-5, mataria todas as ilusões de um arrefecimento na repressão, nas torturas, o clima tornar-se-ia sufocante. O presidente do júri naquela noite, Donatelo Grieco, transmite aos jurados o recado: os militares, em fúria, "não aceitariam a vitória de músicas que fizessem propaganda da guerrilha".

Ao dar o primeiro lugar para "Sabiá", de Tom Jobim e Chico Buarque, o júri levaria as mais de 30 mil pessoas que lotam o Maracanãzinho a irromper na maior vaia de que temos notícia, vinte e três minutos. Os cariocas tinham uma razão extra para tanto: havia poucos dias, soldados reprimiram um ato de estudantes com requintes de humilhação, urinaram sobre os meninos e bolinaram as meninas.

No palco, Vandré tentava acalmar, "a vida não se resume a festivais", pediu que respeitassem Chico e Tom Jobim, alegando que o resultado não partiu deles, partiu dos jurados. O público passou a exigir bis e Vandré atendeu. Na Zona Sul do Rio, pessoas saíram às janelas cantando "Caminhando" a plenos pulmões em coro com a multidão do Maracanãzinho. É a nossa "Marselhesa", definiria o jornalista e humorista Millôr Fernandes.

Dizia Monteiro Lobato que jamais uma bala matou uma ideia. Contudo é possível às ditaduras promover assassinatos culturais, sem disparar um só tiro. Por que Vandré voltou ao Brasil antes de acabar a ditadura? Porque, após quase cinco anos de exílio, ele passou a sofrer de banzo. Banzo mata, não matou Josué de Castro? Pai e mãe de Vandré conheceram um general, Taurino Rezende, e receberam dele garantia de que nada aconteceria se Geraldo voltasse. Nada mesmo?

A reportagem do *ex-* narra que encontrou esta notícia nos arquivos de O *Estado de S. Paulo*:

*VANDRÉ ESTÁ DE VOLTA — O cantor e compositor Geraldo Vandré acaba de regressar ao Brasil e está hospedado na casa de um amigo, no Rio, depois de passar pelas autoridades policiais.*

A nota informa que Vandré viveu na França, Itália, Alemanha, Peru e Chile, "onde estava residindo". Mas a notícia, datada de 19 de julho de 1973, traz uma anotação feita à mão:
*Notícia censurada. Não foi publicada.*

Um mês e três dias depois, 22 de agosto, depois da volta de Vandré ser noticiada pela televisão, a notícia enfim foi publicada:

*GERALDO VANDRÉ VOLTA AO BRASIL, CHEIO DE NOVAS IDEIAS E CANÇÕES (SEM POLÍTICA) — A câmera para na escada de um Electra da Varig, e um rosto barbado, com expressão cansada, enche a tela. Um locutor anuncia:*
*— O cantor e compositor Geraldo Vandré acaba de voltar ao Brasil.*
*O compositor desce a escada e caminha, lentamente, pela pista do aeroporto de Brasília.*

A notícia conta como a Rede Globo anunciou a "chegada de Vandré ao Brasil", no aeroporto de Brasília, um mês depois de sua chegada ao Rio de Janeiro... o que aconteceu neste intervalo?

"Vandré foi destruído", nos disse a primeira mulher, Nilce Tranjan. "Não saberia explicar o que aconteceu com a cabeça dele, nem quero tentar", nos contou a ex-namorada, Ana Maria Cavalcanti.

Na nossa reportagem do *ex-* não mencionamos a informação que alguém nos passou na época, primeiro, porque seria impossível confirmar, segundo, que nossas cabeças com certeza rolariam. Os militares teriam submetido Vandré a pressões psíquicas terríveis, inclusive com aplicação do "soro da verdade", pentotal — considerada uma forma de tortura pelo direito internacional. Assim, ele se retratou no *Jornal Nacional*, disse que havia sido "usado" e agora só queria fazer "canções de amor e paz". A última notícia sobre Vandré, encontrada na internet em janeiro de 2014, dava conta de homenagens a ele prestadas na Paraíba natal, em fins de 2013.

Capítulo 27

# A miséria reina na Universidade: publicam-se teses para jogar fora

O professor e historiador Joel Rufino dos Santos estava no Rio, reunido com companheiros do Iseb — Instituto Superior de Estudos Brasileiros —, com quem também vinha publicando livros da coleção História Nova. Diante das notícias que chegavam naquele primeiro de abril, resolveram debandar. Recém-casado, Joel foi buscar a mulher, Teresa, para passar a noite em casa de amigos — seria preso se ficasse em sua casa. "De passagem assisti à queima da sede da UNE, no Flamengo. Um amigo me disse 'o que é que você está fazendo aqui?, vai embora, se alguém te reconhecer você vai queimar também'. E Teresa estava esperando nosso filho Nelson."

Logo atacaram a sede do Iseb, "a biblioteca foi a que mais sofreu, era nossa maior preciosidade, arrombaram, arrebentaram salas, mesas, cadeiras, eu soube depois", conta-nos Joel, em dezembro de 2013. Quem lhe narrou tudo foi o rapaz que servia café. "Eram civis, da turma do Lacerda, não?" Noutros pontos do país, atacaram livrarias que vendiam livros "comunistas", queimados nas ruas. E, observa o poeta alemão Heinrich Heine (1797-1856), "onde se queima livros acaba-se por queimar gente".

Joel era professor de História Social no Iseb, assistente do titular, Nelson Werneck Sodré. A polícia apreendeu a primeira edição de a *História Nova*, o sexto volume nem saiu da gráfica. "O grupo se dispersou", lembra Joel, "e o espírito dessa história nova ficou vagando por aí. O espírito reformista, crítico. Eu editei, em 1980 e poucos, pela FTD, uma *História geral e do Brasil* para estudantes. Fui o guardião desse espírito."

Carioca de Cascadura, expulso da Universidade Federal do Rio de Janeiro — UFRJ —, Joel viveu um ano no exílio, entre Bolívia e Chile, ganhou título de Notório Saber e Alta Qualificação em História pela UFRJ, cumpriu entre 1972 e 1974 pena de dois anos de cadeia, enquadrado na Lei de Segurança Nacional. Ele concorda com a historiadora Maria Aparecida de Aquino, por nós entrevistada em São Paulo, quando ela diz que a universidade se burocratizou muito. "A maior parte do trabalho do professor hoje é acompanhar aluno, fazer relatórios, publicar artigos às vezes sem nenhum valor. Foi uma das razões para eu me aposentar. E de vez em quando encontro alguém que diz 'eu me aposentei porque não aguentava mais passar o tempo fazendo papel, escrevendo'. O trabalho deixou de ser intelectual e passou a ser burocrático", lamenta Joel.

Outro problema "é a departamentalização dos cursos superiores", o que remete ao que aconteceu nas redações. A do *Jornal do Brasil*, na década de 1970, virou um corredorzão com portas de ambos os lados, em cada uma a "etiqueta" Política, Economia, Esporte, Geral, Internacional etc., você abria uma, era igual à outra, relógio na parede ao fundo, mesas na lateral, o chefe no centro. E nenhuma editoria sabia o que se passava na outra — era o antijornalismo se implantando.

"Isto aconteceu na universidade também", completa Joel, lembrando que, para falar de um autor de outra área, tem de pedir licença. "Eu ensinava Literatura Brasileira. Então, para botar Camões no meu currículo, tinha de pedir ao Departamento de Língua Portuguesa." E se o outro departamento dissesse "não pode"? Responde Joel: "Não aconteceu muitas vezes, mas só o fato de ter que pedir autorização é humilhante. Eu, como professor de Literatura Brasileira, não posso falar de Camões! De Montesquieu! De Dostoievski! Não posso botar no currículo, na ementa. Isso é triste na universidade, sabe? É consequência desse clima de disputa, predatória, que se instalou com a departamentalização. É causa e consequência da miséria da universidade hoje".

A competição é geral, diz Joel, porque a Cades — Campanha de Aperfeiçoamento e Difusão do Ensino Secundário — pontua os que têm maior posição, os que fazem mais relatórios, os que acompanham mais alunos. "Isso significa mais salário no fim do mês. Este é o problema."

Será que isso teria sido evitado caso o Brasil seguisse no rumo em que vinha, da ascensão das massas, das reformas, do florescimento cultural? Joel acha possível, pois a universidade teria menos organização do pensamento e, portanto, mais qualidade: "Se você organiza muito, departamentaliza muito, institui índices de produtividade, que têm a ver com aumento de salário, o pensamento vai diminuir. A universidade não produz mais pensamento".

Lembramos que a intervenção veio dos militares, mas civis também entraram na "ordem unida", metáfora com a qual Joel concorda, pontuando que aqueles que discordaram — e foram postos para correr — "não precisavam da universidade para pensar, tinham a ousadia de pensar fora da cartilha da universidade", fato que, segundo ele, ajuda a explicar a mediocrização: "Hoje o sujeito só emite um pensamento quando o faz a partir de uma faculdade, um departamento, de uma pesquisa que ele fez ali na sua baia. É mais aquele intelectual genérico, vamos dizer". Nos anos de 1960, esses intelectuais escreviam livros, "agora publicam teses, para jogar fora".

Sendo negro, ou crioulo, como ele gosta de se intitular "racialmente", o que achará o professor Joel do sistema de cotas para negros e índios? "Eu acho positivo socialmente. Vai melhorar a sociedade brasileira. Já está melhorando. Agora, é uma lei. É imperfeito. Como aqueles remédios que criam efeitos colaterais. Aqui e ali se comete uma injustiça. Mas, no geral, foi um avanço porque o Brasil se tornou mais democrático. O fato de haver negros em muitos lugares, com o estado facilitando esse ingresso, é positivo."

Ele lembra o Itamaraty, onde o primeiro negro a entrar foi Jânio Quadros quem nomeou: o embaixador em Gana, Raymundo Souza Dantas. "O sistema de cotas que eles adotaram no Itamaraty mudou a cara da diplomacia brasileira. Ali não tinha um preto, hoje tem vários. O Itamaraty usou um dispositivo: dá bolsas para negros que queiram concorrer ao Instituto Rio Branco. Há pouco tempo era de mil reais por mês. Pro cara se preparar. Eles se preparavam e chegavam ao vestibular em condições de igualdade com os colegas. Deu resultado. Você sai por aí, você vê diplomatas cotistas."

E há pouco se noticiou que o governo Dilma resolveu abrir cotas para o funcionalismo público em geral. Nas repartições, Banco do Brasil, Caixa, INSS, não se vê um negro. É aquela história das novelas na televisão, só tem negro se for servindo cafezinho. "Os brancos não gostavam de negro como caixa porque *negro rouba*", diz Joel, provocando gargalhadas nossas.

Contamos a Joel o que vimos num posto onde costumamos abastecer o tanque do automóvel. Há tempos lá trabalha um funcionário branco, e apareceu um frentista mais novo, um crioulinho de seus vinte anos, simpático, vivo, bem-humorado. E o brancão começou a zombar dele na nossa frente, *bullying,* como se diz, usando sua prerrogativa de mais antigo e de mais forte, fazendo de conta que está brincando e buscando nossa cumplicidade com olhadelas safadas, "você não é bonito não, seu problema é o buraco do nariz, você ficaria bonito sabe como?, com esses buraquinhos do nariz tampados com algodão". O crioulinho é obrigado a dar uma risadinha, deixar para lá, e o brancão alvar se achando o máximo do humorista. O rapaz tem de deixar para lá porque pode perder o emprego, é um negócio pesado, arraigado, não? "Isso hoje pode dar processo, mas persiste", limita-se a comentar Joel.

Em todo caso, o Brasil de modo geral vai bem? — perguntamos a ele. "Olha, de manhã eu acho que vai bem, sabe?", responde Joel, provocando risos.

Ele mora num dos endereços mais caros do Brasil, avenida Vieira Souto. No apartamento de primeiro andar, o janelão que se estende por uns dez metros da largura da sala dá para o mar de Ipanema. Acordar de manhã e contemplar a invejável paisagem só pode dar a sensação de que vai tudo bem. Aí lê os jornais, vê televisão, "vai chegando a tardinha, vou ficando pessimista", brinca ele. Mas logo assevera: "Eu não sei, mas tem indicadores dizendo que o Brasil melhorou".

Ele lembra que há mais acesso à Justiça, mais consciência dos direitos e que, apesar da piora no ensino público, quase não há criança fora da escola. "No meu caso, setenta e dois anos, tenho idade bastante para ver que está melhor do que quando eu tinha quinze."

Joel tinha quinze anos em 1956. Éramos 60 milhões e havia mais de 12 milhões de brasileiros adultos analfabetos.

Capítulo 28

# Livros e educadores perseguidos: golpistas têm ódio à inteligência

Em Porto Alegre, os golpistas de primeira hora organizam uma exposição para exibir as provas da subversão em marcha. Há no meio do material apreendido um livro bem antigo, com uma legenda ao lado: *Livro subversivo em chinês*. É uma *Bíblia* escrita em hebraico.

A ditadura que veio para implantar o regime do ignorantismo (não inventamos isso, está no dicionário) só podia mesmo considerar todo universitário "subversivo" e todo aquele que lidava com cultura como "inimigo interno". Com especial furor os militares investem contra as universidades, suas polícias prendem professores e estudantes, arrebentam laboratórios, saqueiam bibliotecas. No Recife, policiais levam livros para a rua e os surram dizendo: "Aí dentro é que se esconde a safadeza deles". Agridem especialmente a Universidade de Brasília — UnB —, invadida cinco vezes entre a semana do golpe e 1977. O interventor Laerte Ramos de Carvalho declara que ali está "para servir ao governo". Pedem demissão 239 professores, quase 80% do corpo docente.

Em 1977, diante da resistência dos estudantes e professores, a ditadura decreta o "basta de intermediários" e nomeia reitor um deles, um militar, o capitão de mar e guerra José Carlos de Almeida Azevedo, que no mesmo ano promove as três últimas invasões da UnB, com policiais militares prendendo e arrebentando.

Burrice e truculência imperam desde a primeira invasão, em 9 de abril de 1964, quando eles ali chegam em catorze ônibus, apreendem livros, interditam bibliotecas. Como provas da "subversão comunista", os militares confiscam a revista de arquitetura *Comunitas*; o romance *O vermelho e o negro*, do francês Stendhal (1783-1842); e uma bandeira, branca com uma bola vermelha no centro, apresentada à imprensa como bandeira da China, maior prova de comunização da UnB — é a bandeira do Japão, em homenagem a crianças japonesas que ali expõem gravuras.

Para completar, os golpistas afastam um dos fundadores da UnB, o educador Anísio Teixeira, seu reitor desde o ano anterior. O jurista, educador e escritor baiano, nascido em Caetité em 1900, desde a década de 1920 vinha se destacando na luta por reformas educacionais. No governo de Juscelino Kubitschek, em 1957, à frente do Instituto Nacional de Estudos Pedagógicos, passa a implantar Centros Regionais de Pesquisas Educacionais — os primeiros no Recife, em Salvador, São Paulo e Rio. Anísio punha, assim, a inteligência brasileira a buscar soluções para o atraso secular da nossa educação.

Agora, afastado da UnB, com direitos políticos cassados, leciona em universidades americanas por dois anos, volta em 1966, torna-se consultor da Fundação Getúlio Vargas e trabalha na Editora Civilização Brasileira, no Rio. No dia 11 de março de 1971, a mando do brigadeiro Burnier, é preso e levado para a aeronáutica. Será encontrado morto dois dias depois no poço de um elevador. Não havia osso sem fratura no corpo de Anísio. Menos de dois meses antes, oficiais da aeronáutica sob comando de Burnier haviam espancado o deputado Rubens Paiva com tal fúria que, segundo uma testemunha presa com ele, seu corpo virou uma "pasta de sangue". O mesmo carrasco, o mesmo método de assassinato, o mesmo motivo: ódio à inteligência.

A universidade brasileira ainda não se havia recuperado de todo, cinquenta anos depois, da passagem daquela horda de bárbaros modernos. Numa tarde nublada de outubro de 2013, fomos em busca de um ponto de vista de dentro, o da historiadora Maria Aparecida de Aquino, coordenadora de cursos de pós-graduação na Universidade de São Paulo. Ela nos recebe contando reveladora história.

Capítulo 29

# Assim vamos, do conservadorismo ao agringalhamento da educação

A professora e historiadora Maria Aparecida de Aquino havia sido recentemente convidada para um programa de debate na TV Cultura de São Paulo. Agradou, e a produção a chamou para as três sextas-feiras seguintes, uma produtora ligaria na quinta para acertar. Não ligaram, ela ligou. Ouviu que estavam remodelando o programa e, na outra sexta, ela participaria. Não ligaram, ela ligou. Com novas desculpas, a produtora informou que sua participação estava cancelada. A mestra está preocupada: "Há uma coisa perigosa no momento, uma onda de conservadorismo muito forte. Vocês sabem que eu fui demitida do Mackenzie?".

Ela coordenava a pós-graduação em Educação, Arte e História da Cultura. Não por acaso, o Mackenzie a manda embora em dezembro do ano seguinte à posse do novo reitor, em março de 2011. O diretor que comunica a demissão justifica que Maria Aparecida estuda o regime militar — "sua perspectiva é crítica e isso não interessa ao nosso programa". Então, diz ela, "precisamos tomar cuidado com essa onda de conservadorismo, porque ela pode entornar o caldo". O novo reitor, Benedito Guimarães, pertence à Igreja Presbiteriana.

Foi do teto do Mackenzie que partiram tiros contra a Faculdade de Filosofia na rua Maria Antônia, em 2 e 3 de outubro de 1968. Durante dois dias, estudantes de esquerda da Filosofia e estudantes de direita do Mackenzie travaram a Batalha da Maria Antônia, com paus, pedras, rojões, coquetéis molotov, ácido sulfúrico — e as armas de fogo dos mackenzistas, entre eles membros do CCC — Comando de Caça aos Comunistas. Pela uma e meia da tarde do dia 3, um repórter fotográfico flagra cinco deles no teto de um prédio da Universidade Presbiteriana Mackenzie, cujo reitor havia apoiado o golpe militar. Um, à frente do grupo, faz pontaria com uma carabina. Cá embaixo ouvem-se gritos de "ambulância! ambulância!", e vêm carregando o estudante José Carlos Guimarães, colegial que ia a uma livraria e, resolvendo engrossar as hostes da turma da Filosofia, levou aquele tiro na cabeça, que o matou antes de chegar ao hospital. Testemunhas identificaram o atirador como Osni Ricardo, do CCC e informante da polícia.

O retrospecto ajuda-nos a considerar a advertência da professora Maria Aparecida sobre o cuidado a tomar com a onda de conservadorismo que paira no ar. Nós lhe perguntamos se aquela noite de vinte e um anos, que vai de 1964 a 1985, não baixou sobre nós para piorar vários aspectos da vida cultural brasileira, a educação principalmente, área em que Maria Aparecida atua desde 1974, primeiro no ensino médio e fundamental, por vinte anos, depois no ensino universitário. Ela concorda: "Na educação é uma tragédia. O que observei do que eles fizeram ao longo desses anos todos foi destruir completamente a escola pública. E depois, lamento informar, já no período do Fernando Henrique, veio a segunda parte do processo, em que se ataca a Universidade".

Ele aprofundou esse processo da ditadura?, perguntamos nós. "Eu não tenho dúvida. É doído, porque o que ele fez com a Universidade, com essa ideia das tais avaliações! As Universidades todas hoje se pautam pelas tais avaliações, 'o que será que o MEC dirá quando fizer a visita aqui, que nota nós vamos tirar?', tudo está pautado por aquilo que as comissões avaliadoras gostariam de ver."

Funciona assim, segundo ela explica: "Nós temos um curso de História numa Universidade. Quando começa, ele vai receber a primeira avaliação. Vem uma comissão do MEC, normalmente com pessoas de diferentes estados. Eles vão fazer reuniões, com a direção, com os professores e com os alunos. Passam uns cinco dias dentro da escola". A avaliação é trienal. A cada três anos sai uma nota. Da análise que fizeram, eles mandam a pontuação da escola.

"Para vocês terem uma ideia, o curso de História da Universidade de São Paulo tem a nota mais alta: sete. Já coordenei o curso de pós-graduação de História Social da USP. E houve uma articulação tremenda, e nessa articulação o nosso curso caiu, para manter só um com nota sete: o da Universidade Federal Fluminense." As escolas, conta a professora, "ficam apavoradas", pois se recebem nota abaixo de três em três avaliações seguidas, o curso é descredenciado pelo MEC: "Fecha!".

Os critérios são "complicados". Quando a nota da USP baixou, os avaliadores justificaram, segundo Maria Aparecida: "Vocês têm uma produção maravilhosa, mas... mas vocês têm aposentados demais no programa. Falei 'tudo bem, mas nossos aposentados não são produtivos?', se estão aposentados e ainda orientam, deviam era valorizar o curso". Uma metáfora se forma na cabeça da professora Maria Aparecida de Aquino: "É uma faca que passa, e que acaba mediando tudo que a escola faz".

Quatro meses antes, em Florianópolis, numa tarde do inverno de 2013, o professor Nildo Ouriques, economista, fundador do Iela — Instituto de Estudos Latino-Americanos, nos recebia em sua sala da UFSC — Universidade Federal de Santa Catarina. Nildo apontou outro subproduto nocivo do modelo que a ditadura implantou: "O modelo brasileiro pré-1964 era de ampliação da educação brasileira, nacionalização da educação e democratização da universidade. Depois da ditadura, começam a existir os excedentes e passa a existir o vestibular. O vestibular não foi extirpado após o fim da ditadura. Começou um sistema de cotas dentro do vestibular. Cotas para as classes sociais, negros, índios, cotas para escola pública. Mas se preservou o vestibular, quando teriam de acabar com ele".

Criado na ditadura, o vestibular é mostrado como "virtude" quando se trata de "excrescência": "O estado tinha de aumentar as vagas para atender a demanda", explica Nildo. "Este é um aspecto: o vestibular segue, e não dá demonstrações de que vai morrer. Todo o mundo tenta dourar a pílula, 'vamos democratizá-lo'. Papo furado!"

A escola pública foi degradada e a escola privada é um desastre, resume o mestre, contrariando o senso comum de que as universidades privadas é que oferecem hoje o melhor ensino. Sua fala seria amplamente comprovada quando, em janeiro de 2014, ficaríamos sabendo que, no estado mais rico do país, seis de cada dez recém-formados em escolas médicas, públicas e privadas, não atingiram o critério mínimo do exame do Conselho Regional de Medicina do Estado de São Paulo — Cremesp — e os mais mal avaliados haviam saído justamente de universidades privadas, mais que o dobro dos formados em escolas públicas. O coordenador do exame, Bráulio Luna Filho, disse à imprensa que a condição para ser médico em certas escolas é poder pagar entre 4 mil e 6 mil reais por mês. Considerando a média e a duração de seis anos para o curso, pode-se dizer que no Brasil se pode comprar diploma de médico por 360 mil reais em setenta e duas parcelas mensais de 5 mil. E depois sair às ruas protestando contra o programa Mais Médicos, do governo federal, e a vinda de médicos cubanos para atender nos grotões para onde eles não querem ir.

Nildo Ouriques cita o antropólogo Darcy Ribeiro: "Ele publicou, em 1984, *Nossa escola é uma calamidade*, e repito até hoje: os professores não estão dispostos a aceitar. Se eles aceitam que a obra no conjunto é uma calamidade, estarão achando que é o trabalho deles a calamidade. É um equívoco".

Nildo escreveu com a jornalista Elaine Tavares o livro *Crítica à razão acadêmica*, sobre "a miséria da universidade". Mas, para ele, é preciso "ir com calma" quando se fala no famigerado acordo Mec-Usaid. Ele tratou de estudar o assunto lendo os dois livros do acordo. Veio ao Brasil, por exemplo, um professor da Pensilvânia para fazer a reforma universitária em sua área, economia. Ele escreve em 1968 que nossas faculdades de economia padecem de um mal: não geram interesse, pois não estudam problemas brasileiros! "Está expresso no acordo: nacionalizar o pensamento econômico!".

Perguntamos ao professor: a ditadura desprezou esta indicação do próprio professor americano? Responde Nildo Ouriques: "A ditadura agringalhou a educação brasileira, no sentido de *from United States*. E isso não foi mudado. Nem com Paulo Renato, nem com Haddad, com Goldenberg, com ninguém". Segundo a visão de Ouriques, a ditadura montou um sistema de pós-graduação em São Paulo, criou a Unicamp — Universidade de Campinas —, "expandiu um pouco e parou".

Vindo a redemocratização, onde se pode ver "a maior colaboração da inteligência brasileira com a obra da ditadura é na pós-graduação", avalia o economista, porque "foi feita dentro de um modelo perverso, para aprofundar o subdesenvolvimento e a dependência". A ditadura cria os chamados núcleos de excelência, tomados "como virtude", mas "na prática a expressão maior do subdesenvolvimento": "Porque uma universidade de massa não era possível, no modelo de dependência", completa Ouriques, "então fazem núcleos de excelência numa nação empobrecida e alguns grupos de mestrado, doutorado. Dão dinheiro só para alguns. Consiste em criar ilhas de modernidade num deserto completo. É a maior expressão do subdesenvolvimento, isso".

O modelo, avalia o mestre catarinense, ganhou força depois, com a USP, a própria UFSC. "E virou um academicismo, que era o programa da ditadura. Outra herança, o sistema de pós-graduação brasileira. E o grosso da universidade, 90%, casou com o projeto da ditadura. Os tucanos, a intelectualidade, todos!"

Ouriques havia entrevistado naqueles dias o escritor Ariano Suassuna (16 de junho de 1927 — 23 de julho de 2014), de quem discordou num ponto: "Suassuna acha que tem um movimento cultural, pelo menos na literatura. Eu acho que não tem. Qual a característica da cultura brasileira hoje? Não temos um movimento cultural no Brasil. O que temos é a vigência do colonialismo. Em todas as áreas. Desde o desenho gráfico das revistas, está agringalhado por completo. Gerald Thomas é o teatro!".

É de rir, comentamos, e ele emenda: "Opa! Você não gosta, eu não gosto, mas é um ícone! Na televisão, *talk-show*: Jô Soares. É o empobrecimento completo. As editoras? Internacionalizadas. O centro cultural mais famoso de São Paulo é o Instituto Itaú Cultural, o outro é o Sesc: Sesc Pompeia, Sesc Brás, Pinheiros. São investidas empresariais. Qual é o movimento cultural que nós temos? Cinema? Acabou. Compare com a evolução do cinema argentino, gigantesco. No terreno da cultura, não sei... poderia dizer: para tudo a ditadura foi responsável. Porque ceifou vidas e tendências que estavam florescendo. Mas a ditadura acabou em 1985. Nós estamos envelhecendo na democracia".

Capítulo 30

# Por que os golpistas não admitem que deram um golpe?

É notável, passados tantos anos dos trágicos idos de março e abril de 1964, como os golpistas e seus apoiadores de primeira hora ou ao longo do tempo jamais admitiram, nem admitem, que o golpe partiu deles. Puseram tanques nas ruas, derrubaram pela força um presidente legitimamente eleito, prenderam os que se lhes opunham, agrediram, torturaram, mataram, desapareceram com corpos, censuraram, mas para eles o golpista era Jango — o verdadeiro golpe, o deles, seria "preventivo".

Os anos passam e segue a ladainha. Em meados da década de 1990, ouvidos pelos historiadores Maria Celina D'Araújo, Ary Dillon e Celso Castro, golpistas tergiversam ao negar que tenha partido deles a agressão. O general Moraes Rego, que serviu ao governo Geisel, diz que a quartelada foi "uma contrarrevolução preventiva", complementando a desculpa dada pelo colega general Fontoura, que chefiou o SNI — Serviço Nacional de Informações: "Nós não fizemos o golpe. Fomos obrigados a dar o contragolpe pelo povo brasileiro".

Outro general, Antônio Bandeira, que combateu a Guerrilha do Araguaia em 1972, igualmente fala em "contrarrevolução" e lança grotesco sofisma:

"A ideologia política foi puramente a de preservar o regime democrático". Para preservar o regime democrático, pisotearam-no até matar.

O escritor inglês Terence Hanbury White, nascido em 1906 e falecido dois meses antes do golpe de 1964, em *O único e eterno rei* explica tal paradoxo de maneira magistral. Recriando um diálogo entre o jovem rei Artur e seu conselheiro, o mago Merlin, figuras míticas da Inglaterra do século XI de nossa era, T. H. White põe na voz de Merlin que as guerras são tão terríveis, que "não deveriam ser permitidas". Artur observa: "Mas ambos os lados sempre dizem que foi o outro que começou". Merlin responde que isso é bom: "Pelo menos mostra que os dois lados têm consciência, dentro de si mesmos, de que a perversidade da guerra está em começá-la".

Por isso os golpistas jamais admitiram que deram um golpe. Nem seus sucessores, por obtuso corporativismo, aceitam pedir ao povo brasileiro perdão por golpear um presidente constitucionalmente eleito. O presidente que era popular, mas preferiu retirar-se de cena a contragolpear os golpistas para não mergulhar o Brasil numa guerra fratricida.

Capítulo 31

# Sereno, o prefeito que expulsou Lincoln Gordon de seu gabinete

Deve ter sido um tribuno imponente este gauchão de oitenta e cinco anos, com um vozeirão de barítono, que nos recebe na manhã de dezembro de 2013 em sua sala da presidência da CGTEE — Companhia de Geração Térmica de Energia Elétrica —, em Porto Alegre. Sereno Chaise, um dos primeiros e grandes amigos que Leonel Brizola fez na juventude, é filho de pequeno agricultor de Soledade, 180 quilômetros a noroeste de Porto Alegre. Sua mais remota lembrança tem a ver com a História do Brasil, com nossa história: "O velho, todo dia 31 de dezembro, ficava até meia-noite — o produtor rural levanta com o sol e dorme com o sol, mas ele ficava até meia-noite no rádio dele, esperando o pronunciamento do Getúlio — *Trabalhadores do Brasil!* E tinha um retrato do Getúlio na parede".

Para fazer o curso primário em Soledade, Sereno rompia dez quilômetros a cavalo toda manhã. Em 1937, quando Getúlio, acossado à esquerda e à direita, implanta o Estado Novo e assume plenos poderes, a família com sobrenome de origem francesa vai morar na cidade. Concluído o ginásio em 1945, "faculdade só em Porto Alegre", onde logo conhece Brizola — seis anos mais velho, terminando o curso de Engenharia. "Estou na praça da Alfândega, e portoalegrense que se prezasse precisava ler a *Folha da Tarde*, do Pasqualini, e vi um convite do PTB."

Alberto Pasqualini (1901-1960), gaúcho de Ivorá, é nome fundamental do trabalhismo, principal teórico a embasar a doutrina do Partido Trabalhista Brasileiro, cuja sede em Porto Alegre ficava na praça Marechal Floriano.

"Fui lá, subi uma escada, era convite para jovens getulistas, trabalhistas, e eu tinha aquela história do meu pai. Entrei ali. Entrei e nunca mais saí." Havia uns vinte jovens debatendo. Um grupo liderado por Leonel Brizola, outro por Vilson Vargas da Silveira, que havia lançado uma candidatura para governador "na contracorrente do que pensava o Partido". "Simpatizei mais com a posição do Brizola."

Sereno havia pouco tinha entrado na Faculdade de Direito, Vilson acabava de se formar. Sereno toma a palavra e, citando o artigo do Estatuto do PTB que havia sido ferido, pede a expulsão de Vilson — acatada por maioria (mais tarde se tornariam amigos). Brizola puxa assunto. Sereno morava na casa de uma tia. "Ele me diz 'eu tô no Hotel Bragança, na Marechal Floriano, vem lá morar comigo, tem um quarto para dois', aí eu fui."

Estamos em 1946. Brizola figura na chapa do PTB, candidato a deputado estadual, e Sereno ajuda na campanha, colocando os envelopes com as cédulas sob as portas, para pôr nas urnas — era como se votava. E Brizola se elege. "Ele alugou o quarto ao lado. Ficamos em dois quartos com uma porta no meio, aberta."

E deu-se um bafafá. "Ele era sócio do Clube do Comércio, e certa noite tava todo entusiasmado, ia num baile. Alugou um *smoking* e saiu, eu fui dormir. Daí a pouco, pá!, ele chega, 'ué, quê que houve?', 'me desentendi lá'. No dia seguinte, ele na maquininha de escrever, pediu que eu desse uma olhada, tinha dificuldade gramatical. Era um ofício para o presidente do Clube do Comércio, pedindo demissão." Brizola tinha brigado com um rapaz por causa de namorada. "E a socos! A calça, a cera do sapato... ele nunca mais entrou no clube. Nem quando foi governador."

A renúncia de Jânio em agosto de 1961 prega nos trabalhistas desagradável surpresa. "Nós estávamos num flerte bom, o Jânio prestigiava o governador daqui, Brizola, nós acostumados com o Juscelino, 'defiro, autorizo', mas depois as coisas não andavam. O Jânio não, era para fazer!"

Com a renúncia de Jânio e a posição dos militares, inflexível, para Jango não assumir, surge a Cadeia da Legalidade, marca criada por Hamilton Chaves, assessor de imprensa de Brizola: a rede de rádio que mobilizou o país e garantiu a posse de Jango. "O pessoal dizia 'o Hamilton é uma fábrica de ideias.'"

A resistência se espalhou até dentro do exército, lembra Sereno. Certo dia, antes das oito da manhã, toca o telefone no Palácio, o general Machado Lopes pede audiência com o governador. Para dali a meia hora. A praça já cheia de gente. O estafe de Brizola acha que o general vem prender o governador e se prepara para resistir. Mas não. "Ele chegou, subiu direto. O Brizola usava o gabinete do alto, ao lado da catedral, e o general logo diz 'governador, vim comunicar que a oficialidade decidiu por grande maioria apoiar a legalidade'. Perfeito. O Brizola desceu e o acompanhou, nós fomos num Chevrolet, seis! Levamos o general pelo meio da massa, até o QG."

Sereno lembra que, vindo da China pelo Uruguai, Jango conversou com Brizola "um tempão, só os dois". "O Brizola disse 'tu é que sabes, o que tu resolveres, para mim tá resolvido'. Eu achava, como o Brizola, que era hora de... meu irmão era tenente em Cruz Alta e já estava, o grupo dele, acampado em Santa Catarina. O negócio era aproveitar e subir até Brasília com as tropas para dar um chega-pra-lá nos golpistas, não? Mas o Jango não queria que corresse sangue entre irmãos. Discuti isso com ele anos depois lá na fazenda do Uruguai. Ele estava convencido, e hoje, passados tantos anos, acho que ele tinha lá suas razões. Tanto é que, com a volta do presidencialismo, resolveu a questão política. Mas é claro também que naquela hora o Jango tinha informações que nós não tínhamos, não?"

A tese de Sereno Chaise coincide com a de outros aqui entrevistados: "O Magalhães Pinto estava de língua tramada já com o embaixador americano. E veja, em 1964, governador do Rio Grande, Ildo Meneghetti, ativo contra o presidente; Rio de Janeiro: Lacerda; São Paulo, Adhemar; Minas, Magalhães Pinto; sem falar no Ney Braga, no Paraná. O poder dos governadores de estados-chave era um negócio muito sério, né?".

E sem falar na Operação Brother Sam. Um mês antes do golpe, em fins de fevereiro de 1964, Sereno e mais meia dúzia de políticos foram com Brizola parlamentar com o comandante do III Exército: "Era o general Bethlem, 'não, absolutamente, o exército está tranquilo, e nós aqui só recebemos ordens do presidente da República'. E o filho estava de língua tramada".

No dia do golpe, o comandante já era o general Ladário. "Esse era um homem respeitável, 'eu não sou PCB, eu sou legalista, recebo ordens do presidente, o exército não é partido político.'"

O que aconteceu no dia 2 de abril de 1964 já vimos no Capítulo 9, "De como o Brasil escapou de virar Brasil do Norte e Brasil do Sul". Houve a reunião no clarear do dia na casa do general Ladário, muitos generais foram contra resistir, e Jango se despediu e saiu. "Não nos disse mas ficou claro, estava indo para o exterior. Eram onze horas, mais ou menos."

Ficou precária a situação do jovem prefeito Sereno Chaise. Vieram as cassações, Jango, Brizola, Arraes, Prestes — os cem primeiros. "Dia 8 de maio, saíram as cassações aqui do estado. Fiquei mais de um mês penando, com a cabeça a prêmio. O dia a dia era horrível, trabalhava limpando gavetas."

Deixaria sobre a mesa dois processos em andamento: o de aumento das passagens de ônibus e o de desapropriação, para fins de uso público, do parque do Grêmio, que praticamente divide ao meio a torcida gaúcha com o Internacional. "Acho que 1964 foi a culminância de um processo. A rigor, já o Departamento de Estado não aceitou a reeleição do Doutor Getúlio em 1950. Eles não queriam aqui um líder com visão mundial, de prestígio sólido, que podia criar problemas para eles. Levaram o velho, como levaram o Allende depois... não sei. Aproveitaram a chance da renúncia do Jânio, mas a Rede da Legalidade atrapalhou. Já ia ser ali! E tem episódios anteriores, o 11 de novembro: se não é o Lott botar os tanques na rua, o Juscelino não tomava posse. Porque o Lacerda tinha erguido a tese da maioria absoluta. O Juscelino não chegou a 40% dos votos. Mas não estava na Constituição, ganhava quem tinha mais votos e fim. Então 1964 foi o auge desse processo. Queriam frear a política de independência, causa maior da queda do Jânio — sua posição pela Autodeterminação dos Povos."

A consequência maior do golpe, para Sereno Chaise, foi "o atraso na evolução democrática do país". E a deterioração na educação, ressalta ele, criando dificuldades para se criar um partido de massas, "como tivemos com o PTB, como tem hoje o PT". "Nós ficamos com uma geração frustrada, ou duas gerações. Sem renovação política. Sem fazer política. Eu passei vinte anos sem poder votar! O Ato dizia: ficam suspensos os direitos políticos por dez anos."

Passados os dez anos, Sereno se candidata a presidente do diretório do antigo MDB — Movimento Democrático Brasileiro —, e vence. A juíza eleitoral impugna, Sereno recorre ao TRE — Tribunal Regional Eleitoral, vence por seis a zero. A juíza recorre ao TSE — Tribunal Superior Eleitoral, que lhe confirma os direitos políticos por seis a três. A juíza vai ao STF — Supremo Tribunal Federal, "embora não devesse, pois era matéria eleitoral", e o Supremo — "todo na mão deles" — constrói a seguinte tese: direitos suspensos só são restituídos com uma anistia!

A última ação de Sereno Chaise como prefeito de Porto Alegre, já em vésperas de sua cassação, foi expulsar de seu gabinete o embaixador dos Estados Unidos, Lincoln Gordon. Pode-se expulsar um insultuoso com impropérios ou com um roçar de luva de pelica no rosto. Sereno usou a elegância. Pode-se aceitar a expulsão como um cavalheiro ou como uma cavalgadura. Gordon usou a grosseria.

Aqui como tudo se deu. Em 1964, não se havia passado um mês ainda desde o infame 31 de março, dia em que Sereno completava três meses de mandato como prefeito da capital gaúcha e trinta e seis anos de idade. Não tardaria a ser cassado e ter os direitos políticos suspensos. O chefe do cerimonial do Palácio Piratini, sendo governador Ildo Meneghetti, informa que o embaixador americano visitaria Porto Alegre. Vão homenagear o articulador do golpe com um banquete em palácio, e cabe à prefeitura oferecer o jantar. Deixemos Sereno Chaise narrar: "Eu argumentei 'nós estamos em regime de guerra, não podemos arcar com esse gasto', 'certo, mas o senhor o recebe', 'recebo, 16 horas, tá bom?'. Recebi. O Lincoln Gordon, o embaixador da CIA. E cometi a *estupidez*, tomando cafezinho, de perguntar, 'embaixador, o que o senhor achou dos últimos acontecimentos no país?', esperando a clássica resposta, 'é assunto interno de vocês', e ele 'realmente, aquele comunismo, aquela esculhambação...', eu instintivamente, não foi pensado, me levantei, estendi a mão, 'embaixador, obrigado pela visita', imagine, o embaixador dos Estados Unidos. Ele não me deu a mão! Levantou-se, virou-se e saiu."

Sereno ri quando comentamos que Gordon o visitou para confirmar se devia ou não cassar o prefeito de Porto Alegre e amigo de Brizola. Já agora, acha ele que não há mais, pelo menos, clima para golpe. "Os militares aprenderam a lição."

Os vinte e um anos pesam. "Até a atividade política se tornou muito mercantil: se tu tens dinheiro tu te eleges, se não tens, não te eleges. Devíamos copiar logo de uma vez a 'democracia à americana': o sujeito é financiado pela General Motors e vai defender os interesses do povo? Não! Vai defender os interesses da General Motors! Escrachadamente."

Capítulo 32

# Dona Lurdinha, secretária da Casa Civil: prova de que nada ia mudar

Se mais argumentos nos escapem para mostrar o quanto falta para nos livrarmos do entulho que a ditadura nos deixou, abramos o microfone para a voz anasalada, única, bem-humorada e crítica do amigo e colega de profissão Paulo Henrique Amorim. Ele trabalhava na Rede Globo quando Tancredo Neves se preparava para tornar-se o primeiro presidente civil desde o golpe de 1964. A posse estava marcada para 15 de março de 1985. Na véspera da posse ninguém queria acreditar que a internação repentina de Tancredo para uma operação de diverticulite significa o prelúdio das três semanas mais angustiantes na história recente do país.

Microfone aberto para Paulo Henrique Amorim, que nos recebe em 7 de janeiro de 2014 e conta:

*Na véspera da posse fui a Brasília. Estive lá com o Sarney, que estava mais abandonado num canto do que bêbado às 4 horas da manhã. E fui ao gabinete do Delfim Netto, que era ministro do Planejamento do Figueiredo e despachava no Palácio do Planalto. Fui ver como era o último dia dele no poder. Entro na sala, ele tomando as últimas providências para resolver o problema do Banco Sul Brasileiro. Ele diz: "O poder é para ser exercido até o último minuto".*

*Eu pergunto: "E aí, como é que vai ser?".*

*Ele disse: "Paulo Henrique, não vai mudar nada. O ministro da Fazenda do Tancredo é o Dornelles. O Dornelles é dos nossos. Mas o melhor símbolo da continuidade do regime é a dona Lurdinha".*

*Dona Lurdinha tinha sido secretária na Casa Civil do general Golbery, do professor Leitão de Abreu, e ia ser secretária do José Hugo Castelo Branco, chefe da Casa Civil do Tancredo. Aí o Delfim fala: "A dona Lurdinha é a prova de que nada vai mudar".*

*A transação da política econômica do governo militar para o governo Tancredo foi total. O Dornelles despachou durante um mês com a equipe do Delfim. Tudo transacionado. Não houve ruptura. E... gente! Quem assumiu foi o Sarney!*

# Linha do Tempo

**1882**

Em 29 de março, quase dez anos antes do feito de Santos Dumont, o paraense Júlio César Ribeiro de Sousa voa a 120 metros de altitude no seu aeróstato Victoria, de dez metros com dois metros de altura, diante de Pedro II, na Praia Vermelha, Rio.

Em 19 de abril nasce em São Borja, Rio Grande do Sul, fronteira com a Argentina, Getúlio Dornelles Vargas, filho de estancieiros.

Em 24 de agosto morre, em São Paulo, Luis Gama, ex-escravo que, vendido a um paulista pelo próprio pai (branco), torna-se advogado, defensor de sua gente, republicano e lutador do abolicionismo.

**1883**

Fortaleza inaugura sua estação de telefonia, sete anos depois da primeira, no Rio, e seguida pela terceira, a de Ouro Preto, três anos depois.

Nasce em Predappio, Itália, Benito Amilcare Andrea Mussolini; de família pobre, foi expulso de escolas duas vezes por assaltar colegas, armado de faca.

**1888**

Lei Áurea, assinada pela princesa Isabel, extingue a escravidão oficialmente.

## 1889

Inaugurada em 5 de setembro a primeira hidrelétrica brasileira, a Usina Marmelos Zero, em Juiz de Fora, município mineiro então com 20 mil habitantes.

Proclamada a República em 15 de novembro, por decreto — o nº 1; decreto nº 4 descreve a bandeira: as estrelas reproduzem o céu do Rio de Janeiro no dia da Proclamação; o dístico resume frase do positivista francês Auguste Comte: "O amor por princípio, a ordem por base; o progresso por fim". Cortaram o amor.

Em 21 de dezembro, sai decreto banindo a família imperial — seria revogado em 1920.

## 1890

Em janeiro, aos dois meses de idade, a República decreta a liberdade de cultos e o casamento civil (só se casava na Igreja).

Em junho, o governo publica a Constituição republicana, e começamos copiando os "irmãos do norte": nos chamamos Estados Unidos do Brasil.

Criado o STF — Supremo Tribunal Federal.

## 1891

Começa a circular o *Jornal do Brasil* em 9 de abril.

## 1892

Estoura em Porto Alegre a Revolução Federalista, dita "revolução da degola", opondo chimangos, partidários de Júlio de Castilhos, deodorista, republicano histórico e positivista, extremado centralista, a maragatos, partidários de Gaspar Silveira Martins, adeptos de fórmulas parlamentares de governo; calcula-se em 10 mil o número de mortos, grande parte degolados, de parte a parte; só no governo Prudente de Morais se consegue um acordo de paz no sul, em 1895.

## 1894

Inaugurada, no Rio, a Confeitaria Colombo, por onde passarão presidentes, escritores, poetas, artistas, e tombada no século XX como patrimônio carioca.

Inaugurada em São Paulo a Escola Politécnica.

## 1897

Machado de Assis e colegas fundam a Academia Brasileira de Letras.

Termina em 5 de outubro a Guerra de Canudos, na Bahia, iniciada com a República quando tropas passam a atacar um arraial de seguidores do místico Antônio Conselheiro. Euclides da Cunha narra: "Canudos não se rendeu (...) caiu ao entardecer, quando caíram seus últimos defensores (...) um velho, dois homens feitos e uma criança, na frente dos quais rugiam raivosamente 5 mil soldados".

## 1898

Nasce em Porto Alegre Luís Carlos Prestes, filho de um capitão do exército e uma professora de curso primário.

## 1899

Machado de Assis publica *Dom Casmurro*, com o par romântico mais célebre da nossa literatura: Bentinho e Capitu.

Nasce em 3 de outubro em Taquari, RS, Artur da Costa e Silva. A certidão será adulterada, pondo o nascimento em 1902, para ele enquadrar-se na idade limite de entrar no Colégio Militar — descoberta do repórter Luiz Fernando Mercadante, de *Realidade*, em 1967; a revista não publicou a informação; algumas fontes dão o nascimento em 1902.

## 1900

O Brasil tem 17,5 milhões de habitantes, mais de 1 milhão recém-chegados de Portugal, Espanha, Itália e Alemanha; de cada dez, nove são analfabetos, a maioria negros.

Assume a presidência o campineiro Campos Sales, da oligarquia cafeeira. Proclama nossa "vocação agrícola" e "abaixo a industrialização", aperta os cintos, cria impostos, um deles o do selo — o povo o chama "Campos Selos". Cria "Manguinhos", instituto de pesquisas biológicas. Assume o controle das eleições, impõe paus-mandados nos estados, funda a República Velha estruturada sobre o poder local dos "coronéis", donos dos currais eleitorais. Sai do Catete vaiado.

O café avança do Rio para São Paulo, derrubando matas e importando braços europeus: até os norte-americanos estão loucos por um cafezinho.

O tcheco "naturalizado" carioca Fred Figner abre a Casa Edison, que vai gravar obras-primas como o sucesso do primeiro carnaval do século, "Ó Abre Alas" (que eu quero passar), de Chiquinha Gonzaga.

Em 20 de setembro nasce em Fortaleza Humberto de Alencar Castelo Branco.

## 1901

Santos Dumont, aos vinte e oito anos, dá um *rolé* em torno da Torre Eiffel, Paris, com sua *Balladeuse*, construída por ele. Ganha o Prêmio Deutsch com o dirigível e vira uma das pessoas mais famosas do século XX.

Empresa do Canadá inaugura a hidrelétrica da Light, à beira do Tietê.

Criado, em São Paulo, o Instituto Butantã, sob comando de Vital Brasil, que cria o soro antiofídico, até hoje salvando vidas.

Começa a circular no Rio, em 15 de junho, o *Correio da Manhã*.

Surge em São Paulo o jornal *A Lanterna*, anarquista, que vai durar até 1935 sob o lema "Urge enforcar o último rei com as tripas do último frade".

Operários de Pedreira, em São Paulo, fazem greve vitoriosa: reduzem a jornada de doze para "apenas" dez horas diárias, de segunda a sábado.

Nas provas da Faculdade de Direito, Getúlio Vargas cita Marx, Saint Simon e outros pensadores de esquerda.

Nasce em Ivorá, RS, Alberto Pasqualini, filho de italianos, advogado, professor, sociólogo, político, ideólogo e doutrinador do trabalhismo.

## 1902

Euclides da Cunha se consagra como ensaísta e escritor com *Os sertões*.

Nasce em Diamantina Juscelino Kubitschek de Oliveira, filho de um caixeiro-viajante e uma professora de origem tcheca.

"Juca" Paranhos, Barão do Rio Branco, ministro das Relações Exteriores, trabalha por dez anos para delimitar nossos 15 mil quilômetros de fronteiras, pacificamente, negociando.

Greve de tecelões no Rio, atacada a patas de cavalo, com mortos e feridos.

A riqueza da borracha cria modernas capitais tropicais, Manaus e Belém, ornadas de azulejos e estruturas de ferro trazidas da Inglaterra, cada qual com seu suntuoso teatro.

## 1903

Tratado de Petrópolis, feito do Barão do Rio Branco: o Acre é nosso. A Bolívia recebe indenização de 2 milhões de libras-ouro e o Brasil se obriga a construir a ferrovia Madeira-Mamoré, no centro da selva amazônica.

Manoel Bomfim publica *América Latina: Males de origem*, denunciando a tese de "raças inferiores" como mecanismo de dominação dos imperialistas do norte — americanos e europeus.

Oswaldo Cruz se lança à tarefa de curar o Rio das epidemias; o prefeito Pereira Passos urbaniza a capital federal. O povo, atacado sem aviso, revolta-se com a demolição dos cortiços sem receber outras moradias.

Domingos Olímpio publica *Luzia-Homem*, ousadia para a época: história de uma lésbica.

A prefeitura paulistana proíbe os primeiros automóveis de correr a mais de 30 quilômetros por hora; um século depois, não precisará ser proibido nos "horários de pico".

## 1904

Revolta da Vacina: o povo, sempre desinformado, rebela-se contra a vacinação obrigatória antivaríola; a imprensa, *Correio da Manhã* e *Jornal do Brasil* à frente, em vez de esclarecer, combate a medida; e Oswaldo Cruz é vaiado onde aparece; a polca de Casimiro Rocha o redime ao zombar de um vilão que ele persegue: *Rato, rato, rato/ Por que motivo tu roeste meu baú/ Rato, rato, rato/ Audacioso e malfazejo gabiru!* (Osvaldo Cruz pagava 300 réis por uma cota diária de ratos caçados — vinha do rato outra doença, a peste bubônica).

Getúlio, sargento do exército, apresenta-se em Corumbá como voluntário para a "guerra do Acre", que acabou não acontecendo.

Operários paulistanos comemoram pela primeira vez o Primeiro de Maio.

## 1905

Fuzileiros navais dissolvem, com violência, greve de portuários em Santos.

Presidente Rodrigues Alves nega ao padre gaúcho Landell de Moura a chance de demonstrar que navios podem se comunicar em alto-mar por transmissão sem fio: o tosco político achava o padre louco. Em 2011, Landell terá seu nome inscrito no Livro dos Heróis da Pátria.

Nasce a revista infantil *Tico-Tico*, criada pelo desenhista Angelo Agostini. O *Pato Donald* matou o *Tico-Tico* em 1959.

Em 4 de dezembro, nasce em Bagé, RS, Emílio Garrastazu Médici, filho de imigrante italiano e uruguaia de origem basca.

## 1906

Ano começa trágico: encouraçado Aquidabã explode em 21 de janeiro perto da Ilha Grande: morrem mais de 200 marinheiros, inclusive oficiais superiores.

Mineiro Afonso Pena é eleito presidente. Antes de assumir, muda a capital de seu estado, de Ouro Preto para Belo Horizonte; morre e Nilo Peçanha completa o mandato, como "pau-mandado" do senador gaúcho Pinheiro Machado.

Santos Dumont constrói um avião a motor, o 14-Bis, e voa no campo de Bagatelle, em Paris.

Inspirados por Rodrigues Alves, fazendeiros promovem o Convênio de Taubaté: queimam a safra excedente para manter o preço do café em alta. A moda pega: queimam cacau, e mundo afora até carneiros são queimados ou afogados aos milhões, para garantir o lucro alto.

Congresso discute lei para legalizar o banimento de líderes sindicais estrangeiros (anarquistas e socialistas) e confinar os brasileiros no Acre.

Estudantes de Direito paulistas apoiam a greve dos ferroviários: a faculdade é fechada. Patrões, assustados com a vitória dos grevistas, preparam a repressão ao movimento sindicalista, que publica mais livros e revistas que toda a intelectualidade brasileira.

Latino-americanização engatinha: dá-se no Rio a 3ª Conferência Panamericana; o Brasil oficializa relações diplomáticas com México, Chile, Guatemala, Honduras, Nicarágua e Panamá.

## 1907

O marechal Rondon e sua equipe avançam na construção de linhas telegráficas até os confins da Amazônia; estudam geologia, fauna, flora e etnias pelo caminho.

Ruy Barbosa defende, em Haia, com brilho, a soberania de todas as nações, mesmo as bem pequenas.

Governo Nilo Peçanha concede mais terras a colonizadores, mas restringe em 10% a concessão para brasileiros: segue o esforço de "branquização" iniciada no império, revelando a repulsa das elites a um povo majoritariamente negro e mestiço.

Sai a Lei Adolpho Gordo, ou Lei Celerada: líderes sindicais estrangeiros serão expulsos às centenas; e brasileiros que firam a "segurança nacional" serão confinados.

Nasce em 3 de agosto em Bento Gonçalves, RS, Ernesto Beckmann Geisel, filho de imigrantes alemães luteranos.

Von Ihering, um alemão que dirige o Museu Paulista, recomenda em artigo o extermínio dos índios: impedem o avanço da colonização europeia.

O ex-sargento Getúlio forma-se advogado em Porto Alegre e é o orador da turma.

## 1908

Chegam os japoneses: 165 famílias desembarcam do Kasato Maru no porto de Santos. Vão trabalhar no café.

Machado lança o último romance, *Memorial de Aires*; morre como o maior escritor da língua — será que sabia?

Prefeito Antônio Prado rasga avenidas na São Paulo antiga, cria bairros chiques para a classe dos fazendeiros que se urbaniza.

Surge *Careta*, por cinquenta e dois anos a melhor revista de humor brasileira, graças a gênios do desenho como J. Carlos, K. Lixto, Nássara, Alvarus.

## 1909

Ruy Barbosa, lançando-se à presidência contra o marechal Hermes da Fonseca, promove a Campanha Civilista, contra a volta da farda. Comove classes médias, mas perde para o esquema das eleições "a bico de pena" — os coronéis mandam votar em quem lhes interessa, os mesários se conluiam, falsificam atas e, por fim, se algum oposicionista indesejável se elege, Câmara e Senado fazem a "verificação" e promovem sua "degola".

Carlos Chagas identifica a doença que leva seu nome — Mal de Chagas, de que até hoje milhares sofrem.

Quebra-quebra de postes e bondes em São Paulo e Rio em protesto contra os maus serviços da Light.

Getúlio eleito deputado estadual gaúcho.

Primeiro rali Rio-São Paulo: os carros vencem 400 quilômetros em vinte e seis dias.

Euclides da Cunha é assassinado pelo amante da mulher ao tentar matá-lo.

Sintomático: a polícia, que permite fantasia de travestidos, proíbe fantasia de índio.

## 1910

Em dez anos, nossa população salta de 17,5 para 23 milhões. São Paulo passa à frente do Rio em produção industrial.

Hermes da Fonseca, monarquista, filho gaúcho de militar alagoano, assume a presidência. Talvez o mais ridicularizado presidente da história, governa sob estado de sítio, às ordens de Pinheiro Machado — mais um pau-mandado do senador gaúcho, depois de Nilo Peçanha.

Infausto episódio: Revolta da Chibata. João Cândido, o "almirante negro", lidera um levante pelo fim dos castigos físicos e assume o comando do encouraçado Minas Gerais. Os vitoriosos marinheiros são anistiados, mas as elites mostram que não há perdão: os líderes são presos, degredados, chacinados, asfixiados com derramamento de cal em celas úmidas, fuzilados em alto-mar, atirados no rio Amazonas, provocando indignação contra Hermes, e contra Rio Branco — que apoiou as brutalidades.

Catulo da Paixão Cearense lança a celebre canção "Luar do Sertão".

Rondon cria o SPI — Serviço de Proteção aos Índios, o que ajuda a salvar da extinção mais de cem tribos.

## 1911

Fundada a Itabira Iron, do norte-americano Percival Farquhar, dono da ferrovia Vitória-Minas, com direito a jazida de 1 bilhão de toneladas de minério de ferro, seguida por outras. Apoiado com ameaças das embaixadas inglesa e norte-americana, só as recuperamos em 1942, mas Castelo Branco as entrega à Hanna Co.

Lima Barreto publica *O triste fim de Policarpo Quaresma*.

Oswald de Andrade lança *O pirralho*, panfleto demolidor.

## 1912

Nasce em 16 de janeiro, em São Paulo, Samuel Wainer, fundador do diário *Última Hora*.

O carnaval é adiado no Rio com a morte de Rio Branco em 10 de fevereiro, e o carioca farreia duas vezes cantando: *Com a morte do Barão/ Tivemos dois carnavá/Ai que bom, ai que gostoso/Se morresse o marechá.*

Augusto dos Anjos inaugura o Modernismo com *Eu e outras poesias*, que escandaliza os parnasianos com versos assim: *Um urubu pousou na minha sorte.*

Mais brutalidade oficial: Guerra do Contestado (1912-1916). O exército, armado até com aviões de bombardeio, chacina 20 mil lavradores que haviam se instalado na fronteira Paraná-Santa Catarina, área contestada pelos dois estados. Desculpa: prevenir a rebelião camponesa, inspirada nas pregações dos monges José e João Maria; depois se esclarece tudo: as terras vão para latifundiários e empresas estrangeiras.

Borracha bate recorde: é 40% das nossas exportações. E despenca, graças aos seringais que ingleses transplantaram para a Malásia.

Polícia proíbe filme sobre a revolta do Almirante Negro.

Tia Ciata, mulata bonita, guia espiritual, casada com um médico negro, abre sua casa perto da praça Onze para os sambistas, dando impulso à fixação do samba como ritmo brasileiro por excelência.

História de um fracasso: é concluída a ferrovia Madeira-Mamoré, 364 quilômetros pela floresta, a cargo do Sindicato Farquhar. Custou 6 mil vidas e o equivalente a 40 toneladas de ouro. E foi abandonada: o Canal do Panamá lhe tirou a importância geopolítica e nossa borracha foi desbancada pela da Malásia.

## 1913

Polícia cearense cerca a comunidade de Padre Cícero em Juazeiro, atraindo a ira de 5 mil sertanejos, que lutam. Após chacinas e saqueios, tomam Fortaleza. Deposto o governador, o Catete nomeia o caudilho Aciolly, "dono" do Ceará. Os insurretos são anistiados.

Pedro de Toledo, ministro da Agricultura de Venceslau Brás, é chamado de subversivo e anarquista pela imprensa: propôs feiras livres para eliminar atravessadores.

Comissão chefiada por Carlos Chagas volta da Amazônia e relata: a caboclada sofre de toda sorte de doença.

Em Toronto, a Light unifica o comando de seus negócios no Brasil, a mais rica "colônia" do Canadá.

## 1914

Em 30 de abril, nasce Carlos Frederico Werneck de Lacerda; o pai, Maurício Lacerda, era fã de Karl (Carlos) Marx e Friedrich (Frederico) Engels, criadores do comunismo.

Brasil reescalona dívida com a Inglaterra, de 14 milhões de libras, em condições vexatórias, como as impostas meio século depois pelo FMI.

O poeta Emílio de Menezes, boêmio eleito para a Academia Brasileira de Letras, não toma posse: seu discurso, submetido a censura prévia, denota "falta de compostura".

Escândalo: Nair de Teffé, mulher do presidente Hermes, em baile no Palácio do Catete, acompanha-se ao violão cantando o maxixe "Corta Jaca", de Chiquinha Gonzaga.

Mussolini prega uma política nacionalista e militarista.

## 1915

Fanático apunhala mortalmente o senador Pinheiro Machado no saguão do Hotel dos Estrangeiros, Rio. O gaúcho republicano conservador, mandão, fazedor de presidentes e governadores, era candidato a presidente.

Pacto ABC: Argentina, Brasil e Chile tentam aparar suas arestas. Americanos e seus agentes nativos o torpedeiam.

## 1916

Enfim, é sancionado o Código Civil, redigido por Clóvis Bevilaqua, engavetado dezesseis anos antes pelas picuinhas gramaticais de Ruy Barbosa. Vai vigorar por mais de noventa anos.

Governo intervém na Mate Laranjeira, que monopoliza a erva-mate, produzida em latifúndios do Mato Grosso. Tem tropas particulares e campos de concentração com trabalho escravo.

## 1917

Greve geral em São Paulo, iniciada pelas operárias do Cotonifício Crespi.

Com a Primeira Guerra Mundial (1914-1918) nossa indústria avança, mas segue tacanha socialmente. Até industriais progressistas se opõem furiosamente ao projeto de Maurício Lacerda, de jornadas de oito horas e proibição de crianças nas fábricas.

Revolução Russa anima esquerdistas e operários e alerta as classes dominantes: o anticomunismo vira "ideologia" e vai justificar "antirrevoluções preventivas", como a de 1964.

Assassinado o cearense Delmiro Gouveia, que criou a primeira fábrica de linhas de costura no Brasil. Por trás está a inglesa Machine Cottons, que compra a fábrica da viúva, destrói as máquinas e as atira no São Francisco.

Oswaldo Cruz deixa instruções para suas exéquias: "Encaro a morte como fenômeno fisiológico naturalíssimo". Assim, diz, é "desprezível" acompanhar o acontecimento com "cerimônias especiais".

"Tico-tico no fubá", choro de Zequinha de Abreu, salta de Santa Rita do Passa Quatro para o mundo: é uma das músicas brasileiras mais gravadas aqui e além-mar.

Donga e Mário de Almeida registram "Pelo telefone", batizando oficialmente o gênero musical.

## 1918

Nasce em 15 de janeiro, no Rio, João Baptista de Oliveira Figueiredo, filho do general Euclides Figueiredo, ferrenho antigetulista — foi chefe militar na tentativa armada para derrubar Getúlio em 1932.

Greve geral para São Paulo por um mês; há lutas de grevistas com policiais nas ruas.

Lobato cria o Jeca Tatu, caipira cujos males vêm da falta de saúde, de escola.

Elias Ajos, agente infiltrado no movimento anarquista, inventa um atentado a bombas para tomar o poder no Rio. Resultado: líderes anarquistas são presos, torturados, deportados.

## 1919

Em 1º de março nasce, em São Borja, RS, João Belchior Marques Goulart, filho do estancieiro e coronel da Guarda Nacional Vicente Rodrigues Goulart e da dona de casa Vicentina Marques, ambos de ascendência açoriana; mais velho de oito irmãos, terá cinco irmãs — a caçula, Neusa, se casará com Leonel Brizola.

Benito Mussolini ao fim da 1ª Guerra Mundial funda os Fascios (Feixes) de Combate, núcleo do Partido Fascista.

Gripe espanhola faz milhares de vítimas, dizima tribos indígenas, mata até o presidente reeleito Rodrigues Alves, que não chega a tomar posse.

Assume o vice, Delfim Moreira, que "enlouquece": cria passarinhos no Catete, esconde-se atrás das cortinas espreitando quem o procura, olha por um canudo de papel como se fosse luneta. Governa Afrânio de Melo Franco, cognominado "O Regente".

Ruy Barbosa, numa conferência, propõe o banimento da palavra "classes" do vocabulário político, alega que não temos classes, trata-se de uma "sociedade nivelada".

Deputados cassam o colega Maurício Lacerda, tachado de "bolchevique", por propor um... Código de Trabalho.

A bióloga Berta Lutz funda a Liga de Emancipação da Mulher, que dá início à luta pelo voto feminino e pelo ensino misto.

Lima Barreto, recusado pela Academia, publica a obra-prima *Vida e morte de M. J. Gonzaga de Sá*.

### 1920

Somos 30,6 milhões, 2 milhões vindos da Europa a partir de 1910.

Turma rebelde sai da Escola Militar do Realengo: Luís Carlos Prestes, Juarez Távora, Siqueira Campos, Eduardo Gomes, Cordeiro de Farias, que vão para a direita, uns, e outros para a esquerda, e passam o resto da vida lutando.

Ingleses compram uma dupla: fósforos Fiat Lux e cigarros Souza Cruz.

São Paulo cresce: de 11ª cidade brasileira em 1872, atrás de Teresina, agora com meio milhão de habitantes, a maioria imigrantes, fica apenas atrás do Rio.

Governo Epitácio Pessoa proíbe inclusão de negros na seleção brasileira de futebol.

Decreto autoriza o traslado dos restos mortais de Pedro II e da imperatriz Tereza Cristina para o Brasil.

### 1921

A marchinha "Ai, seu Mé" é proibida. Brinca com o carrancudo candidato a presidente Arthur Bernardes, chegado numa pinga: *Ai, seu Mé/Lá no Palácio das Águias/Não hás de pôr o pé*. O autor, Freire Junior, é preso.

Primeiro empréstimo tomado dos americanos: US$ 50 milhões. Atrás vêm a Armour, a Firestone, a Burroughs.

A suíça Nestlé chega querendo substituir o leite materno por seu leite em pó.

Promulgada lei antianarquista, que resulta mesmo é em perseguição a líderes sindicais.

Monteiro Lobato inaugura a literatura infantil brasileira e latino-americana com *Reinações de Narizinho*.

Com dinheiro da Light e da Itabira Iron, Assis Chateaubriand, o Chatô, compra no Rio *O Jornal* e, em São Paulo, o *Diário da Noite*, baluartes em defesa do capital estrangeiro. Ousado, Chatô chantageia milionários para comprar obras de artistas plásticos e monta o Masp, Museu de Arte de São Paulo. Tece poderosa rede de jornais e emissoras de rádio e tevê, mas num esquema de condôminos que, após sua morte, levam tudo para o brejo.

## 1922

O ano abre com a Semana de Arte Moderna, de 11 a 17 de fevereiro, no Teatro Municipal de São Paulo, com a maioria dos atos vaiados — por exemplo Villa-Lobos regendo de casaca e chinelas. Encarnada por dois Andrades, Oswald e Mário, marca uma virada nas artes brasileiras, do velho academicismo para o modernismo.

"Seu Mé", Arthur Bernardes, vai governar sob estado de sítio após três revoltas militares, que detonam o Tenentismo, movimento que propõe democratizar o país e moralizar a política. Expulsos quase todos, tomam caminhos à direita e à esquerda.

Em 22 de janeiro nasce, em Carazinho, norte gaúcho, Leonel Brizola, filho de camponeses vindos de Sorocaba, São Paulo.

Dois intelectuais, um alfaiate, um tipógrafo, um gari, um eletricista, um barbeiro e um padeiro fundam o Partido Comunista do Brasil, que nos sessenta anos seguintes teria apenas cinco de vida legal.

Morre, doente e bêbado, Lima Barreto.

## 1923

Pacto de Pedras Altas pacifica os gaúchos, que vêm se guerreando, divididos agora em ximangos de Borges de Medeiros, positivista, e maragatos de Assis Brasil, Batista Luzardo e Raul Pila, que se opõem a uma quinta reeleição de Borges. Vencerá o ximango Getúlio, inicia sua carreira política.

Revista *Manifesto Comunista*, do PCB, é proibida.

Lei veta trabalho noturno de crianças e adolescentes. A jornada infantojuvenil vai cair para sete horas e a idade mínima para começar a trabalhar se fixará em doze anos (1927).

Em 26 de outubro nasce Darcy Ribeiro, patrono deste livro.

Em 28 de outubro, milhares de fascistas promovem a Marcha sobre Roma, obrigando o rei Vitor Emanuel III a nomear Mussolini chefe de governo.

## 1924

Tropas do general Isidoro, nas quais figuram vários tenentes, tomam por três dias São Paulo, que tropas federais bombardeiam: 500 mortos. O movimento, que levanta tropas pelo país, é derrotado. A coluna gaúcha — a Coluna Prestes — se lança numa Grande Marcha sem rumo, com 1.700 homens (e algumas mulheres), por três anos derrotando forças estaduais, cangaceiros, sem nenhuma derrota, mas sem chegar ao poder.

Comerciários conseguem o direito de férias anuais.

## 1925

A Coluna Prestes expulsa Filinto Müller por "covardia".

Sai *Classe Operária*, jornal do PCB, sempre clandestino e perseguido.

Irineu Marinho funda *O Globo*, que começa a circular em 29 de julho, e morre três semanas depois, deixando o jornal para o filho Roberto.

Promulgada lei que concede quinze dias de férias aos trabalhadores. Não pega.

Na Itália, com a vitória fascista nas eleições de 1924, Mussolini elimina a oposição e assume poderes ditatoriais, autonomeado Il Duce — O Condutor.

## 1926

Eleito Washington Luís, fluminense-paulista que diz "governar é abrir estradas". Reacionário, simpático, moderniza portos e reprime líderes operários com base na Lei Celerada.

Mussolini dá o título de conde ao imigrante italiano Francesco Matarazzo, enriquecido no comércio e na indústria em São Paulo e financiador do movimento fascista brasileiro.

João Goulart cursa o primário em Itaqui, onde o pai se associou a um irmão de Getúlio, Protásio Vargas, para arrendar um pequeno frigorífico de um empresário inglês. Jango se apaixona por futebol e torna-se exímio lateral-direito.

### 1927
A Coluna Prestes se interna na Bolívia e lá se exila.

A era do rádio se instala: as estações aumentam suas potências, a indústria de discos se moderniza, os receptores se aperfeiçoam.

O Comendador Martinelli ergue, no centro de São Paulo, o edifício com seu nome, com trinta andares — 106 metros de altura, o mais alto da América do Sul durante bom tempo.

### 1928
Morre no anonimato, aos sessenta e sete anos, o padre Landell de Moura, pioneiro na transmissão da voz humana por ondas eletromagnéticas.

Mário de Andrade, autor da obra-prima do modernismo, *Macunaíma — O herói sem nenhum caráter*, tem de publicar por sua conta edição de 800 exemplares, nenhum editor aceitou. Mas o acontecimento literário do ano é o poema que Carlos Drummond de Andrade publica na Revista de Antropofagia, cujo verso *No meio do caminho tinha uma pedra* foi um escândalo para os puristas: eles queriam "no meio do caminho havia, ou existia, uma pedra"...

### 1929
A República Velha sente o chão fugir-lhe sob as bases com a derrocada norte-americana; para uma produção recorde de 21 milhões de sacas de café, a exportação não passa de 14 milhões. Fazendeiros, exportadores e bancos quebram; há milhões de desempregados.

No Rio, os negros lançam *O quilombo*, que logo morre, e renascerá com Abdias Nascimento em 1948.

O presidente Washington Luís, que considera a questão social "um caso de polícia", articula outro paulista para sua sucessão, Júlio Prestes, mais reacionário que ele. Gaúchos, mineiros e paraibanos, excluídos pelos paulistas da sucessão, lançam a Aliança Liberal, com pregação democrática e moralizadora; no plano internacional, os ingleses fecham com os governistas, e os americanos, com a Aliança.

A campanha eleitoral governista se anima com um *jingle* de Luiz Peixoto, musicado por Heckel Tavares: *Getúlio/ Fon fon fon fon fon fon*

*fon/ Você está comendo bola/ Não se meta com seu Júlio/ Que seu Júlio tem escola.*

Na Itália, Mussolini fecha os acordos de Latrão, que lhe garantem o reconhecimento dos católicos.

**1930**

Somos 37,6 milhões de brasileiros e o *crack* de 1929 em Wall Street atinge nossa economia alicerçada no café, preço da saca despenca. Salários caem à metade. Suicídios, desespero. Saímos das garras inglesas para as americanas.

José Sarney nasce, em 24 de abril.

Aliança Liberal lança Getúlio à presidência com o paraibano João Pessoa de vice, contra o paulista Júlio Prestes, que vence à base de fraude, detonando a Revolução de 1930 e dando início à Era Vargas, nacionalista — que FHC pretenderia "enterrar" sessenta e quatro anos depois.

Prestes prega insurreição popular; surgem grupos integralistas, inspirados no fascismo, sob a liderança de Plínio Salgado.

Oswald de Andrade e Patrícia Galvão, a *Pagu*, casam-se e entram para o Partido Comunista.

Fundadas no Rio as empresas de cinema Cinédia e Brasil Vita.

Carmen Miranda vira estrela com *Taí*, de Joubert de Carvalho; e Noel Rosa, aos vinte anos, prova sua genialidade ao lançar o samba "Com que roupa".

Em 3 de novembro, deposto Washington Luís e vitorioso o movimento de 3 de outubro que sepulta a República Velha, Getúlio assume a presidência à frente da Revolução de 1930.

**1931**

Getúlio herda dívida de 267 milhões de libras, decreta moratória; seu braço direito, Oswaldo Aranha, negociará como pagar; cria os Ministérios do Trabalho e da Educação. Reconhece sindicatos e promulga leis de proteção aos assalariados, como a Lei da Sindicalização.

Anísio Teixeira inicia no Rio reformas na educação.

Nasce no Rio em 18 de junho Fernando Henrique Cardoso, filho de militar e dona de casa.

Após quatro anos no internato dos Irmãos Maristas em Uruguaiana, Jango é reprovado e o pai o matricula, aos doze anos, no Colégio Anchieta de Porto Alegre, onde mora numa pensão com amiguinhos de São Borja;

eles admiram seus dotes futebolísticos e o convencem a fazer um teste no infantil do Internacional: é aprovado.

Inaugurado em Nova Iorque o Empire State, mais alto edifício do mundo com 102 andares: 443 metros, quatro vezes os 106 metros do paulistano Martinelli (1929).

Em Lobato, o baiano Oscar Cordeiro escava e encontra vestígio de petróleo.

Monteiro Lobato lança *Escândalo do petróleo*, munição para a campanha *O Petróleo é nosso*.

Batista Luzardo, chefe de polícia, traz técnicos de Nova Iorque para implantar um policiamento antissubversivo — leia-se "anticomunista".

Seca dizima gado e mata gente no Nordeste, socorrido pelo paraibano José Américo, ministro da Viação, escritor de *A bagaceira*.

Getúlio se curva à política de valorização do café, queima milhões de sacas para forçar a alta, ressarcindo fazendeiros com dinheiro público: socialização de prejuízos, ou capitalismo à brasileira: o povo paga.

Baiano Jorge Amado lança *País do carnaval* e gaúcho Raul Bopp o brasílico *Cobra Norato*. Mineiro Chico Xavier lança *Parnaso*, primeiro de mais de cem livros psicografados.

Astrojildo Pereira sai do Partido Comunista, descontente com o *obreirismo* — culto do trabalhador braçal.

Em 12 de outubro é inaugurado o monumento Cristo Redentor no Rio.

Mudança no ensino traduz a transição da vassalagem cultural à França para os Estados Unidos: ensino de inglês obrigatório no curso secundário.

## 1932

É campeão do carnaval Lamartine Babo, com "O teu cabelo não nega": *Mulata, mulatinha, meu amor/ Fui nomeado seu tenente interventor*. Mulata entra na moda, assim como interventores: tenentes que Getúlio nomeia governadores dos estados.

Em 5 de maio, atendendo a pedido da feminista Alice Toledo Tibiriçá, Getúlio institui o Dia das Mães em todo segundo domingo de maio.

Internacional de Porto Alegre sagra-se campeão gaúcho na categoria infantojuvenil; seu lateral-direito é, na opinião de um colega chamado Arízio, "um guri meio fechado e muito, muito bom": João Goulart.

Movimento "legalista" galvaniza a elite paulista pela "reconstitucionalização". Movem-se os carcomidos de 1930 para retomar o poder: em 9 de julho explode a Revolução Constitucionalista, contrarrevolução derrotada; há milhares de mortos, prisões, deportações: Prudente de Morais, Euclydes Figueiredo (pai de João Baptista), Júlio de Mesquita entre outros; para entender a derrota, a elite paulista funda a Escola Livre de Sociologia e Política, americanófila, oposta à da USP, francófila.

Villa-Lobos apresenta *Bachianas Brasileiras nº 1*, ponto alto de nossa música erudita.

Plínio Salgado lança a Ação Integralista Brasileira, filo-fascista, que atrai classes médias, clero e oficiais superiores pelo lema *Deus, Pátria e Família*.

São Paulo reprime greve de ferroviários.

Paraibano José Lins do Rego publica *Menino de engenho*, primeiro da série de romances sobre a vida nordestina; alagoano Graciliano Ramos estreia com *Caetés*, seguido das obras-primas *Angústia* e *Vidas secas*; gaúcho Erico Verissimo inicia com *Fantoches*, obra que culminará com *Incidente em Antares*.

Getúlio cria carteira de trabalho; decreta jornada de oito horas, salário igual para trabalho igual, licença de um mês para gravidez e parto; e lança o Código Eleitoral: voto secreto, Justiça Eleitoral, voto da mulher.

**1933**
Heitor dos Prazeres, músico e pintor, compõe o "samba do ano", "Mulher de Malandro", mas o sucesso do carnaval é de Noel, "Fita Amarela": *Quando eu morrer/ Não quero choro nem vela*.

Com *Casa-Grande & Senzala*, obra-mãe de nossa sociologia, Gilberto Freyre desconcerta esquerda e direita — por exemplo ao recordar velho hábito de jurar "pelos pentelhos da Virgem"; Afonso Arinos define: é mais pornográfico que sociológico.

Getúlio regulamenta férias para comerciários e bancários, industriários e portuários. Revoga atos de governadores que entregavam terras da Amazônia a norte-americanos e canadenses.

Catarinense Antonio Galotti vira eterno advogado da Light contra os interesses brasileiros, até a façanha-mor: vender a Light a Geisel por bilhões em vésperas de vencer a concessão e a empresa voltar ao país de graça.

**1934**
"Quem foi que inventou o Brasil", de Lamartine Babo, é o sucesso do ano, cantada por Almirante.

Criado o IBGE — Instituto Brasileiro de Geografia e Estatística.

Integralistas crescem, marcham pelas cidades vestindo camisas verdes, mãos espalmadas à moda nazista, gritando *anauê!* (saudação tupi: *eis-me aqui*); conspiram.

Criada a USP — Universidade de São Paulo, sob direção de Teodoro Sampaio e assessoria de Paulo Duarte; trazem professores franceses, italianos, alemães e portugueses.

Assembleia Nacional Constituinte promulga a nova Constituição da República, consagrando o nacionalismo no capítulo "Da Ordem Econômica e Social"; mas não é laica: curva-se à Igreja Católica pondo Deus no preâmbulo e instituindo o casamento "indissolúvel".

Juscelino elege-se deputado.

## 1935

Mussolini, sonhando com um império colonial italiano, invade a Etiópia; rompe com as democracias e se aproxima de Hitler, com quem formará, junto com o imperador do Japão, o chamado Eixo.

Orlando Silva, cobrador de ônibus, então com vinte anos, revela-se nosso maior cantor ao gravar "Última Estrofe". No carnaval, explode "Cidade Maravilhosa", de André Filho, que vai virar hino do Rio de Janeiro.

Intelectuais se posicionam. De um lado, antifascistas e antirracistas, como Mário de Andrade, Gilberto Freyre, Anísio Teixeira; socialistas, como Hermes Lima, Sérgio Buarque de Holanda; e comunistas. De outro lado, fascistas, integralistas e reacionários católicos, como Alceu Amoroso Lima, San Thiago Dantas, Vicente Rao, Chico Campos.

Inaugurada a Rádio Nacional; Getúlio cria a *Voz do Brasil*, programa governista de rádio.

Gilberto Freyre lança outra obra-prima: *Sobrados e mucambos*, sobre a decadência rural e ascensão do bacharel; lança o mito do "amarelinho", herói pequenino, magrinho, feiosinho: Dumont, Ruy, Euclides.

Lei garante estabilidade no emprego, com indenização por demissão sem justa causa, proscrita pela ditadura militar a serviço das multinacionais.

Em 23 de novembro eclode em Natal e, logo, no Rio, a Intentona Comunista, promovida por militares da ANL — Aliança Nacional Libertadora, liderada por Prestes, grave equívoco das esquerdas. Esmagada, resulta em perseguição a comunistas e afins, presos e torturados pela polícia de Filinto Müller. Preso na Ilha Grande, Graciliano Ramos deixará precioso testemunho em *Memórias do cárcere*.

## 1936

Jango cursa Direito em Porto Alegre; por levar vida boêmia, acaba pegando uma doença venérea que o deixa com o joelho esquerdo semiparalisado.

"Pierrô apaixonado", de Noel e Heitor dos Prazeres, é sucesso do Carnaval.

O integralismo, excitado com as proezas de Mussolini, consegue adesões de futuros arrependidos, na ilusão de uma via nacionalista por aqui: líder negro Abdias Nascimento, filósofo Roland Corbusier, poeta Gerardo Mello Mourão.

Anísio Teixeira, filo-bolchevista para os conservadores, publica *Educação para a democracia*; Sérgio Buarque de Holanda, *Raízes do Brasil*, interpretação de nossas bases sociopolíticas.

Gustavo Capanema reúne mentes privilegiadas no Ministério da Educação: Rodrigo de Melo e Franco, Carlos Drummond de Andrade, Mário de Andrade, Lúcio Costa, Oscar Niemeyer, Candido Portinari, Heitor Villa-Lobos, Cecília Meirelles, Manuel Bandeira; vão tocar projetos por uma década.

Berta Lutz, na luta feminista desde 1919, elege-se deputada.

## 1937

Getúlio cria em 13 de janeiro o Instituto do Patrimônio Histórico e Artístico Nacional — Iphan.

No Carnaval, o povo duvida que Getúlio promova eleições e canta a marchinha de Nássara — *Na hora agá/ Quem vai ficar é seu Gegê*.

Em 4 de maio, vai-se Noel Rosa, aos vinte e seis anos.

Novo ato de brutalidade estatal: policiais, jagunços e soldados exterminam o Caldeirão, comunidade cearense formada por fiéis do Padim Ciço e liderada pelo Beato Lourenço; usam até canhões e aviões na chacina de mais de 500 romeiros.

Getúlio decreta: lutar ou jogar capoeira não é mais crime.

Jorge Amado se impõe com o romance social *Capitães da areia*, sobre meninos de rua de Salvador; muitos acreditam que o líder juvenil Pedro Bala foi inspirado em Carlos Marighella.

Em 10 de novembro, Getúlio cria o autogolpe — "única resposta para a crise criada pela iminência da guerra civil" — e funda o Estado Novo, que começa como ditadura fascista, vai virar neutra e acabará, na 2ª Guerra, alinhando-se às democracias contra o nazifascismo.

## 1938

Hitler anexa a Áustria e é aclamado em Viena.

O povo nos salões canta *Yes, nós temos banana/ Banana pra dar e vender/ Banana, menina, tem vitamina/ Banana engorda e faz crescer*, de João de Barro e Alberto Ribeiro.

Em 11 de maio, de madrugada, integralistas assaltam o Palácio Guanabara, a família Vargas se defende com revólveres até chegar socorro: fuzilam oito integralistas que insistiam no ataque; entre presos e deportados, figuram liberais que os apoiavam: Otávio Mangabeira, Júlio de Mesquita Filho, Armando de Sales Oliveira, Flores da Cunha.

Prestes é enjaulado e passa a leite e pão com salada — mais que matá-lo, o chefe da polícia, Filinto Müller, queria enlouquecê-lo. Fracassou.

Polícia alagoana cerca Lampião e degola dez, inclusive Maria Bonita; na Grota do Angico, oitenta anos depois, surge um monumento.

Getúlio põe como interventor de São Paulo Adhemar de Barros, típico populista: apela ao povo, ganha seu voto e governa para as classes dominantes. Estimulava, ele próprio, o lema "rouba mas faz".

Samuel Wainer lança a revista *Diretrizes*, voz democrática em meio a um coro fascista, fechada em 1940; nosso teatro, que falava português lusitano, fala brasileiro com sotaque carioca com a estreia de *Romeu e Julieta* no Teatro do Estudante, fundado por Paschoal Carlos Magno; Erico Verissimo publica *Olhai os lírios do campo* e Graciliano Ramos, *Vidas secas*.

Getúlio cria o Departamento Administrativo do Serviço Público — Dasp, ao qual se deve a modernização da administração pública.

## 1939

Hitler invade a Polônia, detonando a 2ª Guerra Mundial e provocando efeito colateral positivo: fogem para o Brasil intelectuais europeus como Otto Maria Carpeaux (escritor austríaco), Anatol Rosenfeld (crítico alemão), Paulo Rónai (crítico e tradutor húngaro), Zbigniew Ziembinsky (diretor de teatro polonês); pena que a estupidez reinante impeça a vinda de outros gênios, como Thomas Mann e vários cientistas.

Jango se forma em advocacia, profissão que jamais exercerá; deprimido com o problema que o faz andar arrastando a perna esquerda, recolhe-se na estância do pai e faz grandes amigos entre os peões.

Baiano Oscar Cordeiro vibra ao ver petróleo manar da boca de seu poço, a 240 metros de profundidade.

Percival Farquhar reúne testas de ferro e funda empresa para incorporar a *Itabira Iron* a novas negociatas, que a 2ª Guerra Mundial proporcionará.

Inaugurada a Rio-Bahia — estrada de terra.

## 1940

No Carnaval, Jango assume sua condição: em São Borja, desfila na Ala dos Rengos do bloco Comigo Ninguém Pode. Sinal de que está psiquicamente curado.

Quinto censo: somos 41,5 milhões de brasileiros. Média de filhos por casal: seis.

Estreia o poeta gaúcho Mario Quintana com *Rua dos cataventos*.

Getúlio "é" o órgão planejador: planeja com assessores como enfrentar patrões, banqueiros, multinacionais e testas de ferro para fazê-los aceitar um capitalismo de estado que viabilize uma infraestrutura industrial de base; na inauguração de Goiânia, lança a Marcha para o Oeste, para entregar a milhões de lavradores "os fundos" do Brasil, mas quem marcha para lá são latifundiários, que expulsam os pequenos.

Preso no Rio o Comitê Central do Partido Comunista. Novo Código Penal parece escrito por cristãos "xiitas": quatro anos de cadeia para quem realizar aborto e três para a mulher que o fizer.

Surge a Associação de Canto Coral, dirigida por Villa-Lobos, que promove corais com milhares de alunos de escolas públicas.

Nasce no Rio de Janeiro a Atlântida, lançadora de filmes musicais e da chanchada, que diverte brasileiros de todas as idades com a dupla Oscarito e Grande Otelo.

Mussolini alia-se a Hitler e declara guerra à França e Inglaterra.

## 1941

Duas marchinhas lançam duas "musas", animam o Carnaval e virarão clássicos: de Roberto Roberti e Mário Lago, *Se você fosse sincera/ Ôôôô, Aurora...*; e de Antônio de Almeida e Constantino Silva, *Eu ontem cheguei em casa, Helena/ Te procurei, não te encontrei/ Fiquei tristonho a chorar...*

Getúlio inaugura a Justiça do Trabalho no 1º de Maio, em concentração no estádio de São Januário, no Rio, animada por corais regidos por Villa-Lobos.

Editora Globo, de Porto Alegre, lidera expansão editorial sob a direção de Erico Verissimo e convoca tradutores; o brasileiro comum conhece a *Comédia humana* de Balzac, e Proust, Thomas Mann, Dreiser, Pirandello, Faulkner, Tolstoi.

I Congresso Umbandista Nacional pede a legalização do culto afro-brasileiro que já é abraçado por milhões.

O civil Joaquim Salgado Filho implanta o Ministério da Aeronáutica, cria a FAB — Força Aérea Brasileira, e o CAN — Correio Aéreo Nacional.

Monteiro Lobato acusa o general Júlio Horta Barbosa de bloquear a iniciativa privada na exploração do petróleo: é preso.

Getúlio implanta o DIP — Departamento de Imprensa e Propaganda, a serviço do Estado Novo; conta com publicações, mas principalmente a Rádio Nacional, onde brilham Lamartine Babo, Ari Barroso, Almirante e outros astros da música popular.

Criado o Ministério da Aeronáutica.

## 1942

A abertura da avenida Presidente Vargas, para dar acesso aos subúrbios, ameaça o palco dos carnavalescos e o sucesso é de Herivelto Martins: *Vão acabar com a Praça Onze/ Não vai haver mais escolas de samba, não vai.*

Alemães afundam navios nossos e o Brasil declara guerra ao Eixo (Alemanha-Itália-Japão), em apoio aos Aliados. Manifestações de rua pela democratização; a pressão diminui com a demissão de fascistas como o ministro de Justiça Chico Campos e o chefe de polícia Filinto Müller. Getúlio aproveita as tensões mundiais, permite bases norte-americanas em Belém, Recife e Natal, fornece borracha e minério de ferro; em troca, recupera dos ingleses jazidas de Minas Gerais e a ferrovia do Rio Doce, mais o principal: os norte-americanos constroem a siderúrgica de Volta Redonda, CSN — Companhia Siderúrgica Nacional, embrião de nossa indústria de base, privatizada cinquenta e um anos depois.

Criado o Serviço Nacional de Aprendizado Industrial — Senai, no âmbito do Ministério do Trabalho.

Movimento Música Viva faz despontar novos valores, como Cláudio Santoro, Edino Krieger, Guerra Peixe. A poesia eleva-se com "José", de Carlos Drummond de Andrade; e "Pedra do sono", de João Cabral de Melo Neto. Cecília Meireles, em "Vaga música": *Eu ando sozinha,/ ao longo da noite./ Mas a estrela é minha*. Caio Prado Júnior publica *Formação do Brasil Contemporâneo: Colônia*.

Chega a Coca-Cola graças a decreto que permite marcas com "ingredientes secretos".

## 1943

O povo ridiculariza Hitler no Carnaval, cantando, de Haroldo Lobo e Roberto Roberti, "Que passo é esse, Adolfo?".

Mussolini, de fracasso em fracasso nos campos de batalha, é afastado por ordem de outros chefes fascistas e preso por ordem do rei; paraquedistas nazistas o libertam e ele constitui no norte da Itália uma "república social italiana".

Inaugurado o Ministério da Educação, projetado por Le Corbusier, detalhado por brasileiros como Oscar Niemeyer, sob a chefia de Lúcio Costa.

Oscar Niemeyer, aos trinta e cinco anos, é contratado por JK, prefeito de Belo Horizonte, para projetar a Pampulha: iate clube, igreja, cassino, casa de baile; é a virada na arquitetura moderna, de funcional para estética: o abrigo humano também deve ser belo.

Getúlio cria: Fábrica Nacional de Motores — FNM, vencendo a resistência dos entreguistas; imposto sobre lucros extraordinários, sob grita geral; Expedição Roncador-Xingu, para a Marcha para o Oeste, que funda cidades em Goiás e Mato Grosso e abre o "fundo do Brasil" aos latifundiários.

Juarez Távora denuncia abusos da Light: infração a normas, descumprimento de contratos, desvio de documentos; uma CPI não dá em nada.

O paulista Roberto Simonsen tenta criar um banco de incentivo à indústria, mas esbarra na oposição de antinacionalistas como Eugênio Gudin e Gastão Vidigal.

Getúlio promulga a Consolidação das Leis do Trabalho — CLT, exemplo mundial de avanço no tratamento da questão social.

O samba se enriquece com "Falsa baiana", de Geraldo Pereira, na voz de Ciro Monteiro; e "Atire a primeira pedra", de Ataulfo Alves, na voz de Orlando Silva.

Modernismo chega à Bahia, com o Movimento Vanguardista de Mário Cravo e Genaro de Carvalho.

Vida nova no teatro, a patinar na mesmice das comédias de costumes: estreia *Véu de Noiva*, de Nelson Rodrigues, direção de Ziembinsky e cenografia de Santa Rosa.

Morre Vicente Goulart, deixando ao primogênito de vinte e quatro anos a incumbência de tocar os negócios, o que ele faz com a destreza do lateral-direito que foi — defendendo bem e sabendo o momento de atacar; antes dos trinta anos, será homem rico e influente.

## 1944

Enquanto o Brasil entra na guerra enviando 25 mil homens à Itália, estoura a campanha pela anistia dos presos políticos, enjaulados desde 1935; Prestes lança da prisão manifesto: apoia a guerra contra o nazifascismo e o governo, pela "liquidação dos restos feudais" e por "esforços de ampliação do mercado interno".

Irmãos Villas Bôas assumem Expedição Roncador-Xingu, paralisada diante do rio das Mortes; Cláudio, Orlando e Leonardo se fixam no Xingu — salvação dos índios da região.

Inaugurada a avenida Presidente Vargas, com 4 quilômetros de extensão e 80 metros de largura, espinha dorsal do Rio.

Brasil assina acordo de Bretton Woods, que cria FMI — Fundo Monetário Internacional — e Bird — Banco Internacional para Reconstrução e Desenvolvimento —, aceitando uma servidão difícil de se livrar.

Instituto Técnico de Alimentação é fundado por Josué de Castro, para quem a humanidade se divide entre "os que não dormem com medo dos que não comem e os que não dormem porque não comem".

Leôncio Basbaum cria a Editora Vitória para publicar obras marxistas e afins.

## 1945

Reconhecido por guerrilheiros que lutaram contra o nazifascismo — partisans — quando tentava fugir para a Suíça, Mussolini é fuzilado em 28 de abril; morre o fundador do fascismo, não o fascismo.

Rio em festa em julho com a volta dos pracinhas; oficiais superiores vêm americanizados e ainda mais propensos ao golpismo.

Norte-americanos pressionam para que suas empresas dominem nosso mercado interno; a industrialização, acelerada durante a guerra, regride.

A Companhia Siderúrgica Nacional — CSN — passa a funcionar sob protestos de figuras como o economista Eugênio Gudin que lança campanha: *Volta Redonda é grande demais.*

Getúlio promulga Lei Antitruste, provocando tal revolta dos testas de ferro — chegam a pedir intervenção do exército — que a lei não pega (Jango a retomará com a Lei de Remessa de Lucros, e cairá).

Nasce novo ritmo, criado por Luís Gonzaga e Humberto Teixeira: *Eu vou mostrar a vocês/ Como se dança um baião...*

Fundada a Confederação Geral dos Trabalhadores do Brasil, em congresso com 1.752 delegados.

Surge o DNOCS — Departamento Nacional de Obras Contra as Secas, fonte de rapinagem de políticos nordestinos — a "indústria da seca".

Centenas de milhares de nordestinos vão para o norte do Paraná, atraídos pela colonização impulsionada pelos recém-chegados cafezais à "terra roxa".

Abdias Nascimento funda o Teatro Experimental do Negro.

Criado o Instituto Rio Branco, para treinar diplomatas, num trabalho que a ditadura militar vai aviltar.

Getúlio anistia mais de 1.500 presos políticos, mas os militares — em sua maioria de esquerda — não podem voltar à tropa.

Prestes apoia a Constituinte com Getúlio, o PCB salta de 2 mil para 150 mil membros; nascem outros partidos: UDN — União Democrática Nacional, à direita; Getúlio cria, com a mão direita, o PSD — Partido Social Democrático, dos fazendeiros, dos ricos, e com a esquerda o PTB, Partido Trabalhista Brasileiro, dos trabalhadores.

Deposto por militares em outubro, Getúlio volta a São Borja, à Fazenda Itu, onde passa a receber uma corte de visitantes, entre eles, seu vizinho estancieiro, João Goulart.

Com apoio de Getúlio, o general Eurico Gaspar Dutra se elege presidente em dezembro; Getúlio se elege senador pelo Rio Grande e por São Paulo com mais de 1 milhão de votos.

Em 27 de outubro nasce em Garanhuns, Pernambuco, Luiz Inácio da Silva.

## 1946

No Carnaval, o povo zomba dos eternos bajuladores cantando, de Roberto Martins e Frazão: *Lá vem o cordão dos puxa-sacos/ Dando vivas aos seus maiorais/ Quem tá na frente vai passando para trás/ E o cordão dos puxa-sacos cada vez aumenta mais.*

Sai nova Constituição, pouco sensível às responsabilidades do Estado diante das necessidades do povo; em todo caso, democrática.

Restrições a importações durante a guerra permitem pagar a dívida e fazer reserva de mais de US$ 1 bilhão; política imposta por multinacionais e seguida pelos financistas Bulhões e Gudin favorece empresas estrangeiras, facilitando importação de quinquilharias e negociatas, como a compra de velhas empresas inglesas: 80% das reservas se esgotam.

Colônia nipo-brasileira se arrepia com a Shindo Remei, seita de fanáticos a matar friamente líderes japoneses e nisseis que admitem a derrota do Japão na guerra.

Dutra, que — dizia-se — nunca foi visto sorrindo, proíbe o jogo e fecha cassinos. Suprime o direito de greve e, continua arrochando salários, congelados desde 1942.

Criado o Partido Socialista, liderado por Hermes Lima, nem marxista nem antimarxista.

No Clã do Ceará despontam os artistas Antônio Bandeira e Aldemir Martins.

Josué de Castro publica *Geografia da fome*, clássico ensaio sobre o subdesenvolvimento.

Protásio Vargas convida Jango a entrar no PSD — Partido Social Democrático, que ele está montando em São Borja; mas, a conselho de Getúlio, Jango entra para o trabalhismo: será o primeiro presidente do PTB de São Borja, mais tarde presidente do partido no estado e, por fim, presidente nacional.

## 1947

Dutra cria a Comissão de Investimentos, a cargo de "vende-pátrias" como Juarez, Gudin, Bulhões, que não conseguem um tostão lá fora, mas propõem privatizar empresas públicas.

Correa e Castro, ministro da Fazenda, diz que é isso mesmo: temos de exportar matéria-prima e alimentos, e importar produtos industrializados e comida enlatada. Pereira Lyra, advogado da Light e chefe da Casa Civil, consegue de Dutra empréstimo de US$ 90 milhões para... a Light.

Dutra ganha no Supremo Tribunal Federal e no Congresso carta branca para cassar os comunistas; fecha a CGTB e 146 sindicatos. Brasil rompe com a URSS — União das Repúblicas Socialistas Soviéticas.

Evandro Lins e Silva propõe tribunais de pequenas causas para desobstruir a Justiça — esperaríamos quase quarenta anos, até 1986, para a criação dos Juizados de Pequenas Causas.

Jacob do Bandolim grava o choro "Flamengo", de Bonfiglio de Oliveira, e vende 100 mil cópias: uma proeza.

Burle Marx funda o paisagismo brasileiro, integrando plantas tropicais nos jardins do mundo.

Aeronáutica cria o ITA — Instituto Tecnológico de Aeronáutica, que se tornará, em 1950, nossa maior escola de tecnologia, em São José dos Campos.

Getúlio convence Jango a candidatar-se a deputado estadual; ele se elege com mais de 4 mil votos, o quinto mais votado, à frente mesmo de Brizola, colega de partido e já seu cunhado.

## 1948

"É com esse que eu vou", de Pedro Caetano, arrasa no Carnaval.

Fundada a SBPC — Sociedade Brasileira para o Progresso da Ciência, no ano célebre pelo feito de César Lattes: isolou o méson, partícula do átomo.

Em 4 de julho morre, aos sessenta e seis anos, Monteiro Lobato, criador da literatura infantojuvenil latino-americana.

PCB guina à esquerda, pede a renúncia de Dutra e exige reforma agrária até pela luta armada: implanta guerrilhas camponesas em Porecatu, Paraná; e Formoso, Goiás.

Na Assembleia gaúcha, Jango não se mostra muito ativo; Legislativo não é seu forte, mas defende subsídios para os mais pobres poder comprar alimentos.

## 1949

No carnaval, "Chiquita Bacana", de João de Barro e Alberto Ribeiro, faz sucesso com a crítica social de Wilson Batista e Roberto Martins: *Você conhece o pedreiro Valdemar?/ Não conhece? Mas eu vou lhe apresentar./ De madrugada toma o trem da Circular/ Faz tanta casa e não tem casa pra morar./ Leva a marmita embrulhada no jornal/ Se tem almoço, nem sempre tem jantar./ O Valdemar, que é mestre no ofício,/ Constrói um edifício e depois não pode entrar.*

Getúlio, cada vez mais apegado ao afilhado político Jango, a quem também ouve sobre as eleições presidenciais de 1950, é entrevistado em fevereiro por Samuel Wainer em sua fazenda e diz: "Sim, eu voltarei, não como líder político, mas como líder de massa".

Em 19 de abril, em festa que dá em uma de suas propriedades pelos sessenta e sete anos de Getúlio, Jango o lança candidato à presidência.

Funciona no Rio a ESG — Escola Superior de Guerra, no modelo norte-americano espalhado pela América Latina, segundo a doutrina da "segurança nacional", subversiva, que põe os militares prontos a golpear a democracia em nome da "ameaça comunista".

Nasce em São Paulo a companhia de cinema Vera Cruz, rival da carioca Atlântida.

Em Caxias, Baixada Fluminense, a FNM produz motor de avião, caminhão a diesel, automóvel, até 1968, quando é vendida à italiana Alfa Romeo e morre.

## 1950

Sexto censo: somos mais de 51,7 milhões; curiosidade: 5 mil brasileiras tiveram mais de vinte e cinco filhos.

Vedete Elvira Pagã eleita Rainha do Carnaval no Municipal carioca enquanto o povo canta, de João de Barro e José Maria de Abreu: *Ai, Gegê!/ Ai, Gegê, que saudades,/ Que nós temos de você*.

Despontam dois nomes na pintura: Djanira, que "tinha a ciência do povo nas mãos", segundo Jorge Amado; e Pancetti, um de nossos maiores paisagistas.

Victor Civita põe a editora Abril nas bancas, com a infantil *Pato Donald*, que matará o *Tico-Tico*.

Com apoio da *Tribuna da Imprensa*, de Lacerda; *Estadão*, dos Mesquita; e *O Globo*, dos Marinho, a Banda de Música da UDN irá se opor iradamente, no Congresso, a Getúlio, ao aumento do salário mínimo, à posse de JK, às reformas de base.

Declinam garimpos de diamantes na região de Marabá.

Em 10 de setembro, Chateaubriand faz transmissão experimental da TV Tupi, exibindo filme em que Getúlio anuncia seu retorno à vida política; a Tupi estreia dia 18, em 200 televisores que *Chatô* espalhou por lugares "estratégicos" de São Paulo.

Getúlio vence as eleições em dezoito das vinte e quatro unidades da federação com quase metade dos votos do eleitorado, para alegria do povo e luto das elites; monta ministério nacionalista com nesgas de entreguismo; herda reservas financeiras esgotadas por Dutra.

Jango é eleito deputado federal com uma das maiores votações do Rio Grande.

## 1951

Cantam nos salões "Tomara que chova", marchinha de Paquito e Romeu Gentil, gravada por Emilinha Borba; e a politizada "Retrato do velho", de Haroldo Lobo e Marino Pinto por Francisco Alves: *Bota o retrato do velho, outra vez/ Bota no mesmo lugar/ O sorriso do velhinho/ Faz a gente trabalhar.*

Começa a circular, em junho, a *Última Hora*, de Samuel Wainer, até 1964 único jornal "de oposição à classe dominante" e a favor de governos populares.

A mensagem de Getúlio ao Congresso é peça de alta competência, diagnostica e oferece soluções para problemas da agricultura, abastecimento, infraestrutura, indústrias, área social — inspirou o Programa de Metas de JK.

Em 3 de julho, promulgada a Lei Afonso Arinos, que inclui entre as contravenções penais "a prática de atos resultantes de preconceitos de raça ou de cor"; tímido começo, mas é um começo da luta contra o racismo.

Inaugurada a Hidrelétrica de São Francisco, pondo a cachoeira de Paulo Afonso a serviço do desenvolvimento. Getúlio promulga Lei Afonso Arinos, que proíbe discriminação racial em hotéis e restaurantes.

I Bienal de São Paulo apresenta 1.800 trabalhos de vinte e um países, com 7 quilômetros de percurso.

Samuel Wainer põe nas ruas o diário *Última Hora*, jornal popular de alta qualidade editorial, fechado pela ditadura deixando uma lacuna até hoje não preenchida.

Descobrimos que tínhamos areia monazítica, "terra rara", ao descobrirmos que metade do areal de Guarapari havia sido contrabandeado por gringos.

Renovação literária com o curitibano Dalton Trevisan e suas *Novelas nada exemplares*.

## 1952

Um sucesso de Carnaval, de Arnaldo Cavalcanti e K. Caldas, gravada por Blecaute, brinca com o apadrinhamento político: *Maria Candelária/ É alta funcionária/ Saltou de paraquedas/ Caiu na letra Ó/ Ó Ó Ó Ó!*

Criado com recursos públicos o BNDE — Banco Nacional de Desenvolvimento Econômico —, para investir em estatais de transporte, energia, siderurgia etc.

Getúlio cria o Plano Geral de Industrialização, dirigido à infraestrutura e produção de bens de consumo.

Campanha *O Petróleo é Nosso* ganha as ruas.

Dean Acheson, "ministro das colônias", visita Getúlio e mostra preocupação com a regulamentação da remessa de lucros; a Banda de Música da UDN começa a denunciar corrupção; revista *Time* publica artigo favorável à derrubada do governo brasileiro; generais Zenóbio da Costa, Canrobert Pereira da Costa e Osvaldo Cordeiro de Farias promovem campanha eleitoral antigetulista para o Clube Militar e vencem.

Implantado o Conselho Nacional de Pesquisas — CNPq.

Criada a Conferência Nacional dos Bispos do Brasil — CNBB.

Ademar Ferreira da Silva é medalha de ouro em salto triplo nas Olimpíadas de Helsinque.

Comoção nacional: desastre de automóvel mata Francisco Alves, o Chico Viola ou Rei da Voz, lançador do samba-exaltação *Aquarela do Brasil*, de Ari Barroso.

Sucesso de bilheteria: *Tico-Tico no fubá*, sobre a vida de Zequinha de Abreu, direção de Adolfo Celi.

Lançada a revista *Manchete*, da Editora Bloch, rival de *O Cruzeiro*, dos Diários Associados.

Firma-se o samba-canção com "Ninguém me ama", de Fernando Lobo e Antônio Maria, na voz de Nora Ney.

Pernambucana Eurídice Ferreira de Mello ruma com oito filhos, de pau de arara, para São Paulo; instalam-se em Vicente de Carvalho; o penúltimo filho, aos sete anos, vende amendoim e tapioca nas ruas, seu nome é Luiz, mas o chamam de *Lula*.

Jango se licencia da Assembleia gaúcha a pedido de Getúlio, que o chama para resolver problemas no Ministério do Trabalho — Jango é respeitado no movimento sindical.

## 1953

Getúlio implanta a Petrobras, com monopólio total da extração e parcial do refino de petróleo, e cresce a conspiração; ao propor a Lei de Lucros Extraordinários, provoca reação nas imprensas nacional e estrangeira ligadas às multinacionais; Washington lança declarações hostis e Getúlio reage revelando que, em dezoito meses, tivemos prejuízo de US$ 250 milhões só no "subfaturamento" das exportações; em represália, Washington suprime a Comissão Mista Brasil-Estados Unidos.

Carlos Lacerda, Assis Chateaubriand e Roberto Marinho se juntam a parlamentares de direita em campanha contra a *Última Hora*, de Samuel Wainer, único jornal que apoia Getúlio; acusam Samuel de "estrangeiro" e de receber empréstimo "de favor" do Banco do Brasil (bizarro: *O Globo* de Marinho e *O Jornal* de Chatô receberam empréstimos maiores da mesma fonte e nas mesmas condições); o objetivo é atingir Getúlio.

II Bienal, organizada por Sérgio Milliet, deslumbra com cubismo francês, futurismo italiano, Klee e oitenta Picassos, inclusive *Guernica*.

Literatura a mil: Cecília Meireles saúda os revoltosos mineiros em *Romanceiro da Inconfidência*; Graciliano, em *Memórias do cárcere*, narra o que passaram presos políticos no Estado Novo; Edmundo Donato, irmão de dois Donatos escritores (Mário e Hernani), vira Marcos Rey e se lança com *Um gato no triângulo*, que mal prenuncia o grande cronista da vida urbana paulista com *O enterro da cafetina*, *Memórias de um gigolô*.

Getúlio nomeia Jango ministro do Trabalho em situação de crise: salário mínimo não aumentava desde o governo Dutra, os trabalhadores faziam greves e engrossavam a oposição; tão logo assume, Jango precisa responder ao *The New York Times*, que o acusou de tramar uma república sindicalista como fez Perón na Argentina.

## 1954

Em 25 de janeiro, festa do 4º centenário de São Paulo, com inauguração do Parque do Ibirapuera, projetado por Niemeyer. Começa bem o ano, com o sucesso carnavalesco "Saca-Rolha", de Zé e Zilda: *As águas vão rolar...*

Jango estuda o aumento do salário mínimo, prensado entre trabalhadores que pedem 100% e patrões que não aceitam mais que 42%.

Advogado Francisco Julião cria em Pernambuco a primeira das Ligas Camponesas, que se multiplicariam e seriam massacradas pelos militares dez anos depois.

Golpismo cresce: quarenta e oito coronéis assinam manifesto contra os 100%, "aberrante subversão do comunismo solerte"; os coronéis Golbery do Couto e Silva e Jurandir Bizarria Mamede, futuros golpistas de 1964, lideram; Getúlio demite Jango, e também o ministro da Guerra (exército), que lhe levou o manifesto.

Em 1º de maio, Getúlio assina os 100% de aumento; e envia ao Congresso proposta de criação da Eletrobras.

Lacerda acusa Getúlio de mancomunar-se com Perón para implantar aqui a tal "república sindicalista".

Baiana Martha Rocha, nossa mais famosa *miss*, perde o título de *Miss Universo* por ter duas polegadas a mais nos quadris de brasileira mestiça.

Carlos Manga filma paródia do getulismo, *Nem Sansão nem Dalila*, com Oscarito e Grande Otelo.

Em 5 de agosto, um pistoleiro mata o major Vaz, guarda-costas de Lacerda, que alega ter levado um tiro no pé ao entrar em casa na rua Toneleros, Copacabana; o coautor deste livro Palmério Dória, vinte e três anos depois, obterá do pistoleiro Alcino João do Nascimento a peremptória afirmação: atirou, sim, no major Vaz, mas jamais atirou em Lacerda (o laudo pericial sobre o alegado tiro no pé jamais foi apresentado).

Instala-se na base aérea do Rio a *República do Galeão*, onde se tortura à vontade para obter-se uma confissão de que Getúlio foi o mandante do "atentado"; imprensa, menos *Última Hora*, oposição e militares exigem a renúncia do presidente; no amanhecer de 24 de agosto, Getúlio se mata, cumprindo o prometido em manchete da *Última Hora*: "Só morto sairei do Catete". Na Carta Testamento — cuja cópia entregou a Jango fechada num envelope com ordem de só abrir ao chegar ao Rio Grande — acusa "forças e interesses contra o povo", grupos nacionais e internacionais "revoltados contra o regime de garantia do trabalho", a Eletrobras, a Petrobras, a lei de remessa de lucros; "saio da vida para entrar na história", encerra.

A oposição desaparece, apavorada; populares atacam jornais, embaixada e consulados americanos, sedes da Standard Oil e da Light; 1 milhão de pessoas nas ruas se despedem do caixão, que segue para São Borja; Getúlio deixa em testamento uma fazenda de 46 hectares e um apartamento em construção.

## 1955

Viva o Cinema Novo: Nélson Pereira dos Santos lança *Rio 40 graus*, em que se destaca Zé Kéti: *Eu sou o samba/ A voz do morro/ Sou eu mesmo, sim senhor.*

Lacerda divulga a Carta Brandi, falsa, com calúnias contra Jango, vice na chapa de JK: tenta impedir a eleição presidencial de novembro.

O animador de auditório César de Alencar, da Rádio Nacional, reúne 20 mil no Maracanãzinho: é o auge da era do rádio; a Nacional mantém 500 artistas, radialistas e funcionários, três orquestras, cinquenta cantores e dez maestros. Duas vozes nordestinas se alçam: João Cabral de Melo Neto, com *Morte e vida Severina*; e Ariano Suassuna, com o *Auto da compadecida*.

Nasce nossa indústria automobilística com a Romi-Isetta, para quatro pessoas, velocidade máxima 80 km/h, consumo de um litro de gasolina para 25 quilômetros, educado demais para nossa época: em 1961 acabou.

JK se elege presidente com 36% dos votos — 3,077 milhões; Jango, seu vice, tem mais de meio milhão de votos a mais — 3,591 milhões (votação para presidente era separada de votação para vice). A direita militar e a UDN conspiram às claras: alegam que JK não teve maioria absoluta — mas a Constituição prevê maioria dos votos, ponto-final. Café Filho, que assumiu a presidência por ser vice de Getúlio, simula ataque cardíaco e entrega o governo ao udenista Carlos Luz, que afasta o marechal legalista Henrique Teixeira Lott, ministro da Guerra. Na madrugada, Lott convoca seus liderados e dá o contragolpe. Luz, Lacerda, almirante Pena Boto e outros golpistas fogem amontoados num automóvel.

## 1956

JK toma posse em janeiro, prometendo fazer o Brasil avançar cinquenta anos em cinco. Vai consolidar a democracia. Cria a Novacap, construtora de Brasília, obra gigante a concluir em três anos. O Plano de Metas busca ordenar o desenvolvimento. JK lança os grupos executivos — da indústria automobilística, da construção naval etc.

Sobe o nível da literatura com *Grande sertão: veredas*, de Guimarães Rosa.

Ano da Mangueira, Ângela Maria vai de Mirabeau: *Fala, Mangueira, fala/ Mostra a força da tua tradição*; Jamelão, de Enéas Silva: *Mangueira, teu cenário é uma beleza/ Que a natureza criou, ô-ô*.

Azevedo Antunes associa-se à Bethlehem Steel, na mineradora Icomi, e entrega aos gringos uma montanha de manganês no Amapá.

Crise entre os comunistas com o Relatório Kruchev, de críticas aos "crimes de Stalin".

Seis anos depois de estrear, a televisão chega a 260 mil aparelhos em São Paulo, Rio e Belo Horizonte.

Jango, trinta e sete anos, casa-se com Maria Thereza Fontella, dezesseis. Terão dois filhos, João Vicente e Denise.

## 1957

Caymmi faz o sucesso do carnaval com "Maracangalha".

Surgem os supermercados, o *rock'n roll*, a poesia concreta.

Crise no SPI — Serviço de Proteção aos Índios, com o afastamento de Darcy Ribeiro, agravada pelo avanço de fazendeiros e grileiros sobre tribos isoladas.

JK suspende a exportação de tório e rádio para os Estados Unidos.

Educador Anísio Teixeira assume o Instituto Nacional de Estudos Pedagógicos e publica *Educação não é privilégio*. Imprensa diária já foi melhor: *Estadão* e *Jornal do Brasil* publicam páginas culturais com colaborações de Otto Maria Carpeaux, Antonio Cândido, Paulo Rónai, Lívio Xavier, Drummond, Lígia Fagundes Telles, Paulo Emílio Salles Gomes, Wilson Martins, Décio de Almeida Prado; desenhos de Renina Katz, Marcelo Grassmann, Fernando Lemos, Portinari, Di Cavalcanti, Lívio Abramo, Flávio de Carvalho.

Golbery publica *Aspectos geopolíticos do Brasil*, propõe aos norte-americanos trocar o controle da Amazônia pela hegemonia brasileira sobre o Atlântico Sul.

Russos lançam o primeiro satélite artificial, o *Sputnik*, em outubro, comemorando o 40º aniversário da Revolução Russa.

## 1958

Nasce a bossa-nova com o disco *Canção do amor demais*, de Elizeth Cardoso, cantando Tom Jobim, inclusive "Chega de Saudade", acompanhada pelo violão inovador de João Gilberto.

Sagramo-nos campeões do mundo na Suécia, com Didi, Garrincha e Pelé.

Brizola, governador gaúcho, encampa Bond & Share e ITT.

EMFA — Estado Maior das Forças Armadas — aprova a doutrina de segurança nacional — o inimigo é interno, é o comunismo, que, após as denúncias dos "crimes de Stalin", racha em: Partido Comunista Brasileiro

— PCB, de linha soviética e antistalinista; e Comunista do Brasil — PCdoB, de linha chinesa e stalinista.

A "indústria da seca" prospera; frentes de trabalho do governo atendem latifundiários.

Jorge Amado publica *Gabriela, cravo e canela*.

O paulistano elege vereador o rinoceronte Cacareco, zombando dos políticos: teve 100 mil votos (em 2012 houve vereador paulistano eleito com 9 mil votos).

CNBB — Conferência Nacional dos Bispos do Brasil — exige e JK concede a exoneração de Anísio Teixeira da direção do Instituto Nacional de Estudos Pedagógicos, o que provoca tal repúdio na intelectualidade, que JK chama Anísio de volta.

E outro educador, Paulo Freire, no Congresso de Educação de Adultos, no Rio, opõe-se ao paternalismo vigente e diz que se educa COM, e não PARA o analfabeto, atormentando-se depois para explicar aos professores que muito tinham a aprender com os analfabetos.

*Orfeu negro*, que encena a tragédia grega num morro carioca, roteiro de Vinicius de Moraes e direção de Marcel Camus, leva a Palma de Ouro em Cannes.

Alberto Pasqualini publica *Bases e sugestões para uma política social*: "O trabalhismo inglês", escreve, "pode ser socialista, o nosso, jamais. Dado o atraso brasileiro, aqui se deve no máximo defender um capitalismo não individualista nem parasitário".

## 1959

Em 1º de janeiro, Fidel Castro, Che Guevara e os barbudos todos entram em Havana: vence a Revolução Cubana.

Militares e civis de direita fundam o Ibad — Instituto Brasileiro de Ação Democrática; financiará com dinheiro multinacional atividades antinacionais e golpistas. JK rompe com o FMI, que condiciona empréstimo de US$ 300 milhões ao abandono do Plano de Metas. Cria a Sudene — Superintendência do Desenvolvimento do Nordeste, sob direção de Celso Furtado, que publica *Formação econômica do Brasil*.

O pernambucano Abelardo Barbosa, o Chacrinha, estreia na TV Tupi do Rio: "quem não se comunica, se trumbica", ensina.

## 1960

Sétimo censo: somos 71 milhões.

JK inaugura Brasília e encarrega Darcy Ribeiro de planejar sua universidade, a UnB.

Plínio Correia de Oliveira funda a TFP — Tradição Família e Propriedade, para "salvar" o Brasil do comunismo.

Jânio Quadros, ator histriônico, leva a UDN ao poder pelo voto; nos Estados Unidos, elege-se John Kennedy.

Vergonhoso: Otávio Mangabeira, líder da UDN, beija a mão de Eisenhower, que visita a Câmara dos Deputados.

## 1961

Agosto: Jânio renuncia aos sete meses de mandato, alega que enfrenta "forças terríveis"; golpistas querem impedir a posse do vice, Jango, que visita a China. Solução: parlamentarismo, votado a toque de caixa; Jango assume, mas quem governa é um primeiro-ministro.

Kennedy, assustado com Cuba, lança a Aliança para o Progresso: é mais barato subornar políticos do que invadir países.

Editora Abril lança a revista feminina *Cláudia*, para mulheres modernas.

Glauber, "com uma câmera na mão e uma ideia na cabeça", estreia com *Barravento*.

Ideólogos, empresários e ativistas de direita fundam o Ipes — Instituto de Pesquisas e Estudos Sociais: mais esforços e dinheiro para derrubar Jango e nos inserir no sistema mundial a reboque do império; jornalões e tevês estão nessa, com costas quentes: Estados Unidos.

## 1962

Brasil bicampeão no Chile, sem Pelé, machucado, mas com Garrincha, endiabrado.

Tom e Vinicius compõem "Garota de Ipanema", uma das músicas mais gravadas e tocadas no mundo.

Empresários Octávio Frias de Oliveira e Carlos Caldeira Filho compram a *Folha de S. Paulo*.

Jango cancela registro de jazidas em Minas, concedidas fraudulentamente à Hanna Corporation.

Miguel Arraes, governador de Pernambuco, obriga usineiros a pagarem salário mínimo, e as estradas enchem-se de caminhões carregados de bacias para banho, camas e outros "luxos".

Jango sanciona 13º salário.

*O pagador de promessas*, de Anselmo Duarte, ganha Palma de Ouro em Cannes.

## 1963

No dia do aniversário de São Paulo nasce Fernando Haddad, segundo de três filhos de um casal de libaneses comerciantes de tecidos.

Plebiscito revoga o parlamentarismo e repõe as rédeas do poder nas mãos de Jango, na proporção de dez a um; e os golpistas iriam dizer que Jango não era popular.

Em junho, Jango encontra Kennedy em Roma para os funerais do papa João XXIII; pede apoio para as "reformas de base" e denuncia a conspiração contra ele; Kennedy diz que nada pode fazer (e será assassinado em novembro).

O IV Exército reprime no Recife milhares de camponeses que pedem reforma agrária.

Sargentos da marinha e aeronáutica se sublevam em Brasília e dominam pontos-chave, inconformados com a decisão do Supremo Tribunal Federal, que negou a elegibilidade aos sargentos; dominados à custa de algumas vidas, a revolta contribui para enfraquecer Jango.

Ademar, governador paulista, dá armas e munições a fazendeiros e paramilitares fascistas urbanos. Dominicanos lançam o semanário combativo *Brasil Urgente*.

## 1964

Cara de Cavalo mata, num tiroteio, o policial Milton Le Cocq; os colegas, os "homens de ouro", cercam o marginal e descarregam nele seus revólveres: nasce o Esquadrão da Morte carioca.

CPI do Ibad (ver 1959) aponta seus financiadores: Ciba, Texaco, Shell, Schering, Bayer, GE, IBM, Coca-Cola, Souza Cruz, Belgo-Mineira, Herm Stoltz, Coty.

Sandra Cavalcanti, secretária de Assistência Social de Lacerda no ex--estado da Guanabara, para resolver o problema da mendicância atira mendigos no rio da Guarda.

Cultura em alta: Editora Civilização Brasileira enriquece o debate político com a coleção Cadernos do Povo; premiados em Cannes *Vidas secas*, de Nelson Pereira dos Santos (baseado em Graciliano Ramos); e *Deus e o diabo na terra do sol*, de Glauber Rocha; Dalton Trevisan lança *Cemitério de elefantes* e José Cândido de Carvalho, *O coronel e o lobisomem*.

Em 1º de abril, golpe militar sai-se vencedor: Jango ruma para o Uruguai no dia seguinte; o primeiro "general de plantão" é Castelo Branco.

## 1965

Em 26 de abril, Roberto Marinho põe a TV Globo no ar e passa a montar a "maior força desarmada" do país.

Baixam no Maranhão oficiais do exército com missão de "eleger" José Sarney governador; com apoio das Oposições Coligadas, inclusive PCB, ele derrota Victorino Freire e vira o novo "coronel".

*Jovem guarda* explode na tevê com Roberto e Erasmo Carlos comandando o iê-iê-iê, o *rock* nacional, que segundo o cantor Nelson Gonçalves não passava de "uma marchinha muito da sem-vergonha".

## 1966

Em janeiro, dia 4, vai às bancas o *Jornal da Tarde*, moderno, invenção de Murilo Felisberto e Mino Carta.

No Carnaval só dá "Tristeza", de Niltinho e Haroldo Lobo a celebrar o inconformismo com a ditadura: *Tristeza, por favor vá embora/ Minha alma que chora/ Está vendo o meu fim/ Fez do meu coração a sua moradia/ Já é demais o meu penar/ Quero voltar a aquela vida de alegria/ Quero de novo cantar.*

Em abril, sai *Realidade*, revista "cult" da Abril, forte na reportagem, com Paulo Patarra de redator-chefe, Sérgio de Souza de editor de texto e Eduardo Barreto, chefe de arte.

Por falta de debate político, sufocado pelos militares, no festival da TV Record duas músicas dividem o eleitorado: a nostálgica marchinha *A banda*, de Chico Buarque; e a politizada *Disparada*, de Geraldo Vandré e Theo de Barros: dividem o primeiro prêmio.

Lacerda, cassado, lança a Frente Ampla contra a ditadura, aliado a ex-adversários políticos: Jango e JK; os três morrerão suspeitamente entre 1976-77, num intervalo de meses.

Zé Kéti fecha o ano com sucesso não gravado, cantado no *réveillon* carioca: *Marchou com Deus pela democracia/ Agora chia, agora chia.*

## 1967

Castelo Branco devolve à Hanna as maiores reservas de minério de ferro do mundo, que Jango havia nacionalizado em 1962; deixa o poder em 15 de março; em 18 de julho, morre em acidente aéreo mal explicado: um caça da FAB atingiu a cauda do Piper Aztec em que ele viajava — tinha sido forçado a engolir Costa e Silva como sucessor e articulava com o senador catarinense Daniel Krieger um movimento contra a linha-dura.

Em 11 de julho parte o primeiro grupo de universitários do Projeto Rondon, sob o lema "integrar para não entregar": leva voluntários a lugares remotos, em atividades assistenciais; tão bom que, extinto em 1989, volta em 2005 a pedido da UNE — União Nacional dos Estudantes, com novo lema, "lição de vida e de cidadania".

Constituída a Embratel; criada a Sudam — Superintendência para o Desenvolvimento da Amazônia, com verbas para gente graúda comprar terras com empréstimos "de favor".

Jornalista Hélio Fernandes preso: escreveu, sobre a morte de Castelo, que se foi um homem "vingativo e sem grandeza".

TV Tupi moderniza a telenovela com *Beto Rockefeller*, de Bráulio Pedroso, com tema brasileiro e popular.

*O rei da vela*, de Oswald de Andrade, encenada por Zé Celso, deflagra o Tropicalismo, último movimento cultural que tivemos.

O CCC — Comando de Caça aos Comunistas — invade teatro em São Paulo, espanca atores e destrói cenário de *Roda viva*, de Chico Buarque, encenada por Zé Celso; no Rio, polícia cerca teatro Opinião e proíbe *Navalha na carne*, de Plínio Marcos.

Che Guevara, morto na Bolívia a mando da CIA, cria o maior mito de nosso tempo.

Criado em 15 de dezembro o Mobral — Movimento Brasileiro de Alfabetização, de ensino despolitizante, formador de "analfabetos funcionais".

## 1968

PM mata a tiro Edson Luís de Lima Souto, no ato pela reabertura do restaurante estudantil Calabouço; os protestos culminarão na Passeata dos Cem Mil, no Rio.

Guerrilheiros matam em São Paulo o capitão Charles Chandler, agente da CIA.

Canção "Pra não dizer que não falei de flores", de Vandré, enfurece a direita e vira hino: *Vem, vamos embora, que esperar não é saber/ Quem sabe faz a hora, não espera acontecer.*

Deputado Márcio Moreira Alves discursa na Semana da Pátria e sugere às moças que não dancem com os cadetes, desatando a fúria militar que resultará na edição do AI-5, Ato Institucional 5: a ditadura passa a ter poderes de vida e morte sobre todo e qualquer cidadão. O vice Pedro Aleixo, questionado por se opor, responde que, com os poderes despóticos advindos do AI-5, temia não o general presidente, mas "o guarda da esquina".

## 1969

FHC é aposentado da Universidade de São Paulo pela ditadura e, com o "ouro de Washington", funda o Cebrap — Centro Brasileiro de Análise e Planejamento, que Glauber chama de "gancho do Pentágono no Brasil" e não se engana: "Fernando Henrique Cardoso é apenas um neocapitalista, um *kennedyano*, um entreguista".

Costa e Silva cancela eleições de 1970, proíbe professores de lecionar, estimula a repressão cultural; cresce a contestação armada, única forma de ação que resta e que arrasta milhares de brasileiros destemidos; em resposta, surgem os "porões" da ditadura, onde a tortura vai comer solta.

Capitão Carlos Lamarca abandona o exército com homens e armas e adere à guerrilha.

Guerrilheiros de organização à qual pertence Dilma Rousseff assaltam a casa da amante "viúva" de Adhemar de Barros e levam um cofre, parte da "caixinha do Ademar", com 2,5 milhões de dólares.

É instaurada a censura prévia.

Lançado no Rio *O Pasquim*, sob direção do gaúcho Tarso de Castro — uma gargalhada semanal na cara da ditadura.

Entra no ar o *Jornal Nacional*, mostrando ao vivo a junta militar que assumiu devido ao infarto sofrido por Costa e Silva.

Vander Piroli renova a literatura infantojuvenil com *O menino e o pinto do menino.*

Mídia mundial noticia o milésimo gol de Pelé.

Morre, em 17 de dezembro, Costa e Silva, vítima de derrame cerebral; a linha-dura impede o vice Pedro Aleixo de assumir e põe na presidência Garrastazu Médici, símbolo do período mais negro da ditadura.

## 1970

Oitavo recenseamento: somos 90 milhões.

Tricampeã no México, a seleção mais poderosa da história ajuda Médici a embalar o "milagre" — "ninguém segura este país".

Forças armadas se americanizam de vez, com oficiais enviados para lavagem cerebral em centros militares nos Estados Unidos e no Panamá.

Loteamento da Amazônia avança: ali já possuem terras Daniel Ludwig, Suyá-Missu, Codeara, Georgia Pacific, Bruynzeel, VW, Robin McGlohn; e vão entrar Anderson Clayton, Swift-Armour, Goodyear, Nestlé, Mitsubishi, Bordon, Mappin, Bradesco, Camargo Corrêa...

Garrastazu Médici diz que o povo vai mal, mas o país vai bem, e anuncia a Transamazônica, que engolirá verbas e acabará abandonada.

Criado o Incra — Instituto Nacional de Colonização e Reforma Agrária, para fazer a "reforma prussiana": entregar mais terra aos ricos.

Médici diz que fará outro "milagre": transformar a Funabem em escolas; fracassará.

Paulo Freire publica *Pedagogia do oprimido* nos Estados Unidos.

Guerrilheiros sequestram diplomatas do Japão, Alemanha e Suíça para trocar por presos políticos; vários já haviam sido assassinados na tortura.

Sérgio de Souza, Narciso Kalili e Eduardo Barreto, egressos de *Realidade*, fundam outra revista "cult", *O Bondinho*.

Dalva de Oliveira lança seu último sucesso: "Bandeira Branca", de Max Nunes e Laércio Alves.

## 1971

Ano do "milagre", crescimento de 11%, por manipulação estatística, e um tanto pela exportação das múltis que embolsam fortunas, outro tanto graças ao arrocho salarial.

O udenista Adauto Lúcio Cardoso, golpista de primeira hora, se demite do Supremo enojado — atira a toga no chão contra a aprovação da censura prévia.

Oficiais da aeronáutica, sob ordens do brigadeiro Burnier, matam a pancadas no Rio o deputado Rubens Paiva, por servir de pombo-correio a exilados no Chile.

A marinha monta escola de tortura na Ilha das Flores, Baía de Guanabara, com assistência de "professores" norte-americanos.

Militares matam Lamarca no sertão baiano.

Traduções fazem sucesso: *Cem anos de solidão*, de García Márquez, e *Jogo da amarelinha*, de Julio Cortázar.

## 1972

CNBB — Conferência Nacional dos Bispos do Brasil — denuncia invasão de terras dos índios com conivência da Funai.

Paulo Helal e Dante Michelini, de famílias capixabas ricas, violentam e matam a menina Aracelli; impunes: são crias da ditadura.

Chega a televisão colorida.

Por falta de anúncios, morre *O Bondinho*; empresário progressista, Fernando Gasparian lança no Rio o semanário *Opinião*, capitaneado por Raimundo Pereira.

Para não ofuscar o ufanismo no Sesquicentenário da Independência, a ditadura proíbe noticiar um surto de meningite — que morressem as crianças.

## 1973

Brasil e Paraguai assinam em 26 de abril, em Brasília, tratado para a construção de Itaipu, hidrelétrica binacional.

Em 11 de setembro, golpe de estado no Chile, com uma forcinha brasileira.

Sérgio de Souza e Narciso Kalili lançam o mensário de reportagem, política e quadrinhos ex- (eram ex-*Folha*, ex-*Notícias Populares*, ex-*Realidade*, ex-*Bondinho*).

Explode a pílula anticoncepcional, provocando uma reviravolta comportamental.

Polícia assassina o estudante paulista Alexandre Vannucchi Leme e outros quarenta militantes de oposição.

Americanos escorraçados do Vietnã.

Assassinato semelhante ao de Aracelli em 1972: em Brasília, filhinhos de papai drogam, violentam e matam a menina Ana Lídia Braga; entre eles estão o filho de Alfredo Buzaid, ministro da Justiça, e o filho do senador arenista Eurico Resende, do Espírito Santo; impunes, como no caso do ano anterior no Espírito Santo.

Instaura-se no Bico do Papagario a Guerrilha do Araguaia, do PCdoB.

Morre no exílio em Paris Josué de Castro, de pura tristeza.

## 1974

Polícia civil paulista pega 300 garotos infratores, põe em ônibus e os abandona, nus e espancados, alguns com fraturas, em Camanducaia, Minas.

Geisel substitui Médici; compareçem à posse os ditadores Augusto Pinochet (Chile), Juan Maria Bordaberry (Uruguai) e Hugo Banzer (Bolívia); volta a mandar o grupo que articulou o golpe: a turma de Golbery do "Colt" e Silva, como o chamava Hélio Fernandes.

Primeiras eleições em dez anos: o povo vai à forra, elegendo dezesseis senadores da oposição.

Meningite mata milhares de crianças, por falta de informações, pois o governo segue proibindo que se noticie a epidemia ou sequer se explique ao povo como proceder.

Crise do petróleo acaba com o "milagre".

Inaugurada a Ponte Rio-Niterói, marco em roubalheira e mortandade de operários.

## 1975

Garimpos proliferam perto do rio Xingu, explorando cassiterita, isolados e com acesso apenas por monomotores; o maior, em Antonio Vicente, reúne 10 mil homens, e quarenta aviões fazem a ponte até Conceição do Araguaia.

Revolta surda com a morte do jornalista Vladimir Herzog na câmara de tortura do II Exército, São Paulo, em 25 de outubro; o *ex-*, único jornal a publicar a reportagem completa, é "vitimado" pela censura prévia e fecha.

Brasil e Alemanha firmam tratado secreto, de US$ 10 bilhões, de cooperação nuclear, para a construção de oito centrais atômicas e usinas de processamento de urânio.

O Brasil vibra com a telenovela *Gabriela*, baseada em Jorge Amado, com Sônia Braga.

Revista *Argumento*, fundada por Elifas Andreato e outros intelectuais, fecha após apreensão do número quatro.

## 1976

Geólogos da Docegeo (Vale) descobrem ouro na Serra das Andorinhas, enquanto se abre rodovia entre a PA-150 e São Félix do Xingu: migrantes são atraídos para o Entroncamento (depois Xinguara).

Outro assassinato no II Exército, do operário Manoel Fiel Filho, leva Geisel a demitir o comandante, general Ednardo D'Ávila Mello.

Jango morre na Argentina sob suspeita de envenenamento; JK morre em desastre de automóvel na Via Dutra, em circunstâncias mal esclarecidas.

Gil, Caetano, Gal e Bethânia, os Doces Bárbaros, excursionam; em Florianópolis, policiais que invadem o hotel encontram com um deles uma porção de maconha: o futuro ministro da Cultura Gilberto Gil assume que lhe pertence; preso, um juiz o libera dizendo: não pode ser criminoso alguém que cria uma música como *Refazenda*.

Morre Mao Tsé-Tung.

CPI comandada por Alencar Furtado mostra que estrangeiros trouxeram US$ 299 milhões e remeteram de volta, só entre 1965 e 1975, US$ 755 milhões; Geisel cassa Alencar.

Manifestações contra a ditadura pipocam, Geisel cassa pencas de deputados e baixa a Lei Falcão, do ministro da Justiça Armando Falcão: propaganda na tevê só com foto 3x4 e breve biografia narrada por locutor; o povo a chama de Lei Facão.

Aliança Anticomunista sequestra e sevicia dom Adriano Hipólito, bispo de Nova Iguaçu, joga bombas na Associação Brasileira de Imprensa e outros alvos. Governo baiano acorda e elimina a exigência de registro na polícia para cultos afro-brasileiros.

Hamilton Almeida Filho, Mylton Severiano e Palmério Dória estão entre os lançadores do livro-reportagem em São Paulo, pela editora Símbolo, de Moysés Baumstein, com *O ópio do povo*, sobre os bastidores da Rede Globo.

## 1977

Garimpeiros "redescobrem" Andorinhas; a Vale, braço mineral do governo militar, dá o alerta; no grupo que visita os garimpos está o major Sebastião Rodrigues de Moura, ou *Doutor Luchini*: o Major Curió, que desde o fim da Guerrilha do Araguaia age ali; pelo aparato enviado, a Docegeo imagina que deva haver 400 toneladas de ouro.

Três marmeladas marcam o ano: 1) a Torre Rio-Sul, em Copacabana, esconde negociata que dá prejuízo de 100 bilhões de cruzeiros aos cofres públicos, aplicada por Moreira de Souza, financiador do Ipes, que financiou o golpe de 1964; 2) a Corretora Laureano recebe bilhões do Banco Central para escapar à falência, resultante de especulação; 3) a Fundação Getúlio Vargas revela que as estimativas de inflação de 1973 foram fraudadas, a fim de rebaixar os salários.

Estudantes fazem manifestações por democracia; o coronel Erasmo Dias, secretário da Segurança comanda ataque com bombas na PUC-SP, que mutilam uma universitária.

Banqueiros mineiros enricam mais ao montar operação para a Fiat instalar-se em Minas.

O *playboy* Doca Street mata a bela e rica Ângela Diniz, causando repúdio contra a "legítima defesa da honra". Congresso aprova o divórcio.

Morre Carlos Lacerda.

Geisel baixa o Pacote de Abril: nomeia dezessete senadores, como fez Calígula, que pôs seu cavalo Incitatus no senado romano: são os senadores "biônicos"; aumenta para seis anos o mandato do próximo "general de plantão".

## 1978

Em janeiro, Geisel já avisa: seu sucessor será Figueiredo, que declara sobre a abertura: "É para abrir mesmo, e quem não quiser que eu abra, eu prendo e arrebento". Paulo Maluf bate o banqueiro Laudo Natel na eleição indireta e torna-se governador biônico de São Paulo.

O piauiense Petrônio Portella, ministro da Justiça, artífice da abertura, revoga o AI-5, torna elegíveis os cassados, restabelece o *habeas corpus*.

Henry Kissinger e o ministro de Minas e Energia, Shigeaki Ueki, acertam negociata: a "compra" da Light.

Eleições sob a Lei Falcão resultam em quinze senadores e 231 deputados da Arena contra oito senadores e 189 deputados do MDB.

Antunes Filho encena antológica adaptação de *Macunaíma*, "herói de nossa gente", de Mário de Andrade, que viaja por mais de vinte países e se torna o espetáculo brasileiro mais visto no exterior.

O cacique xavante Juruna sai de gravador gravando políticos, ganhando a opinião pública para impedir que qualquer burocrata declare uma tribo extinta.

Primeira greve em dez anos paralisa indústria automotiva no ABC e projeta um líder nacional: Lula.

## 1979
O posseiro Genésio descobre a Grota Rica, na Serra Pelada; dá-se a corrida do ouro do século XX.

Grupo Folhas fecha *Última Hora*, comprada de Samuel Wainer em 1968.

Assume a presidência o general de cavalaria João Baptista Figueiredo, carrancudo e grosso — "mulher e cavalo só se conhece montando", "cheiro de povo?, prefiro cheiro de cavalo".

Consuma-se a negociata: "compramos" a *Light* por mais de US$ 1 bilhão, apenas dois anos antes de vencer a concessão em São Paulo e onze no Rio, e tudo passará para nós de graça.

Figueiredo sanciona a Lei de Anistia e a segunda metade do ano é só alegria de brasileiro voltando.

Série *Malu Mulher* joga para as massas temas como divórcio, orgasmo, aborto, na trilha aberta treze anos antes pela revista *Realidade*.

O ano acaba com a *Novembrada* em Florianópolis: estudantes e populares afrontam Figueiredo, que sai no braço, contido por seguranças.

## 1980
Recenseamento: somos quase 120 milhões.

Fevereiro: fundado em São Paulo o Partido dos Trabalhadores — PT.

Com "Sonho de um sonho", de Martinho da Vila, baseado em poema de Drummond, Vila Isabel vence o Carnaval.

Frank Sinatra canta no Maracanã para 140 mil pessoas, com cachê de quase US$ 1 milhão.

João Paulo II, diante de multidão em Teresina, exclama: "Meu Deus, este povo tem fome"; na missa em Manaus, lê os nomes de cinco caciques assassinados por grileiros.

Metalúrgicos em greve por aumento: ministro do Trabalho intervém em sindicatos; treze líderes são enquadrados na Lei de Segurança Nacional, entre eles Lula.

Terrorismo da direita: atentados só param depois do "acidente de trabalho" no Riocentro (ver 1981).

Duas perdas: Vinicius de Morais, aos sessenta e seis anos; e Nelson Rodrigues, aos sessenta e oito.

Revista *Doçura*, fundada em São Paulo por Narciso Kalili, publica a reportagem "Os maridos assassinos de Minas Gerais", de Carlos Azevedo: é fechada (o assassino retratado era de família "influente"); belorizontinas picham muros: *Quem ama não mata*; começa a luta feminina contra o machismo.

Morre Samuel Wainer em 2 de setembro.

Nova Iorque: maluco mata John Lennon a tiros em 8 de dezembro.

Chegam mais garimpeiros a Serra Pelada, abrem catas que formarão a grande Cava da Babilônia.

Sai do ar a Rede Tupi de Televisão, substituída pelo Sistema Brasileiro de Televisão, o SBT de Sílvio Santos.

## 1981

Papa João Paulo II ferido a tiro em atentado.

Bomba explode no colo de sargento que, com um capitão, num Puma, vai detonar a caixa de força do Riocentro, onde mil pessoas veem *show* de 1º de Maio; era a *linha-dura* querendo barrar a abertura política, que o fiasco acelerou.

Escândalo da Mandioca: R$ 30 milhões para financiar safra são desviados da agência do Banco do Brasil de Floresta, PE, e vão parar na conta do major PM José Ferreira dos Anjos e outros; da pena de trinta anos, o major cumpre dez.

Começam as obras da usina de Tucuruí; custo de US$ 2,1 bilhões chegaria a US$ 10 bilhões; patrimônio da empreiteira Camargo Corrêa dobra, de US$ 500 milhões para US$ 1 bilhão.

Criada a CUT — Central Única dos Trabalhadores.

Cientistas americanos descrevem a síndrome de imunodeficiência adquirida, a doença AIDS.

Estados Unidos lançam primeiro ônibus espacial.

Vão-se Amácio Mazzaropi, aos sessenta e nove anos; e Glauber Rocha, aos quarenta e oito.

Argentina invade as Ilhas Malvinas, provocando uma guerra perdida contra a Grã-Bretanha e acelerando o fim da sanguinária ditadura militar.

Justiça Eleitoral "doa" a sigla PTB a Ivete Vargas e Brizola chora; cria o PDT — Partido Democrático Trabalhista. Lideranças indígenas assassinadas país afora: um apurinã no Amazonas, dois guajajaras no Maranhão e, no Paraná, o cacique Ângelo Kretã, a mando de um grileiro.

Luís Carlos Prestes, aos oitenta anos, é exonerado da chefia do PCB — por esquerdismo.

## 1982

Em 19 de janeiro: morre Elis Regina, aos trinta e seis anos, vítima de cocaína com álcool.

Encontrado em praia fluminense o corpo de Alexandre Von Baumgarten, diretor da revista *O Cruzeiro*, que havia acusado o chefe do SNI, general Newton Cruz, como responsável por sua eventual "extinção física"; o caso não deu em nada.

Só no Brasil: Taça Jules Rimet, de ouro, é roubada no Rio e derretida. Nas primeiras eleições para os governos estaduais desde 1965, a oposição vence por todo o país.

Em 5 de novembro entra em funcionamento a hidrelétrica de Itaipu.

## 1983

Samba de luto: vai-se Clara Nunes durante cirurgia simples de varizes, primeira mulher a bater recorde de vendas no primeiro disco gravado; e vai-se Garrincha, a alegria do povo.

*Marines* invadem Granada, no Caribe, e depõem presidente socialista eleito.

Outubro. Eleição de Raúl Alfonsín põe fim à ditadura militar na Argentina, que em sete anos prendeu, torturou e matou 30 mil pessoas, muitas desaparecidas.

Novembro, 27: PT faz em São Paulo comício pró-eleições para presidente, deflagrando o movimento Diretas Já.

Figueiredo enfrenta crise da dívida externa de US$ 88 bilhões indo ao FMI, que envia certa Ana Maria Jul para nos enfiar goela abaixo o remédio: arrocho salarial, recessão, inflação, fome, desemprego, falências, quebradeira geral.

Surge o *Compact Disc*, o *CD*, retrocesso em relação ao LP, o *Long Play*, tanto que este seria ressuscitado duas décadas depois.

Auge de Serra Pelada: 60 mil garimpeiros no sonho da riqueza rápida, em que só uns poucos bamburram.

## 1984

Escândalo da Coalbra, que o tucano Sérgio Motta montou para produzir álcool de madeira (no país que nasceu e cresceu plantando cana); rombo: US$ 250 milhões.

Janeiro, 25: 300 mil em comício na praça da Sé por Diretas Já; a Globo noticia como "festa pelo aniversário de São Paulo".

O Congresso decide contra o voto popular e rejeita as Diretas Já.

Julho: greve de petroleiros e metalúrgicos, protesto contra a política econômica.

Agosto: PMDB homologa chapa Tancredo-Sarney e Figueiredo pede "união em torno de Maluf".

O modelo carioca Luiz Roberto Gambine Moreira vira Roberta Close, e fará operação para mudar de sexo.

## 1985

Em 28 de fevereiro, Figueiredo inaugura ponte sobre o Tocantins para a Vale escoar nossas riquezas.

Aberta primeira delegacia da mulher, em São Paulo.

Eleito, Tancredo adoece e morre; toma posse Sarney, que começa mal: proíbe *Je Vous Salue, Marie*, de Jean-Luc Godard, sobre a "sagrada família", alegando que fere nossa "religiosidade".

*Roque Santeiro*, de Dias Gomes, é liberada depois de dez anos e conquista o país com as peripécias da viúva Porcina (Regina Duarte) e Sinhozinho Malta (Lima Duarte).

FHC se deixa fotografar sentado na cadeira de prefeito de São Paulo antes das eleições e Jânio, o vencedor, desinfeta a cadeira antes de tomar posse.

Em 9 de outubro morre Garrastazu Médici aos setenta e nove anos no Rio, de derrame cerebral.

## 1986

Brasil reata relações diplomáticas com Cuba.

Nave *Challenger* explode setenta e três segundos após o lançamento, matando sete astronautas e chocando milhões que viam a cena pela tevê mundo afora.

Fevereiro: sai o Plano Cruzado, dos tecnocratas Pérsio Arida e André Lara Resende; Delfim Netto diz que "por muito menos botamos o João

Goulart para correr"; preços congelados, policial federal correndo atrás de boi no pasto e "fiscais do Sarney" de bótons vociferando nos telejornais; plano eleitoreiro: o PMDB elegerá vinte e dois de vinte e três governadores, no maior estelionato eleitoral da história.

Novembro, 21: *Badernaço* em Brasília, com saques, depredações e incêndios; Sarney põe tanques nas ruas.

Estaleiros Hyundai, na Coreia do Sul, começam a construir o navio *Berge Stahl*, para a linha São Luís-Rotterdam, sob contrato da Vale com siderúrgicas alemãs e holandesas: levará nosso minério de ferro à razão de meio Maracanã por viagem.

## 1987

Em 1º de fevereiro é instalada a Assembleia Nacional Constituinte.

Com o fracasso do Cruzado, Sarney lança o Plano Bresser no Dia dos Namorados e mete a mão na poupança do povo.

Morrem: sociólogo Gilberto Freyre, autor de *Casa-grande & senzala*; jornalista Cláudio Abramo, reformador de jornais; Carlos Drummond de Andrade; Golbery do Couto e Silva, criador do Serviço Nacional de Informações e chefe do Gabinete Civil dos governos Geisel e Figueiredo.

Governo Sarney naufraga em 25 de junho: multidão aborda seu ônibus na praça XV, Rio, gritando "Sarney, salafrário! Está roubando o meu salário!", "Sarney, ladrão! Pinochet do Maranhão"; quebram uma janela e o ferem na mão; dois vão presos; governo acusa Brizola, governador do Rio de Janeiro — *O Globo* e a Rede Globo pedem a cassação de Brizola.

Guarda Municipal de Jânio despeja 20 mil famílias de terrenos na Zona Leste paulistana e mata o pedreiro Adão da Silva.

Julho, dia 1º, Rio: 30 mil incendeiam sessenta ônibus e destroem outros cem, após aumento de 49% nas passagens em pleno congelamento de preços; aumento cancelado.

No Acre, cercado por 1.200 soldados, Sarney ouve o coro: *O povo não aguenta/ Sarney até noventa.*

Com cinco tiros na cabeça, pistoleiro mata Paulo Fonteles, trinta e oito anos, advogado de posseiros do Pará.

PMs invadem casa em São Paulo e matam com oito tiros o ex--menino de rua Fernando Ramos da Silva, dezenove anos, ator do filme biográfico *Pixote*.

A três dias do *réveillon*, 4 mil garimpeiros de Serra Pelada se rebelam, a PM reage a bala: 133 mortos num dos maiores massacres da história.

Surge o Prozac, a "pílula da felicidade".

Unesco, em 7 de dezembro, declara Brasília um Patrimônio da Humanidade.

## 1988

Vão-se no início do ano o cartunista Henfil, aos quarenta e três anos; e o pintor Volpi, aos noventa e dois.

Sarney acha que o Brasil é um "Maranhãozão": destina apenas 10,6% do orçamento à Educação; estica o mandato para cinco anos, após negociação com o Congresso que inclui mais de mil concessões de emissoras de rádio e televisão.

Índia caiapó Tuíra passa facão no rosto de José Antônio Muniz Lopes, da Eletronorte, num encontro para discutir danos ambientais da construção da usina Belo Monte; a cena corre mundo e o Banco Mundial sai da parada.

PT elege primeira mulher prefeita de São Paulo, a paraibana Luiza Erundina.

Como na ditadura: em 9 de novembro, 1.300 homens do exército invadem Volta Redonda para expulsar 3 mil operários em greve por reposição salarial e turno de seis horas; matam três e ferem nove.

FHC, Montoro, Covas, Serra, Sérgio Motta e outros fundam o PSDB, Partido da Social Democracia Brasileira, tendo como símbolo, por sugestão de Montoro, o tucano — pássaro vistoso, de bico grande, predador: come ovos de outras aves.

Em 5 de outubro é promulgada a Constituição Cidadã.

Em 22 de dezembro o ambientalista Chico Mendes é assassinado a tiro de espingarda no peito, em Xapuri, Acre.

No último dia do ano, o *Bateau Mouche* naufraga com 153 passageiros na Baía de Guanabara: cinquenta e cinco mortos; os donos, espanhóis Faustino Puertas e Avelino Rivera e o português Álvaro Costa, deixaram entrar o dobro da lotação permitida; fugiram para seus países.

## 1989

Em 16 de janeiro circula o cruzado novo, que equivale a mil cruzados — a cabeça do brasileiro funde tentando saber quanto vale NCz$ 1,00.

Sarney corta mais ainda o gasto com educação: de 10,6 cai a 4,6% do orçamento.

Maio: PT, PCdoB e PSB lançam Lula à presidência.

Sarney reaproxima-se de Collor; preparam o confisco da poupança.

Bahia: 1.600 famílias ocupam duas fazendas; em Feira de Santana, pistoleiros matam o líder camponês Olegário Dias Bispo.

Greve nacional de bancários em abril; por medida provisória, Sarney restringe o direito de greve.

Maranhão: 200 famílias ocupam fazenda em Victorino Freire e dois sem-terra são assassinados; em Santa Luzia, PM espanca e expulsa ocupantes de outra fazenda; morto a tiros em Montanha líder camponês capixaba Verinoi Sossai.

Governo finda com recorde imbatível: maior inflação da história, 1.764,86% ao ano.

Em novembro, segundo turno das primeiras eleições diretas para presidente desde 1960: Collor derrota Lula.

Dia 9, a queda do Muro de Berlim simboliza o fim da Guerra Fria.

Reunião em Washington, patrocinada pelo Banco Mundial, FMI, BID — Banco Interamericano de Desenvolvimento — e governo norte-americano, prepara o receituário a seguir, a exemplo do Chile, de Pinochet; dos Estados Unidos, de Reagan; e da Inglaterra, de Thatcher: "desregular o mercado" para dar liberdade total aos capitais privados, "abrir" a economia, rever direitos trabalhistas, reformar o estado — e privatizar estatais adoidado; é o Consenso de Washington, para o qual mandaram propostas os criadores do Plano Cruzado, do Cruzado Novo, do Real...

## 1990

Polícia Federal expulsa 45 mil garimpeiros de terras ianomâmis.

Povo saqueia supermercados nos subúrbios cariocas; em Jacarepaguá, 3 mil favelados invadem condomínio abandonado.

Collor toma posse em 15 de março herdando a hiperinflação, bloqueia contas correntes e poupanças; gente se suicida; gastos com educação caem mais: 2,4% do orçamento.

Líderes rurais são sequestrados, feridos ou mortos no Ceará, Pará, Rio de Janeiro, Tocantins, Rio Grande do Sul, Pernambuco; até a CNBB denuncia a violência dos latifundiários.

Chegam a internet e o telefone celular.

Em 16 de dezembro, os fazendeiros Darcy Alves Pereira e Darly Alves da Silva são condenados a dezenove anos pelo assassinato de Chico Mendes.

Morre Luís Carlos Prestes.

## 1991

Na ressaca do *réveillon*, favelados saqueiam mercados na periferia de São Paulo.

Antropólogos vão pesquisar por que adolescentes guaranis e caiuás se matam: em dois anos, setenta e quatro casos.

Entra em vigor o Código do Consumidor.

Libertados sessenta e quatro trabalhadores escravizados em duas fazendas de Ourilândia, Pará.

Saldo dos protestos contra a primeira privatização de Collor, a da Usiminas: setenta feridos e treze presos.

No centro do Rio, 3 mil se manifestam contra a matança de crianças e adolescentes de rua.

No plano internacional, não há mais União Soviética; e nasce o Mercosul: em 26 de março, os presidentes Andrés Rodríguez, do Paraguai; Carlos Menem, da Argentina; Luis Alberto Lacalle, do Uruguai; e Fernando Collor assinam o Tratado de Assunção, que cria o Mercado Comum do Sul.

## 1992

De 3 a 14 de junho, no Rio, Conferência das Nações Unidas sobre o Meio Ambiente e o Desenvolvimento — Eco 92, precursora da Rio +20. Estados Unidos, responsáveis por um quarto das emissões de carbono, não assumem compromissos e boicotam documentos.

Morre Jânio em 17 de fevereiro.

Conselho Regional de Medicina paulista processa Harry Shibata e outros médicos que colaboraram com a tortura.

Em maio, dossiê de Pedro Collor acusa PC Farias, tesoureiro da campanha de seu irmão Fernando, de possuir uma fortuna no exterior; CPI mostra corrupção instalada no coração do governo, com conivência do presidente.

Imprensa denuncia superfaturamento na compra de cabos de alumínio pela Eletronorte, domínios de Sarney.

Morrem: Herivelto Martins, aos oitenta, autor de *Ave Maria no morro* e *Praça Onze*; em acidente de helicóptero, o "Senhor Diretas", Ulysses Guimarães.

Movimento dos "caras-pintadas" contra corrupção empurra Collor para o *impeachment* e ele renuncia; Senado cassa-lhe os direitos políticos até 2000; assume o vice, Itamar Franco.

Rapaziada dos morros inaugura o arrastão: aos magotes, saem por Copacabana, Ipanema e Leblon tomando o que podem de banhistas e transeuntes.

PM paulista massacra 111 presos no Carandiru, na véspera das eleições de 3 de outubro; o governador Luiz Antônio Fleury Filho chama, para novo secretário da Segurança, Michel Temer, futuro vice de Dilma Rousseff.

Desfecho trágico a três dias do *réveillon*: ator Guilherme de Pádua, vinte e três anos, e sua mulher Paula Thomaz, dezenove, emboscam a atriz Daniella Perez e a matam com dezoito tesouradas; Guilherme e Daniella faziam par amoroso na novela *De corpo e alma*, de Glória Perez, mãe da atriz.

## 1993

FHC vai para o Ministério da Fazenda. Itamar prepara-o como sucessor.

Pesquisa da Ordem dos Advogados do Brasil: de oitenta e nove cursos, apenas sete formam advogados confiáveis.

Plebiscito em abril: povo diz não à monarquia e ao parlamentarismo e sim à república e ao presidencialismo.

Lula inicia Caravana da Cidadania, entre Garanhuns e São Paulo, em dois ônibus que num mês percorrem 300 municípios.

Em Arraial d'Ajuda, Bahia, a PM expulsa de suas terras trinta e cinco famílias pataxó.

Senado aprova até 100% de capital estrangeiro nas privatizações: vem aí com tudo o neoliberalismo — o velho colonialismo de roupa nova.

PM prende e fere quem protesta contra a privatização da Cosipa — Companhia Siderúrgica Paulista; cinquenta presos e vinte feridos em Minas, em protesto contra o leilão da Açominas.

PC Farias preso na Tailândia.

CPI revela corrupção sem precedentes na manipulação de verbas públicas, promovida por políticos e empreiteiras; deputados envolvidos ficam conhecidos como Sete Anões: João Alves (PPR-BA); Genebaldo Correia (PMDB-BA); Messias Góis (PFL-SE); José Geraldo Ribeiro (PMDB-MG); Cid Carvalho (PMDB-MA); Manoel Moreira (PMDB-SP); e José Carlos Vasconcellos (PRN-PE).

Morre o ator Grande Otelo.

Operação Mãos Limpas chega ao fim com 300 peixes graúdos encaminhados a julgamento, inclusive altos executivos e políticos — isso na Itália.

PM carioca compete com a paulistana pelo pódio da crueldade: em 23 de julho mata sete crianças, na Chacina da Candelária; e em 29 de agosto, na Chacina de Vigário Geral, mata vinte e um favelados.

Primeiro de agosto: cortam três zeros da moeda, o cruzeiro, que passa a cruzeiro real; FHC anuncia novo plano de estabilização econômica.

## 1994

Nelson Mandela é o primeiro presidente negro da África do Sul; fim do racista *Apartheid*.

Escândalo da gráfica do Senado; políticos ilegalmente imprimem ali material de propaganda eleitoral.

Vexame no Rio: exército e marinha ocupam favelas, prendem, torturam, apreendem umas armas, trouxinhas de maconha, e caem fora.

Brasil tetra nos Estados Unidos, bate a Itália por três a dois, nos pênaltis.

Abril: pesquisa dá Lula com 40% e FHC com 12%; FHC guina à direita e se une ao PFL, para garantir votos do Nordeste.

Lula diz que o Plano Real é estelionato eleitoral; cai nas pesquisas e empata com FHC em 30%. Julho: lançado o real no dia 1º e, estabilizados os preços, FHC usa a moeda de 50 centavos como mote: toma café da manhã numa padaria carioca e paga com ela.

Mercosul estende-se à Bolívia.

Outubro, dia 3, segunda-feira: com 54,3% dos votos, FHC derrota Lula no primeiro turno.

Aos sessenta e sete anos, em 8 de dezembro, vai-se Tom Jobim, que disse: "O Brasil é um país de ponta-cabeça".

## 1995

Alberto Fujimori reeleito presidente do Peru em abril; FHC vai à posse e, escolhido orador, elogia o instituto da reeleição, "legitimado pelo voto popular"; já pensa nisso e disso vai cuidar.

Sarney, presidente do Senado, indica, para diretor da Casa, Agaciel Maia, o patrono do escândalo da gráfica (ver 1994).

Três mil sem-terra gaúchos marcham por reforma agrária; em São Paulo, invadem três fazendas.

Recife: manifestantes apedrejam ônibus de FHC, que manda o exército ocupar refinarias para acabar com greve de petroleiros.

Conflito em São Félix do Xingu, Pará: morrem seis sem-terra e um PM.

Primeira privatização: Escelsa — Espírito Santo Centrais Elétricas SA.

Escândalos já tisnam o governo: Júlio César Gomes dos Santos, assessor de FHC, cai num grampo intercedendo a favor de um amigo empresário na bilionária concorrência para o Sivam — Sistema de Vigilância da Amazônia.

Banco Econômico quebra e uma pasta rosa contém nomes de quarenta e quatro políticos que receberam dinheiro na campanha de 1990.

**1996**

Em 17 de abril, PMs do Pará matam dezenove sem-terra no Massacre de Eldorado dos Carajás.

Polícia Federal captura, no Pará, Darly Alves da Silva, um dos assassinos de Chico Mendes, foragido desde 1993; em seguida pega no Paraná o outro, Darci Alves Pereira.

Justiça paulista considera "inocentes" PMs que massacraram 111 presos no Carandiru em 1992.

De câncer generalizado, morre Ernesto Geisel aos oitenta e nove anos, em 12 de setembro, na cidade fluminense serrana de Teresópolis.

PC Farias assassinado em Alagoas, com a namorada, com evidências de queima de arquivo.

Morre no Rio, João Antônio, autor de *Malagueta, Perus e Bacanaço*.

Serra concorre às eleições para prefeito de São Paulo e fica em terceiro; vão para o 2º turno a petista Luiza Erundina e o malufista Celso Pitta, que vence.

**1997**

Em 28 de janeiro, emenda da reeleição é aprovada na Câmara em 1º turno; em 14 de abril, a CNBB acusa o governo de corrupção, por compra de votos a favor da reeleição.

Em 7 de março, cinegrafista amador filma doze PMs extorquindo moradores da Favela Naval, São Paulo; o soldado Gambro, o *Rambo*, dispara e mata o almoxarife Mario Josino; é condenado a sessenta e cinco anos.

Sérgio de Souza, com antigos colegas, lança a mensal *Caros Amigos* em abril, trinta e um anos depois de *Realidade*.

Chocante: em Brasília, cinco *boyzinhos*, entre eles o filho do presidente do Tribunal de Justiça, jogam álcool e ateiam fogo no pataxó Galdino Jesus dos Santos, que dorme num ponto de ônibus depois de evento pelo Dia do Índio, 19 de abril; morre com 95% do corpo queimado.

Senado aprova a reeleição de presidente, governadores e prefeitos; há denúncias de compras de votos, não dá em nada.

Na mais escandalosa privatização da breve Era FHC, a Vale vai para a iniciativa privada por um terço do que vale: R$ 3,3 bilhões.

## 1998

Fevereiro quente. PM expulsa da Câmara sindicalistas que gritam "ou para a reforma, ou paramos o Brasil"; com o Congresso cercado e cavalarianos espancando manifestantes, a Câmara aprova a reforma da Previdência em 1º turno; dia 22, desabam na Tijuca, Rio, quarenta e quatro apartamentos do Palace II, da construtora Sersan, do deputado Sergio Naya (PP-MG), matando oito pessoas e desabrigando 120 famílias.

Morrem Tim Maia, Sérgio Motta, ministro e *trator* de FHC, e Luís Eduardo Magalhães, deputado federal, filho de ACM, que sonhava vê-lo presidente.

Ministério da Justiça reconhece que a estilista Zuzu Angel, mãe de Stuart Angel, torturado até a morte em base aérea no Rio em 1971, morreu em 1976 em atentado, e não em acidente.

Coligação PT-PDT-PSB-PCdoB lança em maio Lula-Brizola à presidência.

Sertanejos famintos saqueiam caminhões de alimentos.

Privatização da Telebras rende R$ 22 bi; Espanha, Portugal e Estados Unidos controlam o setor; PM fere quarenta e quatro e prende trinta e dois durante protestos; grampo revela que os mandachuvas Mendonça de Barros e André Lara Resende favoreceram um grupo; Mendonça diz a *IstoÉ* que FHC "sabia de tudo".

FHC reeleito no primeiro turno; três meses depois, sua popularidade despenca.

## 1999

FHC toma posse em 1º de janeiro e, logo, quebra a paridade do real com o dólar, ou seja, cai na real e desvaloriza o real; seus aliados do PFL pedem abertamente a entrega do Banco do Brasil, da Caixa e da Petrobras para "reconquistar a confiança" dos investidores.

Lâmpadas apagam, elevadores estacam entre andares, metrô para: é o *Apagão*, por falta de investimentos e imprevisão.

Banco Central socorre os bancos Marka e FonteCindam, com R$ 1,6 bilhão, gerando CPI e fuga do banqueiro Salvatore Cacciola para a Itália, graças a uma suprema toga amiga.

Em 3 de novembro, em São Paulo, Mateus da Costa Meira, vinte e quatro anos, num cinema do Morumbi, metralha a plateia, matando três pessoas.

Em 24 de dezembro, três semanas antes de completar oitenta e dois anos, morre no Rio o general Figueiredo, de insuficiência renal e cardíaca.

## 2000

Em abril, *Caros Amigos* sai com a manchete "Por que a imprensa esconde o filho de oito anos de FHC com a jornalista da Globo?"; o editor, Sérgio de Souza, recebeu de um emissário proposta de cancelar a reportagem em troca de anúncios estatais, e recusou; a circulação da revista passou de 19 mil para 40 mil exemplares mensais.

Edemar Cid Ferreira, do Banco Santos (ver 2004), promove *Brasil+500: A Mostra do Redescobrimento*; em Porto Seguro, Bahia, polícia espanca índios, e a réplica da Nau Capitânia de Cabral não funciona; o ministro do Turismo Rafael Greca cai por denúncias contra a máfia dos bingos.

Brahma se funde com Antarctica, forma a Ambev, sétima empresa de bebidas do mundo.

Barbárie estatal: PM carioca mata refém Geisa Firmino, durante sequestro do ônibus 174; o sequestrador, Sandro Nascimento, é sobrevivente da chacina da Candelária (ver 1993); desta vez, os PMs o asfixiam no camburão.

Impunidade na imprensa: jornalista Pimenta Neves, diretor de redação do *Estadão*, mata a namorada e, recorrendo a altas togas, fica impune até entregar-se, em maio de 2011, para cumprir quinze anos de cadeia.

Cassado em votação secreta o senador Luís Estêvão, envolvido no superfaturamento das obras do TRT de São Paulo.

*Veja* repercute as acusações do ex-banqueiro José Eduardo Andrade Vieira, do Bamerindus: campanha de FHC em 1994 arrecadou mais dinheiro que o necessário, e sobraram R$ 130 milhões.

Denúncias de corrupção contra Jader Barbalho (PMDB-PA), que em trinta e cinco anos de vida pública amealhou fortuna de R$ 30 milhões.

Preso o juiz Nicolau dos Santos Neto, o Lalau, pelo desvio de R$ 169 milhões nas obras do TRT paulista.

Fernandinho Beira-Mar denuncia que pagou US$ 500 mil para evitar — em vão — que suas irmãs caíssem presas; parentes de magistrados, policiais e parlamentares da CPI do Narcotráfico receberam propina.

## 2001

FHC cria o Programa Nacional de Renda Mínima, vinculado à educação, o Bolsa Escola.

Plataforma da Petrobras P-36 explode de madrugada, na Bacia de Campos, matando onze funcionários; o povo vê pela tevê o naufrágio ao vivo; presidente da Aepet — Associação dos Engenheiros da Petrobras, em entrevista a Palmério Dória e Mylton Severiano em junho de 2012, diz que acredita em sabotagem.

Antônio Carlos Magalhães (PFL-BA) perde a presidência do Senado e dispara acusações contra o vencedor Jader Barbalho (PMDB-PA) que renuncia para não perder os direitos políticos.

Crise no Senado: ACM e José Roberto Arruda (PSDB-MG) renunciam, apanhados com a mão na botija: devassaram o painel de votação e sabem como votou cada colega na cassação de Luís Estêvão em 2000.

Atentado às torres de Nova Iorque em 11 de setembro.

FHC extingue Sudene e Sudam em meio a denúncias de corrupção.

Greves no serviço público: servidores de universidades e do INSS param quase todo o segundo semestre por aumento de salários.

Crise na energia leva governo a implantar racionamento.

Petrobras vazando: em fevereiro, em Morretes, Paraná, 50 mil litros de diesel contaminam 15 quilômetros de águas; em abril, 26 mil litros de óleo caem no mar na Bacia de Campos; parece que "faz parte" de um plano: governo chegou a mudar o nome para Petrobrax, a fim de vender essa joia da coroa.

Ministério do Trabalho relaciona oitenta e dois trabalhos vetados a menores de dezoito anos, entre eles aplicação de agrotóxicos e industrialização de açúcar e sisal.

CPI da CBF-Nike não dá em nada e o presidente Ricardo Teixeira se safa.

Morrem Maria Clara Machado, aos oitenta anos, e Jorge Amado, aos oitenta e oito.

Ano do apagão: por falta de planejamento, o povo enfrenta racionamento de energia e corre às lojas para comprar lâmpadas "econômicas"; pagamos com nove meses de racionamento, mais desemprego, investimentos gorados, perda de PIB.

## 2002

1º de março: policiais federais vasculham a *Batcaverna*, ou empresa Lunus, de Roseana Sarney e seu marido; encontram R$ 27 mil em notas de cinquenta reais; a candidatura da governadora maranhense à presidência vira picolé ao sol.

João Paulo II canoniza madre Paulina, primeira santa brasileira, nascida na Itália mas vinda ao Brasil criança e fixada em Santa Catarina; morreu em 1942.

Vão-se Mário Lago, ator, autor de "Amélia" (com Ataulfo Alves), e Chico Xavier, mais importante médium kardecista do mundo.

Brasil bate Alemanha por dois a zero e se torna pentacampeão mundial na Copa Japão-Coreia.

Julho: *IstoÉ* descreve esquema gigante de envio irregular de bilhões de dólares para o exterior; um trecho: *Na papelada encontrada por investigadores na agência Banestado em Nova York.*

Em 27 de setembro, sexta-feira, véspera do primeiro turno das eleições presidenciais, nuvem negra no horizonte de José Serra: segundo apagão. Lula derrota Serra e pela primeira vez um operário vai ocupar a cadeira de presidente.

## 2003

Primeira medida de Lula: Fome Zero.

Junho. Procuradores da República entregam à Receita cerca de 6 mil documentos sobre mais de 80 mil pessoas que lavaram US$ 30 bilhões nos Estados Unidos, por intermédio da agência do Banestado em Foz do Iguaçu; o banco Araucária, lavou no mínimo US$ 5 bilhões.

Explosão suspeita na Base de Alcântara, Maranhão, mata onze engenheiros e dez técnicos, equipe responsável pelo VLS — Veículo Lançador de Satélites —, em 22 de agosto.

Presidente da Câmara, Aldo Rebelo (PCdoB-SP), recebe denúncia: deputados tomam dinheiro de empresários de combustíveis, cobrando "pedágio" para que se livrem de convocação perante a Comissão de Fiscalização e Controle; não deu em nada.

Morre Roberto Marinho.

## 2004

Banco Central intervém no Banco Santos, de Edemar Cid Ferreira, amigo de Sarney, por rombo de mais de US$ 2,2 bilhões: daria para comprar frota de 88 mil Fiats Palio; Sarney pede a Lula para suspender a medida, em vão; então relaxa e tira do Banco Santos, às escondidas, R$ 2 milhões que ali possui.

Morre de infarto, aos oitenta e dois anos, Leonel Brizola, fundador do PDT e, caso único, governador do Rio Grande do Sul na década de 1960 e do Rio de Janeiro, na de 1980.

## 2005

Grileiros assassinam a missionária americana Dorothy Stang em Anapu, Pará.

Atriz Maria Alice Vergueiro é sucesso do ano no YouTube, com *Tapa na Pantera*, em que brinca com o hábito da maconha, acendendo o movimento pró-liberação.

Morre, aos oitenta e oito anos Miguel Arraes, fundador do PSB, governador de Pernambuco preso em 1964 quando os militares dão o golpe e, após o exílio, de novo governador por duas vezes.

Após escândalo do Banestado, o governo, por meio do Conselho Monetário Nacional, muda regras das contas CC5: quem mandar dinheiro para fora deve assinar contrato de câmbio com um banco, registrado no Banco Central.

Acusado de operar o Mensalão, suposto esquema de pagamento de propina para parlamentares apoiar medidas do governo, cai o ministro da Casa Civil, José Dirceu, que sai dizendo "tenho as mãos limpas, saio de cabeça erguida".

## 2006

No início de fevereiro a mídia esconde que "foram condenados a onze anos de prisão, pela 12ª Vara Federal do Distrito Federal, o ex-presidente do Banco do Brasil, Paulo César Ximenes e seis ex-diretores", por "gestão temerária devido a irregularidades em empréstimos feitos à construtora Encol entre 1994 e 1995"; um condenado é Ricardo Sérgio de Oliveira, um dos responsáveis por emprestar dinheiro à Encol, que faliu deixando prédios abandonados e lesando milhares de mutuários; recorrerão em liberdade.

Maio: preso Edemar Cid Ferreira, do Banco Santos.

Advogada Carla Cepollina é acusada de matar o namorado, coronel Ubiratan Guimarães, chefe do massacre de 111 presos no Carandiru, em outubro de 1992; será absolvida pelo tribunal do júri em novembro de 2012.

Lula reeleito com 60% dos votos, apesar do trabalho da mídia contra ele e a favor de Geraldo Alckmin; oligarquia baiana se verga: em final eletrizante, petista Jaques Wagner derrota no primeiro turno Paulo Souto, candidato de ACM, fotografado em pose inédita: cabisbaixo; morrerá aos setenta e nove anos, nove meses depois.

## 2007

Março: grampo da PF capta Ernane Sarney, o *Gaguinho*, irmão de José Sarney, cobrando propina que a construtora Gautama lhe devia.

Renan Calheiros, presidente do Senado, renuncia para escapar à cassação, após a descoberta de que bancava amante com mesada paga pela construtora Mendes Júnior; festeja na casa de Sarney; a moça posa nua mostrando a borboleta tatuada na nádega.

Em 20 de julho morre Antônio Carlos Magalhães, o ACM.

## 2008

Em 4 de março, explosão em subestação da Companhia Transmissora de Energia Elétrica Paulista deixa quase três milhões de famílias sem luz, atinge o Metrô, semáforos e o gerador do Hospital das Clínicas.

Entra no ar a TV Brasil, promessa de tevê "útil".

Ano de perdas no jornalismo: em janeiro, Paulo Patarra, criador de *Realidade*, revista mensal "cult" da Abril; em março, Sérgio de Souza, fundador da *Caros Amigos*; o também psicanalista e dramaturgo Roberto

Freire; Nicodemus Pessoa, o *Pessoinha*; o cronista Lourenço Diaféria; e, no último dia do ano, Tide Hellmeister, artista plástico e expoente da colagem entre nós.

*Veja* revela em junho: agenda de Zuleido Veras, dono da Gautama, apreendida em 2007, anota o nome de Roseana Sarney ao lado de "R$ 200 mil", dois meses antes da eleição que ela perdeu para Jackson Lago; noutra anotação, lê-se Roseana e ao lado "R$ 63 milhões".

Quase ex-ministro da Cultura, Gilberto Gil lança *Banda Larga Cordel*, CD em que homenageia mulheres.

Revista americana *Esquire* inclui Lula entre os setenta e cinco homens mais influentes do século XXI.

Gilberto Kassab derrota Marta Suplicy na disputa pela prefeitura paulistana.

Obama será o primeiro presidente negro dos Estados Unidos.

Novembro: 20º Congresso da Ordem dos Advogados do Brasil, em Natal, anistia Jango e, em pesquisa com os participantes, a Corte suprema presidida por Gilmar Mendes fica na rabeira: apenas 1% confia no STF.

## 2009

Em 2 de fevereiro, Sarney é eleito presidente do Senado pela terceira vez; *The Economist* fala em "vitória do semifeudalismo"; ele toma esquisita providência no início da legislatura: incinera arquivos.

Em 20 de fevereiro morre Sergio Naya, onze anos depois do desabamento do Palace II (ver 1998).

*Jornal Pequeno* noticia que "maratona de jogatina" reuniu uma dezena de pessoas na residência oficial do presidente do Senado, pai de Roseana Sarney, a qual admite: quatro vieram de São Luís com sua cota aérea; descoberta, diz que passaram sábado e domingo em "reunião de trabalho".

Carlos Roberto Muniz é exonerado da Diretoria de Comunicações do Senado: tentou fazer estudo sobre o "mau uso dos celulares" pelos senadores; o único punido pelos escândalos até ali.

Inédito nos anais do STF: Joaquim Barbosa bate boca com o presidente, Gilmar Mendes, quando este sugere que ele desconhece uma matéria; Barbosa diz a Mendes que ao dirigir-se a ele "não está falando com seus capangas do Mato Grosso" e que Mendes está "destruindo a credibilidade do Judiciário brasileiro".

Zabé da Loca, tocadora de pífaro, grava primeiro disco aos oitenta e quatro anos, trinta dos quais morou numa loca no sertão paraibano.

Crise mundial esquisita, nunca chega aqui; Lula diz que ela se deve "a loiros de olhos azuis".

A Vale é a segunda maior mineradora do mundo, valor de mercado de 100,66 bilhões de dólares, só atrás da australiana BHP Billiton, com 159,71 bilhões; e pensar que foi entregue por R$ 3,3 bilhões.

**2010**

Dilma Rousseff passa por correção da arcada dentária, danificada por torturas na ditadura; em 31 de outubro, torna-se a primeira mulher presidente da República, depois de campanha em que a mídia em peso trabalhou contra ela e a favor de José Serra.

**2011**

Junho. STJ — Superior Tribunal de Justiça — anula Operação Satiagraha, chefiada pelo delegado da PF Protógenes Queiroz, sob alegação de que provas foram obtidas mediante quebra de sigilos telefônicos e rastreamento de *e-mails*.

Novembro, 29: Justiça Eleitoral condena pastor Caio Fábio D'Araújo Filho a quatro anos de prisão por envolvimento no *Dossiê Cayman*, papéis falsos sobre fatos que não se comprovaram e que também eram falsos: acusava tucanos de ter dinheiro em paraísos fiscais.

Em 18 de novembro Dilma Rousseff sanciona a lei que institui a Comissão da Verdade, para investigar violações de direitos humanos entre 1946 e 1988.

**2012**

Janeiro: em doze meses, pobreza caiu 7,9% e desigualdade diminuiu 2,1%, pesquisa de Marcelo Neri, da Fundação Getúlio Vargas. Brasil é tetracampeão de "felicidade futura": de zero a dez, o brasileiro dá nota média de 8,6 à sua expectativa de satisfação com a vida que levará pelos três anos à frente.

Em 18 de maio, Dilma instala Comissão da Verdade — CV, reunindo quatro ex-presidentes: FHC, Lula, Collor e Sarney.

A CV decide requisitar documentos encontrados em Minas que revelam torturas sofridas pela presidente na ditadura militar: pau-de-arara, choques elétricos, palmatória, socos no rosto que a fizeram perder dente. "A pior coisa é esperar por tortura", diz ela, no relato, "as marcas da tortura sou eu. Fazem parte de mim". Em 2002, Dilma recebeu indenização de R$ 30 mil pela prisão em Minas.

Julgamento dos réus do "mensalão" vira novela da tarde, com as sessões do STF transmitidas ao vivo pela Rede Globo; mas a derrota eleitoral do PT não acontece, ao contrário do que a oposição apostava e até petistas temiam: o partido conquistou mais de 600 municípios, dezesseis cidades com mais de 200 mil habitantes e a "joia da coroa": a prefeitura paulistana, com Fernando Haddad.

## 2013

Haddad começa gestão em São Paulo sentindo o peso da oposição que lhe farão, ao tentar um aumento "socializado" do IPTU — Imposto Predial e Territorial Urbano, taxando mais os mais ricos e até baixando o custo nas periferias: um pré-candidato ao governo de São Paulo, Paulo Skaf, conseguiu na justiça barrar a proposta.

Em 13 de março, é escolhido papa o cardeal argentino Jorge Mario Bergoglio, setenta e seis anos, que adota o nome Francisco.

Junho: manifestações de rua por várias grandes cidades brasileiras, iniciadas em São Paulo contra aumento de preço nas passagens de transporte coletivo; PM reprime com violência, gerando mais violência; cai nas pesquisas o índice de aprovação de praticamente todos os chefes de Executivo, inclusive de Dilma Rousseff.

Morre Nelson Mandela aos noventa e cinco anos.

Comissão Nacional da Verdade presta contas do primeiro ano de atuação, em maio; comitês e comissões regionais se instalaram por toda a Federação — exceto Amapá, Rondônia, Roraima e Sergipe.

Comissão da Verdade de São Paulo conclui que JK foi vítima de atentado (ver 1976).

## 2014

Supremo Tribunal Federal, por meio do ministro Joaquim Barbosa, manda prender José Dirceu, José Genoino e Delúbio Soares, réus condenados do "mensalão"; em sessão de 27 de fevereiro, os réus já presos serão absolvidos do crime de "formação de quadrilha".

Em 17 de fevereiro, Gilberto Bercovici, trinta e nove anos, paulistano do Bom Retiro, passa a ser o mais novo professor titular da Faculdade de Direito do Largo São Francisco, as Arcadas. Ele assume a cátedra no salão nobre diante da plateia lotada de estudantes e professores, que o ouvem tratar das reformas de base do presidente João Goulart:

*Bancária* — previa o direcionamento da poupança para ampliar o crédito para o campo e a habitação popular; o Banco do Brasil ampliaria sua atuação e agiria no controle da remessa de lucros das empresas estrangeiras.

*Tributária* — aumentaria os impostos diretos sobre patrimônio e renda e reduziria os impostos indiretos.

*Administrativa* — exigia um órgão central de planejamento, articulado com agências regionais, como a Sudene.

*Eleitoral* — estenderia o direito de voto aos analfabetos e aos sargentos; tomaria providências contra o poder econômico nas eleições.

*Universitária* — fim do vestibular, pois o ensino superior é direito de todos; participação de alunos e funcionários nas decisões.

*Urbana* — facilitaria as desapropriações para criar mais moradias; estabeleceria uma política de transportes coletivos.

*Agrária* — desapropriaria terras improdutivas e criaria um mercado interno, integrando os camponeses ao processo de desenvolvimento: era a reforma mais profunda, mais necessária, e gota-d'água que levou ao golpe.

O jovem professor Bercovici encerrou sua fala com várias consignações:

*Há cinquenta anos sabemos quais as reformas necessárias.*
*Sem mobilização social não se resgata o projeto interrompido em 1964.*
*Está na hora: devolvam o nosso país.*

Aplausos demorados fecharam a cerimônia.

Polícia Federal deflagra a Operação Lava Jato em 17 de março, com prisões temporárias e preventivas de dezessete pessoas em sete estados, entre elas o doleiro Alberto Youssef e executivos de empreiteiras. O juiz Sérgio Moro ganha destaque na mídia a partir daí.

Mylton Severiano, coautor deste livro, morre aos 74 anos em Florianópolis (SC), em 9 de maio. Deixa obra jornalística inestimável.

Convenção nacional do PSDB oficializa a candidatura de Aécio Neves à Presidência em 14 de junho; e o PT, a de Dilma Rousseff à reeleição no dia 21.

Dilma Rousseff é reeleita em segundo turno em 26 de outubro, com 51,64% dos votos contra 48,36% de Aécio Neves.

## 2015

Dilma toma posse em 1º de janeiro com o lema Pátria Educadora.

Em fevereiro, o advogado José de Oliveira Costa, que trabalha para Fernando Henrique Cardoso e integra o Conselho do iFHC, encomenda parecer de Yves Gandra Martins sobre o impeachment de Dilma.

Em fevereiro de 2015, o website do International Consortium of Investigative Journalists (ICIJ) divulgou a informação sobre as contas na Suíça, com o título de Swiss Leaks: Murky Cash Sheltered by Bank Secrecy (SwissLeaks: Dinheiro escuso protegido pelo sigilo bancário). A investigação foi feita por mais de 130 jornalistas em 45 países, incluindo França (Paris), Estados Unidos (Washington) e Suíça (Genebra). O ICIJ considera que o banco obteve lucros ao abrigar dinheiro de sonegadores fiscais e outros transgressores de leis. O número de clientes residentes no Brasil chega a 8.867 e são titulares de 6.606 dessas contas do HSBC, cujo saldo total, no final de 2013, estava em torno de 7 bilhões de dólares.

Câmara dos Deputados instala, dia 26 de fevereiro, mais uma CPI para apurar irregularidades na Petrobras, a terceira em menos de um ano, para investigar o esquema de propina envolvendo a estatal sendo investigado pela Polícia Federal dentro da Operação Lava Jato. O ministro Teori Zavascki, do STF, derruba no dia 6 de março o segredo de Justiça dos nomes investigados na Operação Lava Jato. Entre eles os dos presidentes da Câmara, Eduardo Cunha; e do Senado, Renan Calheiros.

Em 15 de março, uma multidão calculada em 200 mil pessoas convocada pelas mídias sociais e pela mídia protesta na avenida Paulista contra o governo Dilma. Cerca de um milhão de pessoas vão às ruas em vários estados. Cresce o movimento pelo impeachment da presidente.

O Senado instala, em 24 de março, a CPI do HSBC para investigar contas de brasileiros na filial suíça do banco na esteira do escândalo que ganhou o nome de SwissLeaks.

A PF deflagra, no dia 26 de março, a Operação Zelotes, que desarticulou esquema de corrupção no Conselho de Arrecadação de Recursos Fiscais, que pode chegar a R$ 19 bilhões envolvendo megaempresas brasileiras.

Em 12 de abril, multidão com menos da metade do público de 15 de março se reúne na Paulista contra Dilma. O movimento reflui em todo o Brasil.

Aécio Neves, presidente do PSDB, pede e tucanos aceitam adiar o pedido de impeachment de Dilma: "A ideia é que o movimento seja único e mais forte".

Dilma não faz o tradicional pronunciamento de 1º de Maio na TV, com medo de panelaço, e usa a internet.

A Justiça Federal do Paraná, base da Lava Jato, aceita em 18 de maio, denúncia criminal contra quatro deputados por envolvimento no esquema de corrupção e propina na Petrobras e em contratos de publicidade com a Caixa Econômica Federal e o Banco do Brasil.

Fontes principais: Darcy Ribeiro, *Aos trancos e barrancos — Como o Brasil deu no que deu*, Ed. Guanabara, Rio de Janeiro, 1985; e José Teixeira de Oliveira, *Dicionário brasileiro de datas históricas*, Ed. Itatiaia, Belo Horizonte, 1992.

## Leia também dos mesmos autores

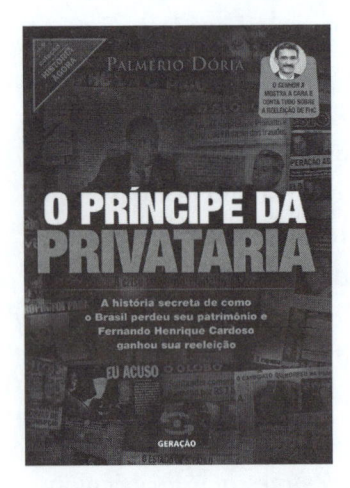

### O Príncipe da Privataria

Uma grande reportagem, 400 páginas, 36 capítulos, 20 anos de apuração, um personagem central recheado de contradições, poderoso, ex-presidente da República, um furo jornalístico (a compra da reeleição), os bastidores da imprensa e muito mais: "O Príncipe da Privataria – A história secreta de como o Brasil perdeu seu patrimônio e Fernando Henrique Cardoso ganhou sua reeleição."

### Honoráveis Bandidos

Palmério Dória, um dos jornalistas mais respeitados do País, conta pela primeira vez, num livro, toda a história secreta do surgimento, enriquecimento e tomada do poder regional pela família Sarney, no Maranhão, e o controle quase total, do Senado, pelo patriarca que virou presidente da República por acidente, transformou o Maranhão no quintal de sua casa e beneficiou amigos e parentes.

geracaoeditorial.com.br
@geracaobooks
/geracaoeditorial
/geracaoeditorial